Massoud l'Afghan

DU MÊME AUTEUR

Aux Éditions Robert Laffont

Le Clandestin dans la guerre des résistants afghans, 1984.

Les Gobeurs de lune, Roman, 1987.

Poussières de guerre, avec Frédéric Laffont, 1990.

Fondateur de l'agence de presse Interscoop (1983) qu'il dirige aujourd'hui avec Frédéric Laffont, Christophe de Ponfilly a réalisé plus de trente films documentaires pour les télévisions françaises et étrangères : autant sur les drames des hommes que sur leur intelligence à vivre. Il a reçu le prix Albert-Londres et de nombreux prix internationaux. Avec son complice Laffont, ils occupent une place particulière dans le monde des médias, défendant une démarche humaniste qui donne à leurs films une véritable profondeur.

Le film *Massoud l'Afghan,* dont ce livre raconte l'histoire et la chronologie, a été coproduit par La Sept ARTE et Interscoop.

CHRISTOPHE DE PONFILLY

Massoud l'Afghan

Préface d'Olivier Roy

Postface de Gérard Chaliand

arte
Éditions

EDITIONS
DU FELIN

© Éditions du Félin et Arte Éditions, 1998
Éditions du Félin, 10, rue La Vacquerie, 75011 Paris
Arte Éditions, 10-14, rue Horace-Vernet, 92130 Issy-Les-Moulineaux

Nouvelle édition en septembre 2001
avec une postface de Christophe de Ponfilly

ISBN : 2-86645-316-6

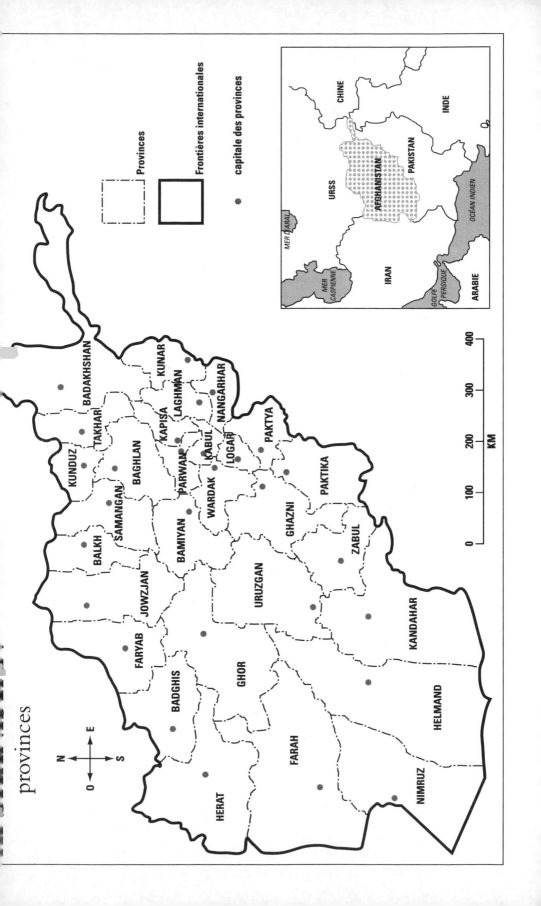

provinces

N E S O

BADAKHSHAN
KUNAR
LAGHMAN
KAPISA
NANGARHAR
TAKHAR
KUNDUZ
BAGHLAN
KABUL
PARWAN
LOGAR
PAKTYA
SAMANGAN
WARDAK
BAMIYAN
GHAZNI
PAKTIKA
BALKH
JOWZJAN
URUZGAN
ZABUL
FARYAB
BADGHIS
GHOR
KANDAHAR
HERAT
FARAH
HELMAND
NIMRUZ

0 100 200 300 400
KM

Provinces

Frontières internationales

• capitale des provinces

CHINE
INDE
PAKISTAN
AFGHANISTAN
URSS
MER D'ARAL
MER CASPIENNE
IRAN
GOLFE PERSIQUE
ARABIE
OCÉAN INDIEN

Afghan Circus

Peshawar, Pakistan, province de la frontière du Nord-Ouest, début des années quatre-vingt. La ville est un balcon donnant sur la guerre d'Afghanistan. D'étranges étrangers s'installent dans les quelques hôtels « pour Européens », Dean's Hotel, Green's Hotel, et, pour les plus fortunés, l'insipide Pearl Intercontinental. Les touristes ont été chassés par la rumeur des bombes. La consommation d'alcool, confidentielle, est réservée par la loi aux *non muslim foreigners*. Qui sont donc ceux qui remplissent consciencieusement le formulaire donnant droit à la fade bière de Murree, et finissent par la boire ensemble, dans le désœuvrement de la longue attente, avant de passer de l'autre côté de la frontière ? Des journalistes, des humanitaires, des agents de renseignements (avec ou sans passeport diplomatique), des aventuriers se faisant passer pour une des trois catégories précédentes, et, plus rares, quelques chercheurs, dont votre serviteur – plus un pêcheur de truite à la mouche. L'intéressant dans le microcosme de Peshawar est que l'on est amené à fréquenter des gens que l'on éviterait dans une autre vie, ou bien tout simplement qu'on ne rencontrerait jamais, tant les corporations sont cloisonnées et l'inertie insidieuse.

J'étais là pour écrire, en toute modestie, *le* livre sur l'Afghanistan. Je me donnais quatre années. En tout je passai dix-huit mois de l'autre côté. Bref, je n'étais pas pressé. Au début, les affinités étaient importées de notre pays d'origine : gens de même langue, de mêmes études ou de même sensibilité politique. Les *droits-de-l'hommistes* méprisaient les *fana-mili* de la guerre froide, tout en rangers et treillis, les diplômés ignoraient les autodidactes, et les anciens coopérants en Afghanistan s'inventaient un langage codé de souvenirs et de persan pour écarter tous les nouveaux venus, ceux qui ne parlaient pas la langue et ne savaient pas encore manger avec leurs doigts. Les journalistes couraient après les espions qui fuyaient les journalistes mais cherchaient les chercheurs, lesquels craignaient de perdre leur virginité professionnelle mais s'ennuyaient tellement qu'ils finissaient par prendre les journalistes comme public de leurs conférences un peu pâteuses. L'humanitaire hésitait entre le carabin en goguette et le nouveau Sujet de l'histoire. Bref c'était l'*Afghan Circus*. Une bulle irréelle qui s'intéressait à quelque chose – la guerre d'Afghanistan –, très difficile à communiquer et à expliquer.

En fait, nous étions tous confrontés à un problème comparable : comment rendre compte, informer, expliquer ? Bien sûr, il n'y avait là rien de très nouveau. Mais l'Afghanistan représentait un cas bien spécifique, si on le comparait avec les crises de la même époque. À Beyrouth, les combats et les différents acteurs étaient à proximité de l'hôtel où séjournaient les journalistes ; le Liban comptait nombre d'intellectuels et d'experts ; la littérature sur le pays était abondante. On pouvait savoir, on croyait savoir, même s'il y avait quelque illusion en cela. En Afghanistan, nulle proximité ni médiation.

On se rendait compte que cette guerre n'existait que dans la mesure où elle était filmée et présentée au public européen par la télévision. Mais comment apporter un savoir, ou tout simplement une expérience, notre expérience ? Chacun bricolait son petit système. Les humanitaires, finalement, s'adaptaient très bien : caméragéniques, soucieux de collecter les fonds pour faire perdurer leur mission, ils retrouvaient les réflexes d'autres missionnaires, ceux du siècle passé. Une carte postale à la paroisse, c'est-à-dire deux minutes trente de journal télévisé, et la collecte fonctionnait. Tant mieux…

Mais la frustration demeurait. Complexe d'ailleurs, car en quoi pouvions-nous dire que les journalistes ne faisaient pas leur travail ? Ils le faisaient. En quoi pouvions-nous dire que ce travail était superficiel, faux, mystificateur ? Il ne rendait pas compte de la complexité de la situation ? Certes, mais nous aussi étions amenés à faire des raccourcis, car il faut savoir prendre parti. Le raccourci qui va dans notre sens est-il acceptable (« les Soviétiques sont méchants ») et celui qui n'y va pas ridicule ou scandaleux (« les Afghans sont des clowns ») ? Le livre de Christophe de Ponfilly est une charge contre un certain journalisme, ou plutôt contre le journalisme en général : celui de l'obsession du journal de vingt heures. Non pas que les journalistes soient des « pourris ». En tout cas, la plupart de ceux qui sont allés en Afghanistan étaient honnêtes et…

courageux. À leur manière, d'ailleurs, ils acceptaient aussi de perdre leur temps, même s'ils le comptaient en heures et non en semaines, comme nous. Bien sûr, nous avons tous vu des « bidonnages », par exemple la fausse embuscade que l'on monte avec quelques moudjahidine complices parce que les vraies embuscades ont lieu de nuit et qu'on ne peut alors filmer. Parfois même, nous y avons contribué, comme intermédiaires ou interprètes. Nous avons tous aussi prononcé des phrases grandiloquentes ou banales, qui ramènent le monde à quelques catégories simples. Alors, qu'est-ce qui nous autorise à dire qu'il y a un discours plus authentique, plus proche, plus expérimenté…?

Le critère, c'est le temps, le simple temps qui passe. Ce critère partagea notre petit monde en deux : ceux qui prenaient le temps et les autres, ceux qui devaient impérativement boucler leur petit tour de guerre en quarante-huit heures, embuscade comprise. En avoir ou pas… du temps.

Ce temps est d'abord celui de la contrainte. L'attente du passeur qui vous emmènera de l'autre côté, au début temps perdu ; faute de mieux, on écoute ceux qui reviennent, on lit, on s'essaye à celui qui sera le guide. Temps ensuite de la route faite à pied ; ces cols dont l'altitude varie avec la fatigue et les souvenirs, ces journées « inutiles » à rejoindre le théâtre des opérations et donc celui des nouvelles, mais qui, justement, introduisent aux contraintes du pays. Temps mis à rencontrer la bonne personne, mais qui oblige à regarder la vie quotidienne des petits ; temps perdu qui permet de découvrir finalement la vraie structure de la société afghane ; connaissance qui ensuite permet de comprendre les événements militaires ou politiques. Temps des soirées interminables, à attendre que le repas soit prêt, ou simplement que la nuit tombe, et où on apprendra, par hasard, le détail ou l'anecdote qui explique ce qu'on ne comprenait pas jusqu'ici. Temps des longs récits ou des notes en bas de page, temps de la divagation... mais aussi du silence. C'est cela la différence, et ce n'est pas forcément la pertinence de la sentence prononcée au journal de vingt heures. Mais ce temps est difficilement communicable, car il exige que le lecteur ou le spectateur prenne aussi son temps.

Ce que fait Ponfilly : il filme aussi ce temps. En racontant sa propre histoire, sur seize années, il laisse les protagonistes s'exprimer, se révéler. C'est un temps en spirale, celui des retours sur les mêmes lieux, les mêmes personnages, les mêmes problématiques, jusqu'à ce que, peu à peu, les choses se précisent. On revient sur un visage vieilli, on apprend la mort d'un homme dont le portrait flotte encore dans la mémoire, on revoit le même village, pimpant, détruit, reconstruit. Patine, blessure, cicatrice, c'est la vie même qui s'épanche hors des mots.

Certes, le temps n'est pas toute la vérité, mais il permet au lecteur ou au spectateur de s'installer dans la lenteur de la lecture ou du documentaire qui se déroule, et donc de se faire une opinion. Le style en ce sens est aussi un travelling, une construction, un petit voyage... loin des formules péremptoires que le présentateur lit sur son prompteur, sujet-verbe-complément.

Pourquoi alors un cinéaste qui, rare bonheur, a obtenu de la télévision la diffusion de documentaires longs (jusqu'à une heure et trente minutes), en vient-il alors à écrire un livre ? Peut-être que l'acte d'écriture permet de retrouver un cheminement presque physique ? Peut-être que le livre, qui existe avec peu de moyens et se lit à son rythme, est-il gage d'autonomie et d'indépendance pour le « consommateur », alors que le film ne peut être vu que s'il est distribué, et encore, à l'heure prévue et fixée par la chaîne. Une lecture s'interrompt, bifurque vers les notes, revient vers la page précédente. Un film impose son format. Un film, comme le regret d'un livre...

Ce livre est donc une invite à prendre son temps, et à le perdre aussi. Une invite à marcher, sur un paysage, sur une histoire, un bout d'Histoire...

OLIVIER ROY

Préambule

Avant que la poussière de ses sentiers ne vienne me brûler les yeux, l'Afghanistan, pour moi, fut d'abord un chemin de mots étiré à longueur de pages. En préambule d'un voyage clandestin, les lectures me firent découvrir ses plaines et grandir ses montagnes, m'émerveiller de la diversité de ses ethnies et de ses coutumes, m'interroger sur l'évolution de son histoire. Les photos des Michaud emplirent mon regard de lumières jamais vues avant. Les Afghans furent des héros de papier avant d'être de chair et de sang.

Joseph Kessel jeta des cavaliers dans ma tête, lancés, par-delà de violentes mêlées, dans les galops d'un bozkachi sans pitié, jeu afghan, lointain cousin d'un rugby à cheval où le ballon est remplacé par une dépouille de bouc. Ainsi, l'immensité de cette contrée lointaine occupa d'abord mes rêves. Sans doute est-ce pourquoi j'ai abordé ce  *pays mythique comme on entre dans un conte, un peu à la manière d'un enfant qui veut continuer à rêver d'un monde intense où tout est aventure ; continuer à défendre la folie grisante de la vie. Enfin, pour moi, tout devint réalité dans l'intensité si particulière de la clandestinité lors d'un flirt ambigu avec les dangers de la guerre. J'ignorais alors, en me lançant dans cette aventure, qu'elle occuperait tant de place dans ma vie. Je ne pensais pas qu'elle m'entraînerait si loin, qu'il y aurait une telle urgence à jeter ces souvenirs sur le papier.*

CHRISTOPHE DE PONFILLY

I

Initiation clandestine

Ma première intrusion en Afghanistan fut une histoire comme des milliers d'autres, qu'un millier de Français, médecins, infirmières et infirmiers, quelques journalistes et une poignée d'irréductibles idéalistes vécurent dans une discrétion qui déshonorent nos médias – si prompts à faire des héros avec des idoles de toc et de carton-pâte – car ils n'en parlèrent quasiment pas.

La micnne fut une histoire dont je ne peux me souvenir sans gravité. Une aventure dangereuse qui commença dans le secret d'une nuit lorsqu'une caravane se faufila entre les maisons de Garmshisma, dernier village avant la frontière afghane, au nord-est du Pakistan. La lumière de la lune donnait aux montagnes l'allure d'un décor d'ombres chinoises. J'entends encore précisément la musique saccadée des sabots des chevaux heurtant la rocaille du chemin. Cinquante montures constituaient la caravane, portant armes et munitions. Premier voyage clandestin dans ce pays, en guerre depuis décembre 1979[1].

Avec nos habits afghans : le pacole[2], la veste longue, le pantalon ample et le patou[3], nous étions passés à la faveur de l'obscurité pour des caravaniers. Les trois check-points de la police pakistanaise disparurent dans notre dos, à notre grand soulagement. On entrait en Afghanistan. C'était une nuit de juillet 1981.

---

1. Le lecteur peut se plonger dans la chronologie en fin d'ouvrage, p. 257 *sq*.
2. Béret de laine roulé, porté dans le Nouristan, devenu le couvre-chef des moudjahidin de Massoud.
3. Couverture de laine aux multiples usages : manteau, nappe, ballot, brancard à l'occasion…

Marcher longtemps a incrusté dans ma mémoire une trace indélébile. Surtout la découverte de cette traînée rougeâtre, imprimant sur le sentier improvisé, à peine plus large qu'un homme, un fil sombre ininterrompu à travers la montagne : il était fait du sang des bêtes qui se blessaient sans cesse sur les pierres… Combien d'ânes, de mules et de chevaux étaient passés par là ? Impossible à deviner, sinon qu'ils avaient déjà été nombreux et que ce n'était qu'un début !

C'est loin et présent à la fois, comme les choses qui ont compté et compteront toujours. Je pénétrais là dans un monde incroyable : dense, beau, vaste, fraternel et dangereux…

Massoud. Ahmad Shah Massoud, n'est encore qu'un nom. Pas encore un homme. Encore moins une légende. À peine une histoire. Juste une résonance. Qui sonne fort. Qui résiste à l'oubli. Un nom dont on se souviendra longtemps.

Qui est vraiment Massoud ? Personne parmi les caravaniers n'a pu nous le dire, sinon nous vanter ses prouesses de chef de guerre, son autorité naturelle, son sens de l'organisation. Ah, il fallait entendre « doctor Laurence », comme disaient les Afghans, en parler avec chaleur :

– De tous les commandants afghans, Massoud est le plus surprenant. Et le meilleur ! Il ressemble à un aigle, nous avait-elle raconté avant notre départ. Quelque chose de Bob Dylan dans le charme, à moins que ce ne soit une expression de Che Guevara !

Laurence Laumonier était la première femme médecin à avoir implanté un hôpital dans la zone de Massoud pour le compte d'une ONG française, Aide médicale internationale. Dès leur première rencontre elle avait été fascinée par celui qui deviendrait le « Lion du Panjshir ». Tout comme les Afghans étaient impressionnés par cette jeune femme toubib venue prendre tant de risques pour les aider, d'où la renommé du « doctor Laurence » à jamais gravée dans les mémoires de ces montagnards.

L'âge de Massoud ? Personne, là non plus, n'avait pu être précis. Sans âge, sans doute, comme tous les hommes d'ici, qui ne possèdent aucun acte de naissance, sinon de montrer qu'ils sont vivants. D'en rire, souvent. Parce qu'ils ont appris à jouer avec la mort. Cette mort qui les dépasse. Qui vient du ciel. À cette époque, en 1981, les Afghans ont une terreur obsessionnelle des avions. Jamais vus avant… Pires que Dieu, si Dieu avait des ailes. Ces avions d'un autre monde. Métalliques, peinturlurés de vert et de taches marron, comme salis à la boue, grossiers sur fond de ciel saphir, plus rapides que le caillou jeté sur la perdrix, proie du chasseur. Les Afghans chassaient sur leurs terres. On veut maintenant les chasser de leurs montagnes.

Les dates ne correspondent à rien – 6 Djady de l'année 1358 au calendrier solaire : arrivée des Soviétiques en terre afghane, avec armes et bagages et pas assez de raisons pour venir y faire la guerre. Pas assez pour le dire en chantant. Pas assez pour inventer une volonté de se battre avec la conviction de défendre son propre sang. N'en déplaise aux propagandistes soviétiques du moment : ce ne sera jamais une guerre « propre », bien qu'elle se soit légitimée au nom du pro-

grès ; encore moins une guerre patriotique, comme l'autre, la grande guerre contre les bourreaux nazis. Juste une ignominie de plus, de trop, à inscrire sur le tableau géant des erreurs humaines. Tour de folie commencé en décembre 1979, qui creusera une plaie jamais refermée dans la conscience collective de deux peuples, afghan et soviétique, qui n'avaient pourtant rien demandé à personne. Vive le camarade Brejnev !

Pourquoi avait-il décidé cette aventure militaro-politique ? On ne saura jamais ! L'exacte motivation de ce vieillard a disparu avec sa mort. Ce fut même une erreur, puisque cette guerre ne lui servira à rien de bon sinon ébranler l'Empire soviétique à la veille d'une implosion inattendue. Le plus grave et le plus injuste dans cette histoire est qu'elle pulvérisera la société afghane qui avait encore bien des valeurs et des richesses à proposer au monde, surtout au monde islamique. Car, en Afghanistan, ceux qui y ont vécu avant-guerre le savent, on pratiquait la tolérance, pas le fanatisme.

En 1981, si les dés du destin semblent jetés, on ignore encore le dénouement de l'histoire. La guerre s'invente au jour le jour, des millions d'Afghans la subissent. Les Russes sont là. Ils s'incrustent. Ils n'ont pas la réputation de céder. On les croit forts, plus forts qu'ils ne sont, mais tout le monde l'ignore encore. Avec leur maté-riel rustique et monstrueux, leurs chars, leurs orgues de Staline, ils tentent – et croient pouvoir – de prendre racine dans ces montagnes, sur l'immensité de ces déserts, dans ces vallées. En réalité, ils s'ins-tallent surtout dans les quelques villes alors intactes. Répétition absurde de pièces de théâtre déjà jouées auparavant, avec d'autres acteurs. Mêmes bilans dramatiques. Long moment de dix années, comme une éternité dans la vie de ceux qui s'y sont meurtris et ne pourront jamais vraiment oublier. De ceux, soudain infirmes, qui auront définitivement l'impression d'avoir vécu une vie comme on fait un brouillon, mis sur la touche : unijambistes, culs-de-jatte, estropiés innombrables, armée de miséreux éparpillés dans un monde de larmes et de cauchemars, à jamais traumatisés. Vive Brejnev !

Mais de cela, avec Jérôme Bony, mon complice de cette aven-ture, nous ne savions encore rien. Nous étions vierges de la guerre, ne connaissant d'elle que les récits des autres, d'anciens combat-tants pathétiques qui ne pouvaient jamais ouvrir la bouche sans s'attirer des moqueries, fantômes d'une peur annoncée.

15 juillet 1981, calendrier lunaire... Nos pieds souffrent. Les millions de pas à faire à travers cette masse d'éperons graniteux nous rendent inquiets. Les horizons nous donnent le vertige. Cette marche est folle. Semelles et sabots soulèvent la poussière de sen-tiers qui n'existent nulle part ailleurs qu'en ces dédales de roches, d'à-pics, de falaises où s'épuisent hommes et bêtes : sentiers étroits, emberlificotés en d'interminables zigzags sur des pentes apparem-ment sans fin, plus proches, souvent, de la verticale que de l'horizontale. Les Afghans parlent de cols à franchir : ce sont des lignes de crêtes qui arrêtent le regard, affolent le cœur, affaiblissent le souffle. Ces Afghans sont des fous, des fanfarons : ils disent que c'est facile !

Pour trouver Massoud et ses moudjahidin, il faudra quinze nuits comme celle-ci et autant de jours.

– Si on m'avait dit que ce serait si rude, j'aurais pas venu, gémit Jérôme, accroché à son humour comme à une canne.

Il a perdu son souffle, pas sa bonne humeur. Livide de fatigue, il écoute son cœur.

– Il bat trop vite ! Si on en sort, je m'inscris au marathon de New York. Putain de montagnes !

Le premier col franchi est à 5 200 mètres. Mal vêtus, mal chaussés, les Afghans taisent leur peine. Question de fierté ! C'est la guerre, pas un voyage d'agrément. La guerre ! Inscrite nulle part dans ce paysage grandiose, elle est là, comme une menace, présente dans les esprits, tapie, telle une bête prête à bondir. C'est évident, elle fera irruption. Mais où ? Quand ? Sous quelle forme ?

Pour l'heure la caravane avance. Elle n'en finit pas de s'étirer sur les replis du relief. Les hommes portent des fusils Simenov, « offerts par l'Égypte », nous dit-on. Les bêtes sont chargées des pièces détachées d'une Zigouya et d'une Dachaka, canons antiaériens de 12,7 et quantité de munitions : roquettes pour RPG 7, rubans de balles pour PK, obus de mortier. Noms inconnus pour nous qui avons fait notre ser-vice militaire en touristes : Jérôme était coopérant ! Moi, j'étais matelot à bord du porte-hélicoptères *Jeanne d'Arc*, au poste de « voilier [4] ». Pas très guerrier ! À moins de prendre une couverture pour se couvrir… comme dirait Raymond Devos (en parlant de son béret). Donc, formation militaire : zéro. On ne connaissait même pas le sifflement d'un obus, à l'exception des obus de cinéma. Mais c'est fou comme la guerre en vrai ressemble rarement à celle du cinéma. On ne savait rien, sinon courir, d'instinct, comme tout le monde, je suppose.

Il fallait s'économiser et filmer. Surtout filmer. Difficiles prises de vues arrachées à l'effort pour prendre un peu d'avance sur la caravane. Filmer est toujours difficile. Là, ça l'était encore plus, car il fallait sortir la caméra, la maintenir immobile malgré les doigts gelés. Se taire surtout. Faire entrer les images de cette folie dans le petit rectangle d'une caméra Beaulieu qui ronronnait, alimentée au

---

4. Le voilier, sur un bâtiment propulsé à la vapeur, est celui qui gère le matériel de couchage : draps, oreillers et couvertures réglementaires à faire laver à chaque escale.

lithium. L'Hindou Kouch grandiose en format timbre-poste… Hommes et chevaux qui peinent. Guerre qu'on ne voit pas…

Avec nos caméras d'amateur, en France, on nous prendrait pour des guignols. Nous sommes indépendants, équipés d'un matériel Super 8, de sacs de couchage bon marché, inadaptés au froid de ces montagnes, de chaussures trop lourdes. Bref, nous avons tout faux, sinon notre envie de témoigner de la liberté qu'on menace. Nous sommes là de notre plein gré, mandatés par personne, pour faire le film dont nous rêvions sur ces Afghans que nous admirions déjà.

Ici on nous respecte, on nous accueille, on nous traite en invités, avec délicatesse. Nous avons franchi le pas de la clandestinité puis de la confiance. C'est aussi celui de la complicité. Bientôt, avec certains, ce sera de l'amitié.

Il fait froid. La neige est là. La roche glacée. Et le ciel. Et l'air. Et le vent. Et nos corps fatigués. La descente sur le versant afghan nous fait vivre des frissons. La pente est trop raide, trop lisse, presque verticale.

Ces Afghans sont des fous ! Pour cela nous les aimons déjà. Entre Afghans et Français, le courant passe. On aime rigoler, fanfaronner, se moquer. Nous sommes de fieffés individualistes. On aime la vie. Eux aussi.

Les sabots de leurs chevaux dérapent, glissent, les bêtes vont tomber. Des hommes les retiennent par la queue, en jurant. Les bêtes ont peur. Les caravaniers déchargent le socle de la Dachaka, le portent sur le dos pour passer l'obstacle. C'est long, périlleux. De la souffrance. Les montures sont exténuées, leurs sabots ne peuvent accrocher sur le granit. Cinquante mètres à franchir en glissade avant de s'enfoncer dans la poussière. Toujours la tension d'une chute mortelle possible. Et la guerre. Où est la guerre ? Si des Mig passent par là, on est foutus ! Voilà ce qu'on avait dans la tête en haut du premier col.

Nous sommes plusieurs étrangers à faire partie du voyage : trois membres de l'organisation française Aide médicale internationale : deux médecins, Bertrand et Frédérique, et Évelyne, l'infirmière[5], tous volontaires, tous bénévoles. Chapeau ! Il y a aussi Edward

---

5. Pour la postérité : Bertrand Navet, Frédérique Hincelin, Évelyne Guillaume.

Girardet, journaliste américain sérieux, plus expérimenté que nous, chaleureux et francophone, et un étrange voyageur venu de Paris, Jean-José Puig. Nous pensons tous qu'il travaille pour les services de renseignements. Il prétend être attiré par l'Afghanistan et... par une passion insatiable (et dangereuse) pour la pêche ! Il aime ce pays (il s'y est marié, avec sa cousine germaine, plusieurs années avant la guerre, dans un village d'Andarab, plus au nord). En plus de son sac à dos, accroché à un cheval qui lui emboîte le pas, il ne se sépare jamais de sa canne à pêche. Une authentique canne à pêche qu'il sait manier avec art. On le constatera plus tard lorsqu'il sortira une douzaine de truites géantes d'une rivière où personne n'avait jamais pratiqué ce genre d'activité. Les Afghans pêchent peu. Ils préfèrent la viande de mouton ou de chèvre. Se nourrissent de pain, de riz, de thé.

À Paris, aux éditions Robert Laffont où je dirige alors la rédaction d'une encyclopédie pour adolescents [6], on me croit en vacances. À Paris, ce mois de juillet 1981, aucune rédaction de chaîne de télévision française n'a envoyé de journalistes sur le terrain. La guerre d'Afghanistan n'occupe, dans les journaux, que les entrefilets. L'été, pour la presse, c'est « le temps des marronniers », comme on appelle les sujets qui reviennent sempiternellement, d'année en année : les accidents de la route, qui font plus de morts qu'en  Afghanistan, les faits divers sordides, la sexualité sans cesse revue et corrigée, les conseils pour la drague sur les plages, les jeux d'été, les mots fléchés, les mots croisés, les horoscopes...

Ici, en Afghanistan, on ne joue pas. La caravane a trouvé son rythme lorsqu'une voix crie : « Mine ! »

---

6. *Le Grand Quid illustré.*

Il est 15 heures, et soudain c'est la guerre. Un moudjahed vient de sauter sur une de ces saloperies de petites mines antipersonnelles. Ça se passe au milieu d'un torrent bruyant, sur un îlot de terre et de rochers. Le vacarme force à crier.

Scène étrange, pas vraiment un cauchemar à cause du paysage. Frédérique, Évelyne et Bertrand s'affairent autour de la victime, un homme allongé sur un tapis d'herbe bordé de cailloux. Dans mon souvenir, leurs visages sont graves, transcendés par ce qu'ils ont à faire. Pas facile pour de jeunes médecins, tout juste sortis de la Faculté, de stopper une hémorragie, d'amputer un pied calciné, déchiqueté… Sauver une vie. Cette vie. Et vite !

Curieux ballet d'équilibristes sur ce bout de terre cerné par les eaux bouillonnantes. Un îlot où on ne pouvait être nombreux.

— Katgut ? demande Bertrand.

— Fil pour recoudre… traduit Évelyne, l'infirmière.

— S'il n'y en a pas, nous prendrons du crin de cheval…

— Les chevaux avec le matériel chirurgical sont devant. Quelqu'un est parti les chercher.

— Il n'y arrivera pas. Trop loin.

— Il va falloir faire avec !

Isolés, au pied des cimes enneigées, sur un haut plateau désert, on redoutait les hélicoptères. Là, à découvert, nous n'avons aucune chance. L'opération a commencé. Ed, notre ami américain, tend à bout de bras un patou grand ouvert, pour protéger du vent le déroulement de l'opération. Un souffle glacial agite nos habits de coton. Mais nous n'avons pas froid. Juste peur de voir la vie partir…

Tout aurait pu rester grave et dramatique si le moudjahed qui tenait le flacon de perfusion ne s'était mis à pousser des cris : une guêpe venait de le piquer au cou. Il réclamait les docteurs ! Orogoul, le chef de la caravane, le bouscule pour le remettre à sa place. Pourtant, on rit ! Les Afghans sont ainsi.

J'avais sorti la caméra Super 8 ; Jérôme avait pris le micro et la perche. Drôle de perche ! Un morceau de gaine électrique rigide dans laquelle nous avions collé un embout qui se vissait sous le micro. Pas assez d'argent pour acheter une perche professionnelle. Même bricolage, en pire, pour la protection contre le vent. Les « bonnettes anti-vent » coûtent des fortunes. La nôtre consistait en un système D assez peu efficace et totalement inesthétique. Nous entourions le micro de foulards ! Ça faisait une grosse boule de tissu. Tandis que je filmais la scène des médecins occupés à amputer le blessé, Jérôme brandit cet ustensile. On aurait dit un gourdin. Un Afghan crut que nous voulions assommer la victime. On s'engueula pour une raison stupide : fallait-il accepter de voir le micro, ainsi affublé, dans le cadre ?

Tout le monde était tendu et révolté. Orogoul confia sa colère et sa peine devant notre caméra. Il parlait persan, nous n'avions jamais étudié cette langue, et pourtant nous comprenions chacune de ses paroles : « Notre peuple n'a rien fait pour être maltraité de cette sorte. Les Russes sèment le malheur dans nos montagnes, jusque dans les maisons de nos villages et dans nos cœurs. Que va devenir l'Afghanistan ? Qui va nous aider ? » Il avait les larmes aux yeux. Comme nous. Nous étions tous bien naïfs et bien sentimentaux !

Ce furent là mes premières images de « reporter ». La première fois que je m'impliquais dans les « affaires du monde », avec, pour seule arme… cette petite caméra de rien, qui faisait un bruit de tous les diables lorsque son moteur entraînait les trois minutes de film contenu dans une cassette en plastique. Bertrand, Frédérique, Évelyne travaillaient, pour sauver.

– S'il n'y a pas d'infection, il conservera son talon et pourra marcher, annonça Bertrand deux heures plus tard.

On le sentait soulagé. Soulagé et épuisé. Les filles aussi. Mais nous n'étions pas sortis d'affaire. Pour détendre l'atmosphère, Jérôme fit rire toute l'équipe :

– L'Afghanistan, dit-il d'une voix de bateleur de foire, est le seul pays où on recommande de marcher à côté de ses pompes !

On doit rire de tout… C'est l'hymne à la vie. J'aime ceux qui savent rire et faire rire.

Moins drôle fut la marche qui s'ensuivit. La nuit venait. Il y avait des mines partout aux alentours. Selon Orogoul, un village se trouvait à deux heures de là. Mines ou pas mines, il n'y avait pas d'autre choix que de l'atteindre, car nous n'avions rien pour nous protéger du froid.

La guerre n'est pas belle, je le sais maintenant, mais l'intensité dont elle entoure les choses lui donne parfois une force captivante : celle qui nous rassemblait en ce moment dans une urgence à vivre. Charme pervers de toute guerre, dangereux et malsain. Nous avions découvert ces pièges en plastique, en forme de feuilles de tilleul grossies, de couleur verte, tenant dans la main, larguées par les hélicoptères et les avions soviétiques au-dessus des paysages suspectés d'abriter des « contre-révolutionnaires ». De petites inventions savamment pensées par des ingénieurs, destinées à blesser pour mieux handicaper un groupe, ralentir une caravane, traumatiser une population. Tout un programme ! Invention efficace... Bravo les gars !

Il fallut quatre hommes pour soulever le brancard, maladroitement bricolé avec des vestes de treillis et des patous. Le blessé n'était pas lourd, mais il souffrait. Comme il était afghan, et combattant, il faisait des efforts pour le cacher, en vain. Son râle nous faisait mal. Mais il ne fallait pas montrer notre angoisse. La peur aussi, c'est moche. Elle fait partie de la guerre. Peur et laideur...

Passer un torrent dans l'obscurité relève d'une acrobatie à laquelle ni les uns ni les autres n'étions entraînés. Ce n'était rien en face du terrain miné qu'il allait falloir traverser. On se donna l'illusion du courage en tentant la rigolade : connaissez-vous la blague qui raconte qu'avant la guerre, en Afghanistan – respect de la tradition oblige –, l'homme qui partait en voyage marchait toujours devant, suivi de sa mule, du cheval ou du chameau, et derrière venait la femme. Aujourd'hui, la femme est devant... à cause des mines !

Pas de chance, nos femmes étaient françaises ! L'unique cheval resté avec nous en fut quitte pour jouer le héros. Il ouvrit la route dans la nuit, vaillamment.

Le bruit de ses sabots heurtant les pierres résonnait de manière désagréable. Suivait le brancard, les Afghans et nous. Faute d'avoir une lampe, on trébuchait sans cesse. Difficile, à chaque pas, d'effacer de son esprit l'image d'une chaussure écrasant une mine. Le terrain n'était pas plat, ça aurait été trop facile ! Des roches éparpillées, jetées pêle-mêle sur des pentes toujours trop abruptes. Qu'allait devenir le blessé ? Et nous ? Ce n'était pas notre guerre, et pourtant elle le devenait. L'épreuve avait aboli la distance. Nous n'étions plus étrangers. Nous étions des victimes potentielles.

Quatre heures furent nécessaires pour atteindre le village promis. Une éternité ! Un campement sommaire avait été installé à la périphérie des maisons. On aurait dit le paradis ! On coucha le blessé sur la paille d'une mosquée. Bertrand trouva la morphine dans les bagages, cadeau des anges… Du thé brûlant coula des théières jusque dans nos corps qui avaient soudain froid. Plus tard, la chaleur relative de nos sacs de couchage bon marché nous sembla le comble du luxe. Le ciel cousu d'étoiles fut notre manteau d'insomnie. Trop de fatigue, d'inquiétude et de tension. Et puis une découverte : la question obsédante de savoir si j'ai correctement filmé ce qui s'est passé. À Paris, comme ailleurs, c'était l'indifférence ! Sur les plages françaises, dans le Sud, au bord de l'Atlantique et de la Manche, on bronzait…

Quatorze jours plus tard, au seuil du dernier col, qui allait livrer la vallée à nos regards, nous n'étions plus tout à fait les mêmes. Les montagnes s'étaient succédé, les cols aussi : celui de Paprouk, à 5 600 mètres d'altitude, massif comme un géant, et le col du Vieux Fou, d'accès interminable à cause de ses contreforts de pierriers, sans trace d'eau sinon posée là par la neige et la glace, mais exfiltrée sous le tapis de pierres, d'énormes galets noirs, sinistres, sur lesquels les semelles claquaient et glissaient. Col du Vieux Fou ! À le franchir, nous avons compris celui qui l'avait ainsi baptisé.

La route avait été longue, parsemée de cadavres de chevaux en décomposition, marquée de petites pyramides de pierres, ponctuée de descentes vers des vallées étroites, belles, autrefois fertiles, souvent abandonnées, où des monticules de poussière racontaient le passage des bombardiers au-dessus de ce qui fut des maisons de paysans. Seul souvenir de plaisirs : la beauté des lieux, dont je ne me lasserai jamais, et un bouquet d'abricotiers aux fruits sucrés et moelleux. Nous n'avions cessé de rêver à la nourriture qui nous manquait, de ressasser mille pensées, de marcher. Dix, onze, douze, parfois seize heures par jour pour finir par dormir, recroquevillés dans nos duvets, souvent grelottant, mendiant une couverture, un tapis de selle, de la paille. La vallée du Panjshir était toujours annoncée pour le lendemain. Demain : *farda*, premier mot persan appris après *inch Allah* si souvent usité en raison des circonstances. Le blessé du premier jour avait été transporté vers le Pakistan, par cinq hommes portant son brancard de fortune. *Inch Allah !* Frédérique, Évelyne et Bertrand n'en avaient pas fini de réparer ce que d'autres s'efforçaient de détruire. Ils étaient partis pour une mission de six mois. *Inch Allah !*

Douze jours après la première amputation, comme nous traversions un village encore habité, un homme nous avait arrêtés pour nous conduire à une maison.

Sur la terrasse, un enfant atrocement mutilé se laissa faire sans un pleur, pas même une plainte.

– *Sanga* (une pierre), dit-il à Frédérique qui se préparait à désinfecter sa blessure. En fait de pierre, c'était une mine.

Une mine antipersonnelle, appelée « mine-papillon », petit objet en plastique de couleur verte ou marron, qui lui avait arraché la main gauche. Son père, pour stopper l'hémorragie, avait enduit la blessure d'argile et de boue. Le sang avait cessé de couler, mais l'infection s'était développée. Ce n'était pas beau à voir.

– Il faudra l'amener à l'hôpital, dans le Panjshir, avait ordonné Bertrand à la famille qui nous entourait, sinon il est condamné.

Je me souviens : Jérôme filmant l'enfant inquiet qui laisse faire Frédérique, sans pleurer… Les amis, les voisins, la famille regardant la scène, silencieusement… Le père passant les mains dans sa barbe… Évelyne déroulant un pansement de gaze… Jérôme filmait bien. Il filmait juste, comme pour mieux crier notre révolte devant tant de gâchis. Comme pour retenir ses larmes.

– Des salauds mettent leur intelligence à inventer ces objets assassins ! Des salauds, répétait Bertrand.

– Et ça fait des siècles que ça dure !

Filmons, faisons voir et savoir… Oui, nous étions naïfs ! D'autres avant nous avaient déjà rapporté des images de guerre, de tous les enfers du monde des hommes, certains même avaient payé de leur vie leurs aventures et leurs témoignages. Cela avait-il changé quoi que ce soit ? Rien, ou si peu… Faux ! La guerre du Viêt Nam a vomi ses atrocités dans les postes de télé de l'Amérique jusqu'à en écœurer sa population. La guerre a pris fin. Sans commentaire !

Peu de chance pour que cela arrive aux Soviétiques. Ils cachaient leur guerre comme un mensonge. J'apprendrai plus tard que les soldats n'avaient pas le droit d'écrire le mot « Afghanistan » dans les lettres qu'ils envoyaient à leurs familles. Ils écrivaient *Tam,* ce qui veut dire « là-bas ». Aussi, l'Afghanistan n'était en aucune manière le « Viêt Nam des Russes », comme l'annoncèrent quelques amateurs de formules.

Pieds arrachés, jambes broyées, mains coupées, corps brûlés, chairs déchiquetées, têtes explosées, torses écrasés… On le sait, tout le monde le sait : la guerre n'est pas belle ! Et pourtant innombrables sont ceux qui la font, la refont, jusque dans les petites embuscades de la vie quotidienne… L'enfant mourut deux jours

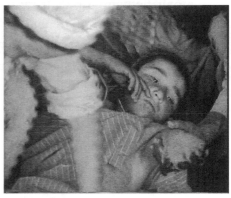

plus tard. Son père avait préféré s'en remettre à la volonté d'Allah plutôt qu'à la médecine des étrangers. *Inch Allah !* Cette scène, je ne l'oublierai jamais. On ne filme pas sans risque l'inacceptable.

– Mais regarde donc ! Regarde aussi comme la vie peut être belle !

Passé le col d'Anjuman et sa couleur de cendre, le regard s'embrase de verts et de douceur. Le haut Panjshir, vallée de Paryan, la « vallée des Anges », est un écrin de beauté offert aux hommes par la nature. À travers les siècles, ils ont su en prendre soin, préserver ses richesses, s'y installer avec discrétion, la faire exister, sans l'user ni la détruire. Et c'était là, devant nous… Des torrents se faufilent du massif montagneux, jettent des reflets de mica dans les cours d'eau, serpentent entre les champs, se rejoignent aux gorges pour faire rugir le Panjshir. Il y a là une telle richesse de teintes qu'on jurerait marcher sur une palette de peintre. Pas à pas, on découvre la parfaite harmonie, et nulle trace de la guerre. Au détour du sentier, qui n'en finit pas de descendre vers l'herbe mousseuse, un canal d'irrigation détourne un bras de torrent, éteint ses feux d'argent, l'apaise, jusqu'à l'amener sur le toit d'un moulin qui travaille en lâchant des bruits sourds. On y fait la farine pour l'hiver. Les meules, sculptées dans le granit, tournent depuis des lustres. Le torrent nourrit la mécanique. C'est ici le seul progrès visible. Pour travailler la terre, le paysan de Paryan ne connaît pas la faux. Pour moissonner, il se sert d'une serpette. Ses reins sont cassés, mais il mange à sa faim. Son bétail est tranquille. Les Mig soviétiques ce sont contentés de survoler ces têtes courbées vers l'herbe exceptionnellement grasse, paradis né du rocher.

Après Paryan, le jeune fleuve Panjshir bouillonne dans des gorges. Le sentier où nous marchons est bordé d'à-pics vertigineux. Il faudra plusieurs heures pour s'habituer au spectacle et quelques autres avant d'atteindre enfin la vallée principale. La fameuse vallée du Panjshir Datch Rivât, Safid Tchir, Khenjch, Astana, Bozorak...

Tard, dans la nuit, on nous installe dans la maison de Sidik. Un homme merveilleux, attentif à tout, poète de chaque instant, heureux d'accueillir les Français, ouvrant toutes les portes de sa résidence, même son cœur. Fidèle de Massoud, Sidik a été cuisinier dans un hôtel de Kaboul, avant les événements. Ce passé lui vaut de connaître les goûts culinaires des Occidentaux. Il nous annonce la chose la plus propice à nous rendre joyeux : des frites ! La journée du lendemain sera consacrée à un décrassage total qui nous transforme. Nous visiterons ensuite l'hôpital, simple bâtisse de pierres où des blessés reçoivent les soins de trois infirmiers formés par la première équipe de l'AMI. Ils se montrent soulagés de voir enfin la relève tant attendue, d'autant plus que les blessés qui viennent du front sont en nombre croissant. On dit que les « Chouravi », les Soviétiques, préparent une offensive.

– Ils sont devant Choteul, un petit village situé à l'entrée de la vallée, explique Merabudine, l'étudiant qui parle un français appris au lycée français de Kaboul, cadeau du président Pompidou, bien avant la guerre. Massoud aussi y a été élève...

Merabudine est le fils d'un érudit du village. Un passionné d'astronomie, de mathématiques, de médecine et même d'alchimie. Dans sa maison d'Astana, il conserve avec fierté une centaine de livres plus anciens que la vallée, un astrolabe, et une quantité de fioles avec lesquelles il se livre à de mystérieuses expériences. Merabudine ne va plus nous quitter. Il sera notre interprète, notre guide, et deviendra un ami précieux. En fin de journée deux Mig troublent la vallée, volant au ras des toits. On se recroqueville dans le vacarme, en attente des bombes... *Inch Allah !*

– C'est rien, ils effectuent des reconnaissances.

Le soir s'annonce dans une couleur rougeâtre et une odeur de frites. Le petit jardin de Sidik est le paradis des plantes vertes et des fleurs. Plus tard, ce sera une ruine et un cimetière... Je me souviens de son perroquet sur une branche de cerisier, immobile à nous observer, exceptionnellement silencieux ce jour-là.

Nous attendions « le chef » comme l'appelle Merabudine, qui se rit de notre impatience. Les frites de Sidik sont froides lorsque la lourde porte de bois s'ouvre. Des moudjahidin entrent. Ils parlent fort. Tous sont armés. Ils portent des ceinturons garnis de chargeurs-bananes, ceux des Kalachnikov. Ils sont vêtus d'uniformes de treillis, de couleur verte. Leurs visages, éclairés par les lampes à pétrole, sont fatigués. Ils portent la barbe et le pacole qui deviendra légendaire. Nous cherchons Massoud. Il n'est pas encore là.

Eux, ce sont ses compagnons, quelques-uns parmi ses fidèles de la première heure, qui le suivent depuis 1978. Ils l'appellent « Ahmad Shah » et font comprendre qu'il a été retenu par des voisins. À voir leurs sourires, ils semblent heureux de nous rencontrer. Hélas ! nos caméras sont inutilisables, l'obscurité... Ce sont les limites du format Super 8 : la pellicule n'est pas sensible. 25 Asa ! Il faut de la lumière, beaucoup de lumière. Nous regretterons bien des scènes... À commencer par celle de Massoud arrivant, une pomme dans la main, cadeau du voisin. Son allure, le respect manifesté par ses hommes... Il nous salue avec chaleur et prend la place restée vide à son intention, face à nous. Après avoir donné quelques ordres brefs à deux de ses hommes qui s'en vont on ne sait où, il s'enquiert de notre fatigue et son sourire en dit long sur sa connaissance du terrain. Il nous remercie d'être venus. Par politesse, il s'applique à parler en français, langue dont il connaît bien la grammaire mais qu'il a peu pratiquée. Le jeune Merabudine sert de traducteur.

– Comment va la France ? Vous aussi, vous avez des communistes ?

Nous lui expliquons que nous n'avons pas les mêmes relations. La France a appris la démocratie et bien des conflits ont parsemé ce long apprentissage. Comme pour la Confédération helvétique...

Tous brûlent de savoir ce que nous pensons des événements d'Afghanistan. Massoud insiste pour savoir la manière dont est perçue, en Occident, la guerre d'Afghanistan. Nous ne le surprenons pas en lui rapportant qu'elle est peu connue.

– Et vous, personnellement, pourquoi pensez-vous que nous nous battons ?

Est-ce un examen de passage ?

– Vous vous défendez et luttez contre les communistes. Vous voulez chasser les Soviétiques de votre pays...

L'air s'est électrisé.

– Vous vous battez aussi pour défendre votre religion et votre foi, achève Jérôme, au grand soulagement de tout le monde.

Massoud le religieux sourit, les autres se détendent. Même si la dimension spirituelle qui l'habite dérange l'Occidental, qui voit en tout combat islamique les excès de la révolution iranienne, cette dimension, chez lui, est profonde et guide sa manière d'être. Nous sommes tombés sous son charme...

– Si vous gagnez un jour, comment organiserez-vous la société afghane ?

– Comme avec les moudjahidin. Il y aura des assemblées, des comités représentatifs, chacun votera. Chacun devra se prendre en charge en respectant l'ensemble de la communauté.

– Les femmes aussi voteront ?

– Ça, répond Massoud, dans un grand sourire, moi je ne suis pas contre. Il faudrait voir avec les autres...

Les autres ? Ils rient. Massoud pose ses questions avec un calme qui semble inaltérable et toujours ce brin d'humour qui donne la mesure d'une vraie intelligence. Nous lui expliquons notre envie de filmer la vie quotidienne dans la vallée. Il donne son accord, rédige séance tenante un laissez-passer à tous ses moudjahidin, s'excusant simplement de n'avoir qu'une jeep à mettre à notre disposition. Il s'agit de la jeep soviétique qui nous a amenés chez Sidik. Elle a été prise à un convoi tombé dans une embuscade, de l'autre côté de la montagne, puis transportée en pièces détachées à dos d'hommes et de mules jusqu'à la vallée. Sacrés Afghans ! Massoud se dit prêt à nous montrer tout ce qu'il est en train de mettre sur pied.

Après le dîner, il se rend à l'hôpital avec les médecins. Le dernier blessé amené en début de soirée est l'un de ses amis. Malgré les efforts de Bertrand, Frédérique et Évelyne, il agonisera dans la nuit, d'une hémorragie impossible à stopper. Un compagnon de Massoud. Ce ne sera pas la dernière victime.

Les jours suivants nous confirment les talents de ce jeune commandant qui a le génie de la rencontre. Il sait, en écoutant toujours intensément les autres, manifester son intérêt pour les problèmes qui touchent les paysans de la vallée, comme les ulémas[7], les mollahs, les combattants… Tout l'intéresse. Il paraît avoir une passion pour l'organisation. Capable de dicter plusieurs messages différents en même temps, de penser à une action future, de réfléchir à ce qu'un tel ou un tel lui a proposé, il est omniprésent. Très prosaïquement, ce lecteur des pensées de Mao a une obsession : protéger l'eau du bocal pour garder en place le poisson rouge ; autrement dit, faire en sorte que la population du Panjshir puisse rester dans la vallée, que les paysans continuent de cultiver leurs champs, de s'occuper du bétail, pour nourrir et abriter les combattants.

En un peu moins de deux ans, malgré la pression des Soviétiques, il a créé une série de comités spécialisés dans la gestion de la communauté : comité juridique avec tribunal religieux et ulémas, conseils de représentants de la population, et, chose incroyable dans un pays occupé, une prison en dur, nichée dans un

---

7. Responsables du droit religieux dans la religion musulmane.

des replis de terrain juste avant les gorges qui ferment le haut de la vallée. Nous allons la filmer, sans toutefois interroger les prisonniers qui s'y trouvent, que nos nouveaux amis présentent comme des « agents de Kaboul », assertion impossible à vérifier. Un comité pour l'éducation des enfants gère plusieurs écoles de fortune. Les cours y sont donnés à l'ombre des arbres, dans chacun des villages de la vallée. Un comité économique veille au contrôle des prix et récolte une taxe sur le commerce des lapis-lazuli et des émeraudes, mais aussi sur les revenus de tous ceux qui ont un emploi en dehors de la vallée, taxe destinée à soutenir l'effort de guerre. Le comité militaire, quant à lui, possède un service de renseignements qui va, par la suite, se révéler indispensable à la survie de l'organisation de Massoud.

– Tout ce que je sais, explique-t-il, je l'ai trouvé dans les livres et dans l'observation de l'ennemi. On apprend la guerre en la faisant, c'est la meilleure école. Avant la guerre, ce qui m'intéressait, c'était l'architecture…

Plus nous en apprenons sur lui, plus Massoud nous surprend. Il ne laisse rien au hasard. Ses qualités soulignent pourtant un défaut qui lui jouera des tours : tout converge et repose sur lui. À le voir accaparé par tous et par tout, on se demande à quel moment cet homme trouve le moyen de se reposer.

Dès le début de son action, pourtant, Massoud croit en la victoire. Il faudra des années aux observateurs étrangers pour comprendre que son principal problème est dû à l'histoire même du pays, pas à une faiblesse de son organisation : comment fédérer l'Afghanistan alors qu'il n'existe pas encore de nation afghane[8] ? L'Afghanistan est un morcellement de territoires habités par des ethnies très différentes, possédant chacune langue, coutumes, de sensibilités propres parmi lesquelles on distingue des Tadjiks, comme Massoud, des Ouzbeks, Turkmènes, Hazaras, Kirghiz, Pachtouns, pour ne citer que les principales… Les Pachtouns

---

8. Aux journalistes qui ne se gênent pas de souligner les conflits inter-afghans, dénonçant par là une faiblesse impardonnable, oubliant de regarder l'histoire de la France sous l'occupation allemande, je conseille la lecture du livre de Louis Duprée sur la configuration ethno-sociologique de ce pays. (Afghanistan-Princeton, Univ. press.)

constituent l'élite du pays, celle qui procura au royaume le plus de rois, le plus d'hommes cultivés à travers l'histoire et, de ce fait, l'ethnie « dominante »... jusqu'à l'arrivée des Soviétiques. Difficile donc d'établir des relations interethniques. Pourtant, le travail de Massoud va dans ce sens. Il a un plan général précis. *Le Plan.* Et il va surprendre le monde entier.

Je me souviens d'un jour où nous filmions l'entraînement des moudjahidin. Ahmad Shah Massoud, en personne, s'occupait de l'instruction des nouvelles recrues, paysans pour la plupart. Images filmées : Massoud montre le maniement d'un fusil d'assaut soviétique, fait faire de la gymnastique à un deuxième groupe (étudiant, il avait pratiqué le karaté). Les champs servent de terrain d'entraînement et chacun se soumet avec application à sa discipline. Certains font les exercices avec des fusils taillés dans des morceaux de bois. À cette époque, les armes sont peu nombreuses dans le Panjshir. Massoud les comptabilise sur de petits carnets où les pages restent longtemps vides. Pour se les procurer, il n'y a pas trente-six solutions : il faut les prendre à l'ennemi, attaquer les postes isolés contrôlés par l'armée du régime communiste de Kaboul. Approvisionnements dangereux, aléatoires, qui contribuent à allonger la liste des « martyrs [9] » qu'il

faudra bientôt compter par milliers. La précieuse aide extérieure reste insuffisante. Si la caravane avec laquelle nous avons voyagé n'était pas arrivée, Massoud aurait été obligé de retirer ses groupes d'action de l'entrée de la vallée, faute de munitions.

– Les Pakistanais n'aiment pas les Tadjiks, nous explique-t-il. ils ne feront jamais rien pour nous soutenir, bien au contraire. Ils veulent placer un vassal à la tête de l'Afghanistan. Dans le Panjshir, il n'y a que des hommes libres...

---

9. Noms donnés aux victimes musulmanes de la guerre sainte.

Nous lui demandons, devant la caméra, s'il pense vraiment, honnêtement, avoir une chance de gagner contre l'armée soviétique, une des plus puissantes armées du monde. Il sourit.

– Bien sûr, que nous allons gagner ! répond-il dans un français hésitant.

– Qu'est-ce qui vous le fait croire ?

– La grâce de Dieu. Parce que nous n'avons pas peur de la mort. Le moudjahed qui meurt va au *Djanat,* au paradis. Et nous connaissons bien notre terrain. Oui, je suis sûr que nous allons gagner.

– Vraiment ?

– Oui, c'est clair !

Pourtant, en août 1981, rien ne permet d'y croire. Tout annonce le contraire. Les Soviétiques ont lancé deux offensives sur la vallée et n'entendent pas en rester là si Massoud et ses hommes continuent à harceler leurs convois qui viennent d'URSS par la route de Salang. Leurs avions commencent à réduire des maisons à l'état de poussière, des bombes ont déjà touché des canaux d'irrigation. On répare. On résiste. Mais le temps et la différence de force jouent contre ces paysans réputés individualistes et orgueilleux. Ils ont beau être « panjshiris » et fiers de l'être, ils n'en sont pas moins mal équipés et bien isolés. La pression, elle, augmente jour après jour…

Sur le carnet que j'avais emporté dans ce voyage, j'avais relaté un épisode qui aurait pu mettre une fin brutale au tournage, alors que nous suivions Massoud parti inspecter ses « groupes mobiles » en activité dans la zone de front, là où les troupes soviéto-afghanes tentaient une percée, autour du village de Choteul.

Carnet de route retrouvé dans mes archives : « Nous nous rendons compte tout à la fois de la précarité de sa situation et de sa chance inouïe. Nous marchons la nuit, profitant de l'obscurité, gravissons la montagne qui sépare le corps principal de la vallée de la petite dérivation où se trouve le village en ruine. Au matin, nous rencontrons les premiers combattants. Trente-trois par groupe. Ils sont sales, épuisés, sonnés par les bombardements. La tension des combats qu'ils livrent un peu partout dans les montagnes aux alentours ne s'est pas relâchée depuis bientôt une semaine. Je pense à la gueule que devaient avoir les soldats de 14-18 dans les tranchées.

« Nous passons des heures à essayer de filmer les obus de mortier qui explosent sur le flanc de la montagne. Ce n'est pas du cinéma. Les effets spéciaux ne sont pas garantis ! Devant nous, des hélicoptères MI 24 viennent tournoyer, comme des oiseaux de proie, chassent les hommes, lancent leurs roquettes au moindre indice de présence humaine. Ils sont un peu plus loin mais nous avons peur. Massoud nous a montré des résidus de bombe au phosphore, substance calcinée qui s'enflamme entre ses doigts. Nous avons filmé et emporté un échantillon de cette substance [10].

« Le soir : une scène intense et belle – hélas impossible à enregistrer faute de lumière assez forte. Autour d'une lampe à huile, posée à même le sol d'une maison à moitié effondrée, les messagers envoyés par les groupes éparpillés dans la zone de combat viennent au rapport. Leurs visages se penchent vers le chef. La lumière jaune découpe leurs traits tendus. Un silence angoissé accueille chaque nouvelle. Un messager parle. Il raconte la perte d'un moudjahed, là-haut, après le bosquet. Le silence recueille son âme, la tension se fait douloureuse ; l'homme enchaîne, raconte la prise d'un mortier abandonné par l'ennemi. Massoud se détend. Les autres opinent de la tête. Les messagers suivant se pressent, attendent leur tour.

Le bilan de la journée est lourd : trois morts, quatre blessés, pour quelques armes récupérées et une position tenue. Jusqu'à quand ? Demain, il faudra continuer, harceler, se retirer, frapper plus loin, toujours et encore. La guérilla est la guerre des pauvres, avant le terrorisme, guerre d'usure, difficile, ingrate, sans fin. Le terrorisme, Massoud y répugne. Il respecte la vie. "C'est un don de Dieu. Dieu décide de prendre les vies, pas les hommes…" Sages paroles. Quelle étrange veillée, comme sortie d'une tragédie, avec son chœur répétant les bonnes et les mauvaises nouvelles, et les

10. Analysée à Paris cette substance contient du phosphore et des éléments chimiques attaquant l'œsophage.

personnages principaux, ménageant sans le vouloir tant d'effets dramatiques ! Étrange veillée qui faillit nous coûter la vie à tous
puisque, repérant la lumière de la lampe, l'ennemi (Soviétiques ou
soldats de l'armée gouvernementale ?) prit le temps d'ajuster un
mortier. Quelques heures plus tard, vers une heure du matin, alors
que pour trouver le sommeil et l'oubli de toute cette misère nous
nous étions allongés sur le sol de la seule pièce intacte de cette maison, une pluie d'obus tomba. »

Notes griffonnées à la hâte, plus tard : « Le premier obus nous
réveille en sursaut ; il est tombé derrière la terrasse. Nous jaillissons
de nos sacs de couchage comme des diables d'une boîte à ressort.
Nous étions vraiment des néophytes : nous avions retiré nos chaussures pour dormir.

« Nous fuyons, courant, marchant sur nos lacets défaits, tombant
sur les rochers. Les obus éclatent de tous côtés, parfois très proches,
si près que les éclats de pierre font en retombant un bruit d'averse
d'orage. Une heure plus tard nous sommes à l'extrémité du village,
la trouille au ventre. Les Soviétiques lancent des obus éclairant. Ils
cherchent leurs proies. Terrifiant. Puis tout rentre dans l'ordre de la
nuit : grillons, bruit de la brise dans les feuillages… Les moudjahidin, habitués, ont retrouvé le sommeil dans d'autres maisons.
Quatre blessés attendent le jour. Nous pensons à nos amis médecins
qui vont avoir du travail… À l'aube, deux hommes viennent nous
proposer de les accompagner. Ils nous font comprendre qu'ils vont
tendre une embuscade, là-haut, sur la route de Salang par où transitent les convois soviétiques. Une route stratégique à portée de fusil.
Nous déclinons l'invitation. Pas assez entraînés ! Ils sont dingues,
ces Afghans ! Et puis, ce ne sont pas ces images qui nous semblent
utiles. Pas ce sensationnel toujours trop pauvre face à la fiction des
films de guerre. En se tournant, l'un d'eux me blesse avec la crosse
de sa Kalachnikov qu'il tenait sur l'épaule. On en rigole. Ils s'en
vont, déçus. D'autres épreuves, plus terribles encore, les attendent.
Nous passerons trois semaines à filmer la vie au jour le jour, instant
après instant. Jour après jour, Choteul se transformera en ruines. »

Lorsque nous quittons la vallée du Panjshir, fin août 1981, les
arbres fruitiers qui bordent les canaux d'irrigation donnent encore
des fruits. Les mûriers, qui produisent ce que les Afghans appellent

des *toutes,* les pommiers, les abricotiers, mais aussi les vignes, les peupliers et les saules badigeonnent de verts le paysage de cette oasis étendue sur une centaine de kilomètres, au pied de montagnes arides, chauffées au soleil, tannées par les vents. Ce calme trompeur n'allait pas durer ! Dans la logique de leur guerre, les Soviétiques en avaient décidé autrement. Allah, malgré la ferveur des prières de ses fidèles, n'arrêterait ni les avions, ni les chars, encore moins la guerre.

Lorsque vient le jour où nous nous éloignons, les bombardements se répètent à une cadence qui ne laisse rien présager de bon. Massoud est loin d'avoir gagné la bataille. Tout est si fragile. Nous sommes tristes et un peu gênés de retourner vers un pays en paix, la France. Survivront-ils à l'offensive qui se prépare ? Pour l'heure, les avions supersoniques sont maîtres du ciel. Ils frappent où ils veulent, quand ils veulent, pendant que sur les routes les blindés marquent de leurs traces menaçantes de minces asphaltes sous lesquels se trouvent le sable et la roche, ce même sable et cette même rocaille où les commandos vont apprendre à souffrir. L'Hindou Kouch possède ses terribles légendes d'inaccessibilité. Les Russes seraient-ils meilleurs que les Anglais, humiliés un siècle plus tôt, dans ce même décor ? En nous éloignant du Panjshir, nous pensons à tous ceux qui sont maintenant devenus des compagnons et font partie de nous, à Bertrand, Frédérique et Évelyne, restés pour une durée prévue de six mois… à Massoud, sur lequel pèse alors le poids du monde.

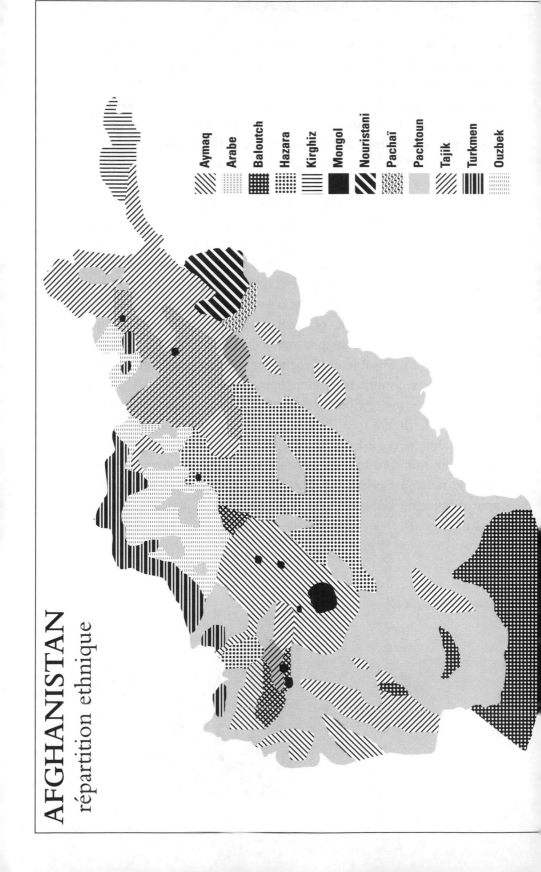

AFGHANISTAN
répartition ethnique

Aymaq
Arabe
Baloutch
Hazara
Kirghiz
Mongol
Nouristani
Pachaï
Pachtoun
Tajik
Turkmen
Ouzbek

II

Les cartes d'un jeu de fous

3 juillet 1997. L'avion blanc de la Croix-Rouge internationale décolle du Pakistan pour un de ses nombreux voyages qui passent inaperçus. Il s'envole en direction de Mazar-é-Sharif, ville située au nord de l'Afghanistan, afin d'aller chercher quelques délégués fatigués et sans doute choqués par la tension qu'ils viennent de vivre lors des derniers affrontements.

Si pour la presse internationale ce vol est loin d'être un événement, pour nous c'est un moyen luxueux de faire un voyage qui nous aurait demandé bien des efforts à travers les montagnes. Cette fois, si tout se passe bien, il faudra moins d'une heure trente pour atteindre la ville du Nord. À pied, le voyage aurait duré trois semaines, sinon plus.

En juillet 1997, les journalistes ne se bousculent toujours pas pour rendre visite à ceux qui combattent les *taliban*[1]. La situation toujours infiniment complexe du conflit afghan sert de repoussoir plus encore maintenant qu'au temps des Soviétiques où l'on pouvait raconter l'histoire du pot de terre contre le pot de fer. À présent, les choses sont plus difficiles, car c'est aussi une guerre civile qui se déroule dans cet Afghanistan mis à feu et à sang, chamboulé par tant d'années de combats. Imaginez un pays qui n'est pas encore une nation, en guerre depuis dix-neuf ans pour tenter de le devenir. Un pays de montagnes, de petites vallées séparées les unes les autres, de déserts et de quelques villes. Un

---

1. Un *taleb,* des *taliban :* les étudiants du Livre, les séminaristes.

pays constitué de plusieurs ethnies différentes où plusieurs langues sont utilisées[2], où la religion n'est pas la même partout. En Islam, on distingue les sunnites et les chiites[3]. Quatre-vingt-dix pour cent de la population musulmane afghane sont sunnites. Il faut aussi compter les ismaéliens et les soufis... Un pays où un patchwork de partis politiques s'est constitué et diversifié au fil des événements de la guerre... Imaginez un journaliste qui débarque dans cette histoire sans rien connaître... Comme c'est souvent le cas.

À force d'aller vite, la presse a perdu de sa rigueur. En fait, elle se concentre surtout sur les excès (spectaculaires !) des *taliban*, apparus sur la scène du conflit afghan en 1995. D'abord présentés comme des étudiants en théologie, potentiellement des « sauveurs du pays », ce qui est encore vrai aujourd'hui pour quantité de jeunes Afghans croyants qui s'engagent dans ce mouvement. En 1995, ils annonçaient haut et fort leur volonté de désarmer les fous de guerre et d'installer la paix. Enfin ! Car depuis trois ans, à Kaboul, ce n'était que la guerre, toujours la guerre ! Leur avancée sur le territoire afghan avait été rapide ; leurs succès inattendus. Inattendus, au point de surprendre et de dérouter les rares spécialistes des affaires afghanes qui mirent un certain temps à comprendre d'où émergeait cette nouvelle force. Qui étaient ces taliban ? Qui leur procurait le soutien logistique indispensable, l'argent, les armes, les munitions ? Les réponses sont venues lentement, mais déjà elles n'intéressaient plus grand monde. L'image des taliban fut surtout installée dans la presse par des journalistes femmes occidentales, souvent peu averties des particularismes de la société afghane. Elles s'offusquèrent du sort imposé aux femmes afghanes stigmatisées par le retour du voile... se méprenant parfois en désignant les taliban comme les seuls oppresseurs. En fait, le voile grillagé, le *burka,* se porte aussi dans les campagnes. À Kaboul seulement, avant-guerre, et du temps des Soviétiques, on pouvait voir dans les rues des femmes en robe et en jupe, portant du maquillage sur leur visage offert à tous les

---

2. Dont deux officielles : le dari, qui n'est autre que le persan, et le pachto.
3. Très sommairement : les chiites s'opposent aux sunnites, car ils considèrent Ali, gendre du Prophète, comme son successeur légitime alors qu'il n'est que le quatrième calife...

regards. Avec les moudjahidin, la situation de la femme kabouli est devenue plus compliquée. Si Massoud était partisan de donner à la femme un rôle actif dans toutes les activités de la société, Hekmatyar y était férocement opposé. Avant que Hekmatyar ne devienne Premier ministre, les femmes étaient professeurs, médecins, infirmières... La femme de notre ami Merabudine peut en témoigner : elle était jeune journaliste pendant toute la période de la présence moudjahed dans la capitale. Mais rien n'était facile pour les femmes à Kaboul ; certains moudjahidin venant des campagnes se montraient choqués de voir les femmes à visages découverts. Par précaution, la plupart portaient un voile dont elles se couvraient la face lorsqu'elles croisaient des combattants.

C'est justement parce qu'ils sont analphabètes

Avec les taliban, tout était devenu excessif puis intolérable. Ces hommes des campagnes du sud du pays regardent encore Kaboul comme la ville des Russes, à punir.

En moins de deux ans, ces taliban ont réussi à occuper vingt des trente provinces que compte aujourd'hui l'Afghanistan. Ainsi, en juillet 1997, ne manquent à leurs conquêtes que les provinces du Nord-Est où se sont repliées les composantes d'une alliance, le « Front uni », formée des membres de l'ancien gouvernement de l'État islamique d'Afghanistan... celui qui a fui Kaboul le 26 septembre 1996 lorsque Massoud a décidé d'abandonner la capitale aux taliban. C'est alors le seul gouvernement légitime de l'Afghanistan avec, toujours à sa tête, Rabbani, président d'un État reconnu par la plupart des nations... alors qu'il n'a jamais vraiment réussi à exister, n'ayant accompli qu'une prouesse : survivre au chaos ! Les taliban, bien que maîtres de Kaboul, la capitale, et d'une grande partie du territoire du pays, n'avaient pas réussi à obtenir la reconnaissance internationale. Seuls le Pakistan et l'Arabie Saoudite les considéraient comme représentants légitimes du nouvel État qu'ils venaient de nommer « Émirats d'Afghanistan », se souciant peu de l'opinion de l'Occident.

L'avion de la Croix-Rouge a pris de l'altitude, laissant derrière lui la petite bourgade pakistanaise de Peshawar devenue bien tranquille depuis que les anciens partis de ce qu'on appelait « la résistance afghane » se sont éparpillés sur le territoire afghan.

En ce mois de juillet 1997, les taliban ont fini par détruire le crédit que l'ignorance qu'on avait d'eux leur avait accordé. Obstinés à appliquer une loi coranique prise à la lettre, dans tous les excès dont elle peut être porteuse – et si l'on oublie que le Prophète n'est pas un homme du XXᵉ siècle –, les taliban se sont révélés moins pacifiques qu'il y paraissait. Depuis septembre 1996, à Kaboul et dans toutes les zones passées sous leur contrôle, ils ont habillé la paix d'une véritable dictature : au nom d'Allah le Miséricordieux, ces soi-disant théologiens s'acharnent à faire respecter quantité d'interdits avec une poigne jamais vue jusque-là. Le travail et l'école sont interdits aux femmes ; leur accès à l'hôpital en cas de problème de santé s'est considérablement compliqué. Condamnées à ne jouer aucun rôle dans la société afghane, où les hommes ont si malheureusement établi les preuves de leurs incompétences, les femmes afghanes se trouvent recluses dans leur maison, cachées sous leurs burkas. Certaines, je le sais, sont pourtant entrées en résistance… Interdits aussi les hommes sans barbe. Interdites la musique, la radio, la télévision… Même les postes de télévision, qu'on empile devant les ministères comme des immondices, avec les bandes magnétiques de cassettes de chansons et de musiques qu'on déroule dans les branches des arbres. Interdits les jeux de cerfs-volants. Interdits les oiseaux dont les Afghans appréciaient tant les chants…

Le peuple afghan entrait donc dans sa dix-neuvième année de guerre en inaugurant une nouvelle ère : celle d'une folie absurde et monstrueuse, d'autant plus absurde que le mouvement des taliban n'était pas, à sa naissance, celui de tous ces excès.

Dans les coulisses du drame, les choses sont plus complexes encore. En réalité, comme depuis longtemps, les Pakistanais tirent les ficelles de cette composante taleb et continuent à recevoir le soutien des Américains. Les preuves de cette manipulation ont d'ailleurs été plusieurs fois apportées par la présence de Pakistanais parmi les prisonniers taliban capturés par les forces de l'Alliance du Nord lors des attaques lancées contre elles, notamment par les troupes du commandant Massoud maintenant retranché dans sa vallée natale du Panjshir. Ces prisonniers pakistanais ont été photographiés, identifiés, fichés. Mais les Afghans ne parviennent pas à faire entendre aux Nations unies la dénonciation de cette ingérence, les mobiles des soutiens pakistanais à ces extrémistes sunnites, pour la plupart composés de membres de l'ethnie pachtoune, n'apparaissant pas clairement à l'esprit des Occidentaux. Il faut dire que les cerveaux des spécialistes du Département d'État américain et de la CIA ont toujours eu une bien étrange façon de considérer l'évolution du monde et d'appréhender le conflit afghan. Cela m'a d'autant plus choqué que j'aime l'Amérique. Mais, durant toute la guerre contre les Soviétiques, les Américains de l'ombre ont essentiellement apporté leur soutien à un extrémiste fondamentaliste : Gulbudine Hekmatyar, chef d'un

parti politique et religieux, le *Hezb-é-islami*, qui faisait beaucoup de propagande pour vanter ses facultés de résistance, mais s'était montré peu actif sur les zones de combat. Hekmatyar, fasciné par l'ayatollah Khomeyni, et par lui-même, détenait un atout non négligeable pour être l'interlocuteur des Américains : il

parlait l'anglais ! « Parler l'anglais, c'est être intelligent », m'avait confié un jour un journaliste d'une chaîne privée américaine que je ne nommerai pas. Il avait développé sa thèse ainsi : « … Puisque tous les gens intelligents parlent cette langue, ceux qui parlent notre langue sont donc intelligents et deviennent de ce fait des interlocuteurs valables. » Ainsi les Américains du Département d'État avaient-ils choisi Hekmatyar, jouant la carte des extrémistes fondamentalistes contre les communistes soviétiques. Dans leurs esprits, les plus dangereux adversaires des Soviétiques ne pouvaient être que les fondamentalistes musulmans. Les Pakistanais n'avaient pas démenti ce choix. Ils avaient géré l'aide à leur manière. Le problème, c'est que Massoud aurait dû être l'interlocuteur des démocrates que nous sommes. Mais il n'était pas bien vu des Pakistanais car il était tadjik, l'ethnie du Nord, et jugé trop indépendant… Enfin, il ne parlait pas l'anglais. Je ne divague pas !

En 1984, une chaîne américaine s'était montrée intéressée par un reportage sur la guérilla de Massoud pour un magazine renommé. En plus de mes images dont ils voulaient faire usage, j'avais eu à préparer le tournage, et donc le voyage, de leur présentatrice vedette qui devait réaliser en personne l'interview de Massoud dans le Panjshir. Compte tenu du contexte, l'organisation s'était révélée difficile. Les montagnes, la distance, les dangers… C'était d'autant plus délicat à monter que cette journaliste vedette ne disposait que de trois semaines au grand maximum. Nous avions pourtant mis sur pied un système de relais de chevaux afin de réduire le temps de voyage à travers les montagnes et rendre possible ce témoignage américain chez Massoud. Signalons au passage que les journalistes américains n'accordent aucune confiance aux journalistes étrangers, d'où leur obsession d'avoir toujours un représentant de leur pays pour cautionner ce qui est montré. En outre, c'en est parfois risible, il faut toujours fournir le nom et l'âge des personnes filmées. Il faut être professionnel… ce qui, cela dit, ne les exempt pas de bidonnages lamentables, mais c'est une autre histoire ! Une semaine avant le début du tournage, alors que le relais avait été mis en place, que les traducteurs étaient sur les starting-blocks, que j'avais passé un temps fou dans cette histoire, tout avait été annulé… Motif invoqué : un producteur de l'émission avait appris que Massoud ne parlait pas l'anglais ! J'avais d'abord cru à une plaisanterie. Mais non ! J'avais reçu en bonne et due forme un télex dont je garderai toujours le texte en souvenir : « POUVEZ-VOUS TROUVER UN AUTRE COMMANDANT DE LA RÉSISTANCE PARLANT ANGLAIS [4] ? »

Hekmatyar, lui, était l'ennemi de Massoud. Il l'avait trahi quelque temps avant l'intervention soviétique et était sans doute devenu son adversaire le plus tenace, plus acharné à le détruire que les Soviétiques, comme l'histoire n'allait cesser de le démontrer. Ainsi, lorsque Massoud s'empara de Kaboul, en avril 1992, Hekmatyar n'hésita pas à faire bombarder la ville à son seul profit, avec des armes stockées depuis des années, cadcaux de ses amis pakistanais et américains…

---

4. Je ne saurais trop conseiller la lecture du livre de souvenirs d'Edouard Behr : *Y a-t-il quelqu'un qui a été violé et qui parle anglais ?*, Robert Laffont, 1978.

L'avion s'est éloigné du territoire pakistanais. En virant vers le nord, il se prépare à aborder la chaîne de l'Hindou Kouch, masse montagneuse du versant occidental de l'Himalaya. Aux commandes, les pilotes sont sud-africains. Ils travaillent en *free-lance* pour le compte du CICR. Devant nous : l'Afghanistan. Cet Afghanistan que j'aime, vers lequel je retourne, non sans inquiétude. C'est mon huitième voyage vers ce monde qui me fascine et m'effraie. Je sais qu'à chaque nouveau périple je redoute que ce soit le dernier, bien que je sache, par expérience, que la guerre fait souvent plus peur de loin que de près. Sur place, on apprend à gérer ses peurs, à composer avec les risques. On s'adapte aux dangers qui ne sont d'ailleurs pas toujours aussi présents qu'on le dit. La guerre n'embrase pas tout un pays. Elle est souvent faite d'attente, de vide, d'ennui. La violence peut n'y être que soudaine, fugace… Comme à chaque nouveau départ, les choses sont brouillées dans mon esprit. Se mêlent les envies, les craintes et cette attention aiguë qu'il faut porter à tout ce qui va surgir.

Cette fois, pourtant, ce n'est pas un voyage comme les autres où je viens témoigner d'une résistance. Je ne suis pas dans cet avion pour endosser le rôle du journaliste. J'ai envie d'aller plus loin. Vers Massoud autant que vers moi-même. Vers ce drame afghan autant que vers le nôtre celui de l'Occident. Je sais ce que je fuis, mais je ne sais jamais ce que je vais trouver. Nous sommes en 1997. Mon dernier voyage en Afghanistan remonte à juillet 1993. C'était à Kaboul. Une tristesse ! Je me souviens avoir pensé ne plus jamais y revenir…

mais je n'ai pu me résoudre à apprendre dans les journaux l'encerclement de Massoud par les taliban. J'ai foi en cet homme depuis si longtemps, ce n'est pas pour l'abandonner au moment où on le dit fini. Il me semble qu'avec lui, l'Histoire n'a pas encore dit son dernier mot. Il existe si peu d'hommes de cette dimension sur notre grande planète.

Dans l'avion, nous avons de la place. C'est le confort ! Nous ne sommes que trois passagers : Merabudin, l'irremplaçable ami

afghan qui m'a déjà aidé à réaliser la plupart de mes films, interprète nourri à la télévision française devant laquelle il a passé des
jours et des nuits lorsqu'il a séjourné un an en France pour se faire
soigner. Il est incollable sur les formules publicitaires ! Cette fois
encore, une fois de plus, il a accepté de quitter sa femme et sa petite
fille, Omra, deux ans, toutes deux réfugiées au Pakistan, comme lui
qui a renoncé à jouer un rôle politique tant l'entourage de Massoud
l'a écœuré : trop d'incapables, de donneurs de leçons inutiles, de
profiteurs – mais j'y reviendrai plus tard car le sujet est important.
Une fois encore, en acceptant de nous accompagner, Merab va
prendre de nouveaux risques, sans assurance-vie sinon l'usage mi-
ironique mi-sincère de la formule magique : *Inch Allah !* Une
manière de tout résumer ! Merab n'aime pas l'avion. Il n'a pas
confiance. Mais je connais son courage, sa manière de garder pour
lui ses peurs et ses états d'âme.

L'œil perdu vers les cimes enneigées qui défilent maintenant au-
delà des hublots, Bertrand Gallet nous accompagne. Un compagnon
de route précieux, plusieurs fois engagé dans mes pérégrinations
afghanes... accessoirement pour faire la prise de son. Sur les huit
films que j'ai réalisés en Afghanistan, il est venu deux fois, en 1984
et en 1987, pour deux voyages à pied particulièrement difficiles.
Autant dire qu'il est pour moi un coéquipier fiable, mais avouer
qu'il reste un preneur de son exécrable. Généralement, au moment
des prises de vues, Bertrand s'intéresse plus aux propos de la personne filmée qu'à la position de la perche, aussi le micro est-il
rarement dirigé vers la source sonore... Mais Bertrand est un ami,
et n'est pas un ingénieur du son professionnel. Ex-normalien,
professeur d'histoire, il m'éclaire souvent la route de ses connais-
sances. Ex-député de l'Eure-et-Loire, il a, de la politique, une
longue pratique, c'est-à-dire réaliste et sans illusions, ce qui accroît
doublement sa lucidité lorsqu'il s'agit d'appréhender l'écheveau
politico-religieux de la situation du conflit afghan. Enfin, s'il fallait
s'en tenir là, c'est un marcheur infatigable qui ne renonce jamais.
Dans la montagne, en 1987, il a marché près de mille kilomètres, le
talon droit mis à vif à cause d'un défaut de chaussure. Jamais il n'a
parlé d'abandonner. On peut dire qu'il aura fait la route quasiment
pieds nus, ce que font souvent les Afghans, mais avec un entraînement commencé dès l'enfance !

Par les hublots de l'avion qui ronronne, les montagnes s'éten-
dent de plis en plis, couvertes de neige et de nuages. Soudain, tout
devient sombre. On entre dans un orage et l'appareil se met à tan-
guer. Des éclairs nous entourent et nous font peur. Merab regarde
sa montre en plaqué-or. Les pilotes consultent leurs instruments,
apparemment tranquilles. Sur les ailes blanches de l'appareil qui
s'enfoncent dans la tempête du ciel, la croix rouge rassure.
L'avion respire le neuf. Ce n'est pas une mécanique bricolée à
l'afghane. Comme pour détendre l'atmosphère, selon une habitude bien rodée, Merab nous raconte une histoire vécue
récemment par un membre de sa famille encore installé dans la
capitale :

– C'est un cousin qui travaille à Kaboul en qualité de photographe. Autant dire qu'il n'a plus beaucoup d'activités car la photo

est proscrite par les taliban. À
l'exception des photos d'identité dont ils ont besoin pour des
passeports internationaux, on ne
doit rien reproduire d'humain. Il
y a un mois, ce photographe
au bord du chômage a été ins-
pecté dans sa boutique par un
commando de la Police pour
l'interdiction des vices et la pro-
motion des vertus. Lorsque le
chef du groupe est entré dans son laboratoire, il a montré une photo
qui se trouvait épinglée sur un mur. C'était une affichette représentant Sylvester Stallone, une mitrailleuse 12,7 tenue en travers de son
torse musclé gonflette. Un cliché extrait du film *Rambo en
Afghanistan.*

– Qui est-ce ? a demandé le policier taleb, menaçant mon cousin
de son bâton.

Vous savez, précise Merab toujours très précis, les taliban battent les gens pour très peu de raison. Mon cousin tremblait de peur.
Aussi a-t-il expliqué que l'homme de la photo, « Rambo », était en
fait un de ses oncles… qui vivait maintenant en Amérique. Le policier a arraché la photo. Et vous savez ce qu'il a dit ?

– Non, bien sûr !

— Tu vas écrire à ton oncle. Tu vas lui dire de revenir à la maison, de se faire pousser la barbe, et surtout, qu'il n'oublie pas de rapporter son arme !

Avec Merab c'est ainsi. Le rire au quotidien, c'est un peu notre bouclier, en quelque sorte.

L'avion a traversé l'orage, entre coups de tonnerre, éclats de rire et un gobelet de carton emplit de thé chaud offert par le copilote. Les fauteuils sont moelleux. Dans moins d'une heure on arrivera. Par les hublots on regarde ces montagnes, sans se lasser. On se souvient de ces pentes sans fin. Du souffle court, de la poussière. C'était rude, mais comme on aimerait vivre encore ces marches folles, longues mais tellement belles. Bertrand, lorsque tout semblait insurmontable, sortait son proverbe qu'il attribuait à un Texan : « Lorsque c'est difficile, ça va demander un peu de temps. Lorsque c'est impossible, ça en exigera un peu plus. » Humour potion magique ! Dans l'avion, ce matin, rien de ce qu'avaient été les précédents voyages n'était au rendez-vous. Le confort anesthésie les sensations. Nous étions aujourd'hui, à l'instant présent, des voyageurs occidentaux de cette fin du XXe siècle, gâtés, traversant l'espace sans en ressentir les efforts, sinon, pour nous, d'aller chercher dans la mémoire le prix de ces distances à franchir. J'ai toujours pensé que les risques que j'encourais en Afghanistan étaient moins nombreux qu'en prenant ma moto à Paris. Durant la guerre d'Afghanistan, sur plus d'un millier de Français venus aider les Afghans, on a compté un mort dans une avalanche, un membre de « Médecins sans frontières » assassiné, un autre de « Solidarité-Afghanistan » assassiné, une infirmière blessée lors d'un bombardement, quatre Français emprisonnés dans les geôles de Pul-e-Charki[5], relâchés après un séjour plus ou moins long selon les cas. Des risques, oui, mais pour quelque chose qui tient à cœur.

Après les montagnes, les plis du terrain s'arrondissent comme les vagues d'un océan jusqu'à s'aplanir et se transformer en steppe, immense, apparemment sans fin, colorée de beige, d'ocre, de poussière où, ça et là, s'étalent des champs de coton.

---

5. Le grand centre pénitentiaire des environs de Kaboul.

– Serrez vos ceintures, la descente va être rapide ! a prévenu le copilote. L'avion pique, s'enroule dans une spirale… pour éviter d'être abattu, sans doute !

Avec adresse, le pilote amène l'appareil dans l'axe de la piste, se pose en douceur, freine… Le petit aérodrome de Mazar-é-Sharif défile devant nos yeux. Je ne filme pas, par respect pour la neutralité du CICR. On regarde donc défiler les aires de stationnement occupées par une vingtaine d'avions de chasse dont très peu semblent en état de voler, des Mig pour la plupart, quelques carcasses d'hélicoptères russes en piteux état, deux transporteurs de troupe volumineux type Hercule, un avion de ligne arrivé en bout de course, des bombes empilées en tas plutôt désordonnés… L'avion s'immobilise devant le bâtiment central d'où quelques moudjahidin sortent, arme à la main. Les pilotes font un sourire, histoire de jouer les hôtesses, l'un d'eux ouvre la porte. L'air est brûlant. C'est l'Afghanistan.

Dans le hall, un policier nous demande nos passeports d'un air important, comme pour faire croire aux étrangers visiteurs que la paix et l'organisation règnent. De quoi rigoler. Mazar sortait pourtant d'une tempête qui venait de coûter la vie à un grand nombre d'Afghans. Une période particulièrement folle, elle aussi passée inaperçue dans la presse occidentale, mais qui mériterait de figurer dans un recueil de contes persans.

L'histoire, la vraie, s'est déroulée au mois de mai, le 25, pour être précis. Ce jour-là, les taliban, obsédés par leur idée de conquérir tout l'Afghanistan, sont entrés dans la ville par milliers. Le maître des lieux de Mazar-é-Sharif était un homme particulièrement haï par ces rigoristes islamistes : un Ouzbek connu dans tout le pays, Rachid Dostom, dont l'existence n'en finissait pas de se mêler aux « afghaneries » propres à l'histoire de l'Afghanistan, depuis le tourbillon de la guerre des Soviétiques. Ce Dostom, un militaire de l'armée gouvernementale, hissé au grade de général, avait été l'ami des

Soviétiques. Durant leurs dix années de présence en Afghanistan, il avait dirigé, à Kaboul, une milice redoutée et redoutable, composée d'Ouzbeks à la réputation inquiétante, souvent ivres de vodka, toujours brutaux, dont la mission était d'aider le régime communiste à anéantir ses ennemis. Cette milice arrêtait pour le compte du président en place. Elle tuait, torturait et violait à l'occasion. Bref, elle usait de la terreur comme d'une menace, et tout le monde la craignait. Habile et fin stratège, Dostom n'avait pourtant pas renié ses origines afghanes. Dans le plus grand secret, il n'avait cessé d'entretenir quelques relations avec ceux qui s'opposaient aux Soviétiques. Ainsi, lorsque les Soviétiques avaient abandonné le terrain en février 1989, Dostom s'était mis à développer ses contacts, très préoccupé de se garantir un avenir. Naturellement, il parlait avec Massoud puisque celui-ci représentait la seule force susceptible de prendre un jour Kaboul et de renverser le régime communiste alors entre les mains de Najiboullah, le président. Étrange alliance contre nature, qui se révélera pourtant très utile, car c'est grâce à la trahison de Dostom que Najiboullah perdra le contrôle de Kaboul et que Massoud entrera dans la ville, pratiquement sans combattre. Mais cet encombrant allié de Massoud, mercenaire dans l'âme, si tant est qu'il en possédât une, demanda des compensations… qu'il reçut : de l'argent, des pouvoirs sur sa ville et l'impunité concernant ses crimes passés. Cela déplut à la plupart des autres chefs de guerre de la résistance qui, à juste titre, considéraient Dostom comme un criminel à qui le pardon devait être refusé. Amateur de femmes, d'alcool et de puissance, Dostom se moquait de leurs avis et se fit de plus en plus détester. Avec un tel « allié » Massoud perdit une partie de son prestige. Depuis, dans les guerres qui ensanglantèrent Kaboul, Dostom passa maître en trahison, toujours en eaux troubles, tantôt avec Massoud, tantôt contre lui, jouant avec la paix et la guerre comme avec l'eau et le feu. En septembre 1996, il avait pourtant accueilli dans la ville de Mazar le gouvernement de M. Rabbani et son Alliance, car il redoutait les taliban qui avaient juré sa mort. Mais en mai 1997, à la surprise générale, son bras droit, un certain général Malek, allait lui aussi goûter au feu du double jeu. Passant un pacte secret avec les taliban, ce félon leur livra la ville contre de l'argent, une responsabilité dans la région du Nord et la garantie de sa tranquillité.

Abdul Malek était un enfant issu d'une richissime famille de Meymana. On disait qu'il possédait plus de 500 chevaux de Bozkachi et 180 000 moutons ! Son frère, Rasoul Pahlawan, avait été un commandant de la résistance, avant de rejoindre la milice gouvernementale et de se faire assassiner en 1996.

On soupçonna Dostom d'être le commanditaire du coup... Voilà ce qui explique sans doute la trahison de Malek. Les taliban lui auraient promis le respect de son autorité sur les provinces d'une partie de Badghis, Faryab, Jouzjan, Sare Pol, Balkh, Samangan et Boghlan, à condition qu'il leur cède un droit de passage pour aller à Kunduz, ville située plus à l'est, permettant ainsi l'accès à la province de Takhrar et au Badakhshan. Pour les taliban, ce serait alors un jeu d'enfant que d'atteindre ensuite la vallée du Panjshir où ils rêvaient d'en finir avec Massoud. Ensuite, dirent les taliban à Malek, à en croire le récit d'un de ses anciens serviteurs : « Tu auras l'autorité sur l'ensemble du nord de l'Afghanistan et tu seras notre partenaire pour la formation d'un gouvernement élargi à Kaboul. On ne touchera ni à tes hommes ni à tes armes... » Cependant, pour garantir ce contrat du traître, les taliban lui demandèrent de leur livrer un homme précieux qui était venu se réfugier dans son ficf : Ismaël Khan, le commandant de la résistance anti-soviétique de la grande ville de Hérat, située à proximité de la frontière iranienne, tombée depuis la chute de Kaboul entre les mains des taliban.

Ismaël Khan et Massoud, tous deux de la même trempe, étaient en relation et s'appréciaient mutuellement. Ils appartenaient au même parti politique, le *Jamiat-e-islami*. Se faire livrer Ismaël Khan, c'était contraindre Malek à aller jusqu'au bout de sa traîtrise : en livrant Ismaël Khan à l'ennemi, Malek se coupait aussi de Massoud.

Le 25 mai, donc, Malek réalisa la première partie du contrat. Il laissa les taliban entrer dans sa zone et fit arrêter Ismaël Khan et ses hommes. Les taliban arrivèrent dans Mazar sans tirer un coup de feu. La route venant de Kaboul se transforma alors en une voie rapide encombrée de 4x4 armés de mitrailleuses lourdes, bondés de barbus sûrs de la victoire, chantant des sourates du Coran. À croire quelques amateurs d'arithmétique, 1 700 jeeps affluèrent ainsi par la route du Salang. La logistique suivit par voie aérienne. Une quinzaine de rotations de gros porteurs pakistanais déposèrent sur l'aérodrome de Mazar du matériel lourd et des munitions. Un grand nombre de responsables taliban accompagnés de l'ambassadeur pakistanais, un certain Aziz Khan, vinrent fêter la victoire. Pressés de confirmer leur avancée, les taliban voulaient atteindre et faire tomber Kunduz. Ils commirent alors quelques graves erreurs qui allaient leur être fatales. Tout ce qui roulait fut confisqué. Car, pour exécuter leur plan – « pacifier » les dernières provinces encore hors de leur contrôle –, il fallait attaquer, et vite. Ensuite, contrairement à leurs engagements avec Malek, ils commencèrent à vouloir désarmer ses hommes. Enfin, quelques-uns d'entre eux profanèrent le tombeau du calife Ali[6], grand monument de mosaïque bleue, située au centre de la ville, haut lieu de pèlerinage des Afghans, des sunnites, mais aussi des chiites dont une partie de l'ethnie hazara habitait la ville et ses environs. Dostom, lui, avait échappé de justesse aux taliban, trouvant son salut dans la fuite. Il avait passé le fleuve Amou-Daria. On le disait en Turquie. Le 27 mai, la révolte des Hazaras gronda. D'abord dans les quartiers sud de la ville, puis dans tout Mazar. Lors des moments d'accalmie, des hommes de la Croix-Rouge internationale sortaient de leurs abris pour ramasser et enterrer les morts. Les Hazaras étaient si enragés qu'ils mutilaient ces nouveaux ennemis, abandonnent leurs corps dans les rues. Deux mille taliban furent aussi capturés, parqués dans des casernes. On apprendra plus tard qu'un grand nombre d'entre eux avaient été assassinés. Dans son quartier général, Malek, sentant le vent tourner et comprenant que les taliban l'avaient trompé, changea soudain de stratégie. À l'aide de son téléphone satellite, il parvint à entrer en contact avec Rabbani, réfugié au Tadjikistan voisin, et avec Massoud, le seul à ne pas avoir fui, replié dans la vallée du Panjshir. Il leur annonça qu'il venait de faire tomber le dernier bastion du communisme symbolisé par le général Dostom, son ancien

---

6. Le quatrième calife de l'islam, cousin et gendre du Prophète. Après avoir été assassiné, il aurait été enterré à Mazar, d'où le nom de la ville qui signifie : « La tombe honorée ».

patron… et qu'il avait fait tomber les taliban dans un piège qui allait leur être fatal. Il demanda même à Massoud des consignes concernant la suite des opérations. Massoud lui dit de faire des prisonniers et surtout d'arrêter les combats. Trahisons, alliances, il faut savoir qu'ici, en Afghanistan, les règles ne  sont pas les mêmes que celles auxquelles la démocratie nous a habitués. Quoique !

À l'aéroport, ce mois de juillet 1997, la photo du général Malek, collée dans un cadre suspendu sur un mur de la pièce des douanes, respire le neuf. Elle a remplacé celle du général Dostom. On nous laisse passer après avoir apposé une signature très officielle sur notre visa. La jeep du CICR, venue conduire les délégués qui regagnaient Peshawar avec l'avion qui nous avait amenés là, nous dépose au centre-ville.

Le calme y règne. Des hommes en armes, mais peu. Pas d'embouteillage, sinon quelques voitures tout-terrain, prises de guerre sans doute confisquées par les commandants, et quelques taxis jaune et blanc, semblables à ceux de Kaboul. Merab en choisit un, et, le temps de se faire raconter une nouvelle fois les événements de Mazar, on arrive à la villa louée par les hommes de Massoud.

J'y retrouve Asham, le fils d'Odji, un homme que j'ai connu en 1981, lors de mon premier séjour dans le Panjshir. Asham est le représentant de Massoud en Ouzbékistan, où se trouve une base arrière par laquelle transitent les munitions achetées maintenant aux Russes, aux Tadjiks et aux Ouzbeks. Ceux-ci craignent les taliban et leur islam révolutionnaire d'arrière-garde. C'est une zone sensible. Asham nous reçoit comme un seigneur. On le sent investi d'une mission qui lui confère une importance qui me semble nettement exagérée. Mais il faut soigner les formes. Dans la maison on nous sert du Coca-Cola frais. La chaleur est étouffante. Quarante degrés et pas un souffle de vent si ce n'est celui que le courant électrique permet. Un serviteur vient justement brancher un ventilateur pour améliorer la sieste qu'on nous a proposé de faire. Merab rigole, car le serviteur, en posant le ventilateur, a annoncé le « président Rabbani » !

– En effet, nous explique Merab, les Afghans aiment donner des surnoms aux hommes célèbres. Rabbani, on l'appelle *Bod Paka*. C'est le nom qu'on donne à ce ventilateur.

Devant notre perplexité, il explique que son président fait des discours très lents et souvent ennuyeux…

– Lorsqu'il parle, tout en brassant de l'air, il tourne sans cesse sa tête de droite à gauche et de gauche à droite… comme ce ventilateur.

Devant notre amusement, sans que nous ayons besoin d'insister, Merab rigolard nous révèle les surnoms donnés aux autres personnages clefs du monde politique et religieux afghan. Ainsi, le président Daoud était surnommé : le « Prince fou » ; le président Taraki mérita sans doute un « con comme un âne » ; Hafizullah Amin, lui, reçut le surnom d'« ignoble » ; Najiboullah fut « le taureau » ; Modjaddedi, dont les yeux sont maquillés et les cheveux teints, est aujourd'hui « l'emmerdeuse scandaleuse » ; Mohseni, le chef des Hazaras, à cause d'une verrue sur le front, a hérité de « l'as de trèfle » et Dostom est appelé « le chat poilu ».

Quant à l'ex-roi, on l'appelle « le vautour ».

III

Inch Allah et l'hélicoptère vola

On raille souvent la désorganisation des Afghans qui semblent être passés maîtres dans l'art d'improviser. C'est sans doute, paradoxalement, cette qualité d'improvisation qui vaut à quantité de caravaniers d'être encore en vie.

Du temps de la guerre contre les Soviétiques, les commandos qui, sur la foi de renseignements glanés par leurs espions, tendaient des embuscades aux caravanes de la résistance, rentrèrent généralement bredouilles dans leurs cantonnements : un chef de caravane pouvait avoir annoncé son départ pour le lundi. Mais quel lundi ? Une semaine, deux semaines, ce n'est pas très important. Il s'arrêtait parfois chez un cousin, y séjournait quelques jours… Le temps est perçu de manière globale, instinctive. On ne fête pas les anniversaires puisque la plupart des gens des campagnes ne savent pas exactement quand ils sont nés. Vivre, c'est la seule évidence. Projeter une action dans le futur, c'est comme un vœu à accomplir quand la providence le permettra. *Inch Allah !* Lors de mes premiers voyages en Afghanistan, j'avais souvent été exaspéré par les attentes, toujours interminables. Depuis, j'ai appris à laisser faire, ne plus être pressé, saisir les occasions lorsqu'elles se présentent. De Mazar, il fallait trouver le moyen de descendre vers le Panjshir. On allait trouver. Ça prendra le temps qu'il faudra.

– Vous savez bien, nous dit Merab, lorsqu'on demande sa date de naissance à un Afghan, il répond : « L'année du tremblement de terre, je faisais mon service militaire. » Si on lui demande son âge, il répond : « Oh, je dois avoir entre trente, quarante ou cinquante ans ! »

À Mazar, en juillet, l'air n'est pas chaud, il est à la limite du supportable : brûlant. Le soir, dans les maisons qui en possèdent, on se réfugie dans les caves pour tenter de trouver plus de confort et le sommeil. À Mazar, en juillet 1997, les nuits sont calmes…

Après une soirée de conversations et un bref temps de repos, nous avons la surprise d'apprendre que le départ vers la vallée du Panjshir est prévue pour l'après-midi… en hélicoptère. Prendre un hélicoptère russe entretenu par des Afghans, c'est accepter le risque de ne jamais arriver à destination, ou plutôt d'en changer…

– Ah oui, vous, vous irez au paradis ! s'esclaffe Merab.

Comme pour nous rassurer, il nous confie qu'il lui semble de toute façon difficile et tout aussi périlleux de vouloir gagner le Panjshir par la route du Salang. De nombreux groupes armés s'y livrent au banditisme. À nous de voir. Les amis avec lesquels j'ai parlé toute la nuit me l'ont vivement déconseillé. Ça ne se discute plus. Et, tous en chœur, d'y aller de notre refrain : *Inch Allah !*

Nous profitons de la matinée pour rendre visite à un fidèle de Massoud, le ministre de l'Intérieur du gouvernement de l'Alliance, le Front uni ou, plus précisément : *United Islamic and National Front For Salvation of Afghanistan (UINFSA)*. L'homme s'appelle Mohamed Younus Quanouny. Son accueil est chaleureux. La France, il l'aime, puisqu'il est allé s'y faire soigner, à la suite de blessures dans un attentat dirigé contre lui par les hommes d'Hekmatyar, à Kaboul, en 1994. Correctement traité dans notre « terre d'asile », il en éprouve une évidente reconnaissance. C'est un homme précis, intelligent, rapide, un politique qui semble efficace, ce qui est rare dans le contexte. Habillé à l'occidentale, il ne porte pas de barbe. Il travaille, nous dit-il, à la constitution d'un nouveau gouvernement dans lequel seront intégrées deux femmes : une en qualité de ministre des Affaires sociales, l'autre à la Santé. Manière habile d'exprimer une différence avec les taliban.

Devant un plateau de thé, de bonbons, de petits gâteaux, et dans l'axe de ma caméra, Quanouny fait part de son incompréhension face à la politique américaine en ce qui concerne l'Afghanistan.

– Pendant des années, nous avons lutté contre le fondamentalisme iranien, et personne, en Occident, ne nous a soutenus ni remerciés. Les Américains ne s'adressent jamais aux Afghans mais aux Pakistanais. Ça suffit !

Il fait amende honorable quant aux erreurs du passé.

– On ne pouvait amener la paix ! Les guerres de Kaboul ne pouvaient pas cesser pour deux raisons : les ingérences étrangères, et le fait que nous avions un trop grand nombre de partis et personne pour les fédérer.

Selon lui, avec les taliban et la faiblesse des hommes politiques de l'Alliance, la situation a l'avantage d'être devenue plus claire.

– Aujourd'hui, Massoud s'impose comme leader naturel. N'oubliez pas qu'à cette époque, lorsque les taliban sont entrés dans Mazar, tout semblait perdu. Seul Massoud est resté en Afghanistan. Et ça, le peuple le sait. Les autres leaders ont fui ! Avant, Massoud ne pouvait pas être le leader politique du pays pour des raisons ethniques.  Maintenant, la sagesse veut qu'on fasse tous nos efforts pour dépasser ce clivage. Nous devons éviter de tomber dans le piège des divisions ethniques. La constitution d'un véritable État d'Afghanistan est au prix de l'union retrouvée. Sinon, c'est la fin du rêve d'une nation afghane. Vous aurez le Pachtounistan au sud et les territoires des Tadjiks, des Ouzbeks, des Turkmènes au nord. Les Hazaras, eux, seraient noyés au centre. Ce serait le désastre absolu !

Cette conversation politico-diplomatique nous laisse plutôt sceptiques. Bertrand, pragmatique, pense que cet homme est précieux à condition qu'il parvienne à transformer en actes le discours qui l'habite. Se méfier des belles paroles. Cela semble élémentaire, mais on se fait parfois prendre, en Afghanistan, en France aussi, comme partout ailleurs. Le problème est d'autant plus complexe en Afghanistan qu'un nombre important de personnes se mêlent des discussions d'intérêt général. Outre les politiques, des religieux ne se privent pas de prendre la parole. S'ajoute à cette complication le fait qu'il existe aujourd'hui peu de gens instruits en Afghanistan. La révolution et la guerre ont emporté les intellectuels. La plupart sont morts, les autres vivent en exil. Il faudrait que la sécurité soit garantie pour permettre à ceux qui le veulent de rentrer pour reconstruire le pays dont les infrastructures sont totalement détruites. L'ignorance et l'incompétence des soi-disant cadres d'aujourd'hui constituent un fléau tout aussi grand que la guerre...

En fin de matinée, deux diplomates britanniques nous rejoignent dans la maison d'Asham. L'un d'eux est responsable de la section Asie au très sérieux Foreign Office. Il n'éprouve aucune gêne de notre présence. Il vient rendre visite à Massoud avec lequel il a *rendez-vous* pour une mise à jour de ses données sur le problème afghan. Les diplomates français font de même, mais sont toujours plus mal à l'aise face à ceux qu'ils cataloguent comme des « journalistes ». Le journaliste est toujours une sorte de bête noire, à manipuler avec prudence, sauf ceux qui ont montré patte blanche. En général, l'indépendance de ton déplaît aux institutions. Je suis bien placé pour le savoir [1] ...

Asham profite de la présence de ces diplomates anglais pour leur communiquer copies des fiches établies sur l'identité de Pakistanais actuellement détenus dans les prisons de la vallée du Panjshir. Il fait état de soixante-douze cas. Le temps passe et nous amène au déjeuner. Nous ne sommes toujours pas partis !

Vers 16 heures seulement, tout le monde est invité à quitter la maison pour prendre place dans un minibus Mercedes. De vrais touristes. Et Mazar est si tranquille ! Notre seule appréhension est d'être surpris en vol par la nuit. Les Afghans sont parfois si imprévoyants. Ici, pas de station radar. Merab, toujours aussi rassurant, nous a raconté comment un pilote avait réussi à trouver un endroit pour se poser lorsqu'un orage avait fait tomber la nuit plus tôt que prévu, alors qu'il était en vol au-dessus des montagnes. Il a fallu

---

1. Personnellement, dans le petit milieu français qui s'intéresse à l'Afghanistan, certains me disent l'« homme de Massoud ». C'est un peu absurde. Je suis avant tout français. S'il est vrai que Massoud m'a semblé être celui qui aurait dû être aidé par l'Occident, je suis capable de changer d'avis. J'ai toutefois une certitude absolue : Hekmatyar, assassin de tant d'hommes, dont quelques-uns de mes amis, n'aurait jamais dû recevoir l'aide qu'il a reçue, tout comme les taliban, dont je ne conteste pas la valeur du projet d'origine (rétablir la paix en désarmant les combattants). Mais ces taliban ne devraient plus être considérés comme des interlocuteurs acceptables tant qu'ils violent les règles les plus élémentaires du respect des hommes et des femmes libres.

qu'un passager se penche hors de l'appareil pour repérer à vue un endroit où se poser… Lorsqu'ils ont atteint la plaine, l'appareil volait au ras des arbres et il faisait presque nuit. Au dernier moment, alors qu'ils n'avaient presque plus de carburant, ils ont trouvé un endroit sûr. Sûr, oui !

À l'aéroport, nous arrivons en même temps qu'un camion transportant des bombes. De ces saloperies que les avions, maintenant sous les ordres du général Malek, vont jeter sur Kaboul. Elles n'ont l'air de rien, sinon de suppositoires en acier. Elles sont rudimentaires, provenant de stocks russes d'une époque révolue. Mais elles contiennent suffisamment d'explosif pour tuer, blesser, terroriser, détruire.

Lorsque nous voyons l'hélicoptère qui a été envoyé pour nous convoyer jusqu'à la vallée du Panjshir, nous sommes bien obligés de

nous en remettre à Merabudin et à ses *Inch Allah*. Il a piteuse allure. Des traces d'huile salissent sa carcasse qui est loin d'une première jeunesse. Quant aux instruments de bord, certains cadrans semblent ne plus servir à rien d'autre qu'à démontrer qu'un jour, dans la jeunesse de l'appareil, ils avaient une fonction.

Le pilote, une clef anglaise à la main, nous fait un signe de bienvenue. Il sourit. Est-ce un ange qui propose une tournée au paradis ? L'ange a du cambouis jusqu'aux coudes mais un rire si chaleureux qu'il nous fait regretter de faire les précieux avec notre manque de confiance. C'est si simple la vie, pourquoi s'en faire !

– Tout ira bien, annonce Merab, mi-rieur, mi-inquiet.

En fait, lui non plus n'est pas vraiment rassuré. Déjà, dans l'avion de la Croix-Rouge, il semblait avoir hâte d'atterrir alors que les risques étaient minimes. Il craignait aussi que l'avion se pose côté taleb. Mais là ! « Cet engin doit être plutôt solide, car c'est l'un des deux que nous possédons en état de marche. »

Lorsqu'on lui demande de combien Massoud dispose d'appareils de ce type, la réponse est douze.

– Et les autres ? Où sont-ils donc ?

Tombés, bien sûr ! Précisons que le vol doit durer environ une heure trente. En outre – car rien ne nous sera épargné –, il comporte une difficulté notoire : un col à 5 000 mètres à frôler avant de descendre dans la vallée où, paisiblement, doit couler le fleuve Panjshir. À cet instant, tout nous semble bien loin.

17 heures. Le pilote en a fini avec ses réglages, on embarque : Les diplomates britanniques, très élégants avec leurs pantalons beige, leurs chemises bleu ciel et la cravate de l'école (laquelle ? Je n'y ai pas prêté attention), Asham qui va rendre compte à Massoud d'un voyage en Ouzbékistan, un autre Afghan qui nous attendait, Merabudin, Bertrand et moi. Ont été chargées, entre les sièges des passagers, quelques denrées introuvables dans le Panjshir quasiment soumis au blocus des taliban : des melons blancs, oblongs, pour le voyage, deux roues de brouettes (?), quelques caisses non identifiables (explosif ?), du Coca-Cola « pour le chef », comme dit Merab. On s'installe dans la cabine passagers, transformée en petit salon car c'est l'hélicoptère VIP. Il devait servir à un général soviétique. On trouve une petite table recouverte d'un napperon bordé de dentelle. Un vase dans lequel s'ennuie une fleur… en plastique. Les parois sont tapissées de velours rouge. Ça fait un peu lupanar des années trente. Du moins l'idée que j'en ai. Avec le moteur, tout se met à vibrer. L'appareil a de la ressource ! Ça vibre. Le vacarme est étourdissant. Le départ imminent. Je m'aventure dans la cabine de pilotage pour filmer à travers le pare-brise. On commence à rouler sur la piste, puis, brutalement, on décolle. Brusquement, sans raison apparente, le pilote bascule son appareil dans un virage serré. On rase le sable de la steppe, à le toucher. L'ombre de l'appareil glisse à toute vitesse sur le sol. Ce qui s'est passé aurait pu virer à la catastrophe, une de plus : un Mig atterrissait au moment où nous nous sommes avancés sur la piste, lui coupant la route… Mais la radio ne fonctionnant plus, le pilote ne le savait pas. *Inch Allah,* l'aventure commence. Nous sommes déjà moins anxieux : le pilote a de bons réflexes. C'est déjà pas mal. Il nous est arrivé de confier nos petites vies à des chauffeurs de camion, la tête perdue dans les fumées de hashich, longeant des précipices sans parapets, avec l'impression d'être des danseurs sur des fils de funambules en état d'ivresse…

Avec le petit Caméscope, que j'apprends à manipuler, j'ai un mal fou à faire le point. Ça me rappelle le Super 8 et tout vibre si fort : l'engin volant – « le cercueil volant », rectifie Bertrand – et nous tous. Cette fois, j'ai l'impression que nous sommes vraiment dans cet Afghanistan dont tout le monde se fout. Ou presque.

Je m'applique à cadrer le paysage : le pilote qui regarde la carte, le petit rétroviseur dans lequel le soleil tombe et rougit, une inscription en russe sur la porte, la vue par le hublot... Bref, je commence mon travail de cinéaste : enregistrer, par morceaux, une réalité que j'aurai à reconstruire lors du montage. Car faire un film, c'est réaliser un puzzle. Il n'y a que le regard pour capter en grand angle, isoler un détail. Dans un film, chaque plan est comme le mot d'un livre. Chaque succession de plan constitue une phrase. Au montage, on dose le rythme. Un « reportage » de télévision n'est jamais qu'une reconstruction, une restitution. On ne filme qu'un rectangle, avec une caméra, et seulement quelques moments parmi beaucoup d'autres. La réalité ne se déroulant pas dans un rectangle mais dans un espace infiniment plus complexe... C'est d'ailleurs pour cette raison que les journaux télévisés sont truffés d'erreurs, de trahisons de la situation réelle, à l'insu même, sou-vent, du journaliste honnête...

car, dans les chaînes de télévi-sion d'aujourd'hui, avec les échanges d'images par satel-lites, il arrive fréquemment que ceux qui montent les images ne soient pas en relation directe avec ceux qui les ont enregis-trées. Or, il est tout aussi important de savoir ce qui se passe derrière le caméraman, et sur ses côtés, que de se contenter de ce qu'il a cadré. C'est au montage qu'imprégné de tout le vécu du tournage on restitue une réalité ressentie.

Pour ce voyage, j'ai délibérément choisi de me démarquer de la prétendue recherche d'objectivité à laquelle nous convie le journa-lisme. Je trouve celle-ci bien prétentieuse. Et bien illusoire. Il y a tant d'erreurs commises au nom de cette sacro-sainte bonne intention. Plus que jamais, je vais essayer de m'impliquer personnellement dans ce film. Me mouiller. Difficile impudeur pour moi, car j'ai généralement l'habitude de m'effacer devant ceux que je filme. Cette fois-ci, je veux aller explorer cet espace particulier de la subjectivité comme un parti pris délibéré.

« Dans le tumulte d'images et de sons du monde moderne, tenir une caméra a-t-il encore un sens ? » dirai-je plus tard en voix *off* sur le film achevé. « Lorsque j'ai commencé ce film, il y a seize ans, je ne me posais pas la question. C'était mon premier film. J'allais rencontrer des hommes remarquables dont le commandant Massoud. Pas des héros de pacotille, ni des produits de marketing comme on nous en fabrique tant aujourd'hui. J'ai rassemblé les traces de cette singulière aventure pour survivre à tout ce bluff qui nous entoure… et pour quelque chose de plus précieux que je vais vous confier. »

J'utiliserai quelques-unes des premières images du tournage fait avec Jérôme Bony : *Une vallée contre un empire*… Il y aura ce texte pour résumer la première fois où je suis entré dans ce pays d'où, sans doute, je ne suis jamais vraiment revenu : « L'Afghanistan, pour moi, ça a d'abord été ça : seize, dix-sept, dix-huit heures de marche par jour pendant des semaines…

« Avec cette caravane qui convoyait des armes pour Massoud et un groupe de médecins français, nous étions passés par le nord du Pakistan et avions franchi clandestinement la frontière interdite. C'était en juillet 1981 : le premier reportage de ma vie… »

Maintenant, la montagne nous fait face et je filme mes premières images. Elle semble si proche qu'on pourrait presque sauter sur un de ses éperons. Du granit. De la neige. Distingue-t-on un sentier ? On a l'impression d'être en vol stationnaire. Mais non, l'appareil monte, lentement, très lentement, et ça vibre plus que jamais. En dépit de leur sang-froid, je sens nos diplomates du Foreign Office un peu tendus. Les autres aussi. Le plus surprenant à observer est l'Afghan qui ne nous a pas été présenté. Il écarquille les yeux en fixant la montagne installée devant le hublot. De sa main droite, il lisse sans cesse sa longue barbe noire. Elle a tellement été touchée par ses mains moites qu'elle pointe. On dirait l'extrémité d'une lance.

– C'est un taleb ! me crie Merab dans l'oreille, qui se marre, bien sûr. C'est un Pachtoun, commandant dans la vallée de Kunar au

Sud, une zone contrôlée par les taliban. Il s'appelle Haji Rohullah et vient voir Massoud pour lui proposer une alliance…

Le brouhaha écourte la conversation. On en parlera plus tard. Pour le moment l'appareil monte. Nous sommes à 5 300 mètres d'altitude. Bertrand le lit sur son altimètre ! Nous quittons la sensation désagréable de cette ascension qui nous a trop semblé immobile, et impossible. On avance lentement au-dessus de la ligne de crêtes, très lentement, comme si le pilote craignait de se faire chatouiller le dessous de sa machine par les aiguilles de roche. Je filme. Pas longtemps, parce que le pilote me surprend… Sans prévenir, il lance sa machine dans un piqué. La vallée nous arrive dans les yeux. On descend, on vire, on rase les maisons d'un village…

– C'est Bozorak, tu te souviens ? Le village où nous avions passé une semaine en 1990 ! hurle Merab.

Il a l'air heureux.

L'hélicoptère remonte le fleuve qui a pris des teintes grises car le soleil a disparu derrière les montagnes. On atteint Jengalek, l'endroit où est installé Massoud. Il vit dans la maison qui appartenait à son père, un peu plus haut contre une paroi de montagne.

Le Panjshir à nouveau !

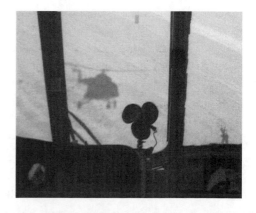

IV

Les révélations de Massoud

Dans ce Panjshir de juillet 1997, on voit plus de véhicules tout-terrain que de chevaux. On y rencontre aussi une multitude de taxis de Kaboul, reconnaissables à leurs couleurs, jaune et blanc. Mais ils ne circulent pas, ou peu, faute de carburant. En fait, depuis le 26 septembre 1996, avec l'abandon de Kaboul par Massoud, plus de cent mille personnes sont venues se réfugier dans la vallée, bien que menacées d'y être totalement encerclées par les taliban. Ajoutés à la population qui n'a jamais quitté les lieux, ces réfugiés ont doublé le nombre des habitants. Actuellement, vivent ici près de deux cent mille personnes. Dans les maisons, il n'est pas rare de rencontrer plusieurs familles, entassées comme elles peuvent, avec des moyens de fortune. La nourriture manque, mais la solidarité joue. Au bord des routes, des autos immobiles attendent des jours meilleurs, sur des cales, parfois sous des bâches. Il règne ici une atmosphère étrange de tension et de calme. Personne ne sait vraiment comment les choses vont évoluer, mais tout le monde ici a un espoir, le dernier sans doute avant Dieu : Ahmad Shah Massoud.

De cette vallée je reconnais d'abord les odeurs. C'est l'époque des moissons. Est-ce ce mélange de feuillages et de terre sèche, ces arbres fruitiers, ces raisins, ces abricots formant une composition unique imprégnée dans ma mémoire ? Un parfum de sucre, de sable et de poussière...

À peine sortis vivants de l'hélicoptère, on nous a conduits dans la petite maisonnette qui jouxte celle, plus grande, de Massoud. Il est venu nous saluer, nous a reconnus, et nous a priés de l'attendre. Derrière sa maison, de petits champs en terrasses ont été aménagés, sommairement, en antichambres. Des fauteuils tradi-tionnels, en bois et en paille tressée, voisinent avec des meubles de jardin bon marché, en plastique blanc comme on peut en trou-ver en France.

Massoud revient, enveloppé d'un *chapam*[1] marron et beige, qu'il porte avec élégance. Il prend place près de Merabudine qui affiche soudain son air de bon élève un peu craintif. Massoud l'intimide. Sachant son temps compté, j'explique que je ne suis pas venu faire mon énième film sur la situation de l'Afghanistan, mais un film plus personnel, à la fois sur lui mais aussi sur ce qui nous avait fait le soutenir. Il écoute avec gravité. Bertrand voudrait savoir pourquoi il n'a pas pris le pouvoir une fois à Kaboul. Merab traduit. Moi, je voudrais comprendre pourquoi il a passé alliance avec des hommes aussi détestables que Dostom, puis Saygaf, l'ennemi des Hazaras, qui a tenté de les exterminer. Massoud écoute la traduction de Merab, bien qu'il comprenne assez bien le français. Il n'a pas l'ha-bitude d'être critiqué par son entourage. Il s'excuse, apparemment en colère, nous annonçant sèchement qu'il va revenir pour répondre. C'est la tombée de la nuit. L'heure de la dernière prière. Elle est longue.

Puis il nous rejoint à nouveau, perdus dans la nuit, sur nos fau-teuils en plastique blanc. Dans l'obscurité totale et le silence de la vallée qui nous entoure, de sa voix grave aux intonations vives et précises, il entreprend, durant deux heures, de nous expliquer les raisons de ses alliances et pourquoi il n'a pas occupé le poste de pré-sident.

L'alliance avec Rachid Dostom, c'était pour entrer rapidement dans Kaboul sans avoir à bombarder la ville. Grâce à ce pacte avec le chef de la milice communiste, la ville était en effet tombée de l'intérieur. Pour le second point, il nous confie qu'une fois dans Kaboul, il a tenu à respecter son appartenance à un parti politique, le *Jamiat-e-islami*, dirigé par Borhanodine Rabbani. C'est donc à lui qu'il laissa la charge du pouvoir politique. Car le rôle de Massoud n'était pas de semer le désordre là où il avait combattu pour remettre l'ordre.

1. Manteau de laine à longues manches. Lorsqu'il fait très froid, l'extrémité des manches sert de gants.

Le problème, c'est que Rabbani ne saura jamais gouverner. Pis : en s'accrochant au fauteuil de la présidence alors qu'il devait céder sa place à d'autres leaders des sept grands partis politiques de la résistance, il déclencha contre lui l'hostilité. Enfin, Hekmatyar commença à bombarder la ville la cinquième semaine après la chute du régime communiste de Nadjibullah...

Plus Massoud parle, plus il est évident que l'entente entre lui et Rabbani a disparu. Il nous raconte même qu'en 1995, un grand conseil *(Loya Jirga)* avait été prévu et organisé dans la ville de Hérat. Rabbani devait y prononcer un discours au cours duquel il s'était engagé à annoncer sa démission devant mille Afghans. Ce conseil était  important puisqu'il avait rassemblé des Afghans venus de l'intérieur du pays, des commandants de la résistance, des Pachtouns, des Tadjiks, des Hazaras, des intellectuels venus de l'étranger, des représentants du roi, un ancien Premier ministre, docteur Youssof, le fils du roi Amanullah, Ehsanullah d'Afghanistan. Son annonce devait donner une nouvelle chance à l'Afghanistan et lui apporter, à lui, Rabbani, une aura de sagesse. N'abandonnerait-il pas sa place à ceux qui aideraient à l'organisation d'une confédération, pour faire enfin régner la paix en Afghanistan ?

– Je me souviens, dit Massoud, avoir été chercher Rabbani à la présidence. Je l'ai personnellement accompagné à l'avion qui devait l'amener à Hérat. Dans la voiture, je lui ai répété qu'il deviendrait le grand homme de la paix s'il réussissait à rassembler plutôt qu'à diviser. Dans l'avion, je suis allé jusqu'à son siège et lui ai confié que tous mes espoirs rejoignaient ceux de notre peuple. Que l'avenir était entre ses mains. Qu'il devait parler de la paix, rien que de la paix, et ne plus penser à conserver pour lui un pouvoir dont trop d'autres groupes avaient été exclus. L'avion a décollé. J'ignore alors ce qui est arrivé mais, le lendemain soir, alors que nous avions branché la radio pour écouter son discours historique, ce fut la déception totale. Rabbani prit la parole et com-

mença en disant : « Merci à tous de me faire confiance encore… »
À partir de ce moment tout le monde a été déçu et j'ai personnellement été discrédité.

Massoud a l'air sincère et le souvenir de cette trahison l'a mis en
colère. Le froid nous enveloppe. Des émissaires d'autres provinces
l'attendent, les diplomates aussi…

– N'oubliez pas, vous qui êtes français, que mes ennemis m'ont
souvent accusé d'être « l'homme des Français », alors que je n'ai
pratiquement reçu aucune aide véritable de la France. N'oubliez pas
aussi que j'ai démissionné de mon poste de ministre de la Défense
lorsque j'ai compris que la guerre ne cesserait jamais à Kaboul tant
que les ingérences continueraient à pousser les groupes afghans les
uns contre les autres. J'ai aussi démissionné pour que Gulbuddine
Hekmatyar cesse de bombarder la ville. Pour qu'on lui donne le
poste de Premier ministre qu'il réclamait. Mais ça ne lui suffisait
pas. Derrière lui, il y a les Pakistanais qui n'ont cessé de tirer les
ficelles d'un jeu malsain, ces Pakistanais qui ne voulaient pas que
l'ordre revienne trop vite en Afghanistan. Ils n'ont eu de cesse de
vouloir contrôler notre pays. Gardez à l'esprit qu'ils sont en situation conflictuelle avec leur voisin indien, que l'Afghanistan est
comme une garantie d'une certaine profondeur stratégique. Ils ont
choisi Hekmatyar parce qu'il est pachtoun. Moi je suis tadjik et je
crois en l'indépendance de mon pays, pas dans sa division, pas dans
sa soumission à un voisin…

Un peu plus tard le chauffeur de Massoud nous accompagne plus
haut dans la vallée, vers Astana, le village natal de Merab. Ce même
village où nous étions arrivés avec Jérôme, Frédérique, Évelyne et
Bertrand, l'équipe de l'AMI seize ans plus tôt ! Il me tarde de le voir
à la lumière du jour. Il me tarde de retrouver les survivants.

La lune éclaire faiblement la ruelle où nous arrivons. Merab
frappe à une porte en bois.

– C'est la maison de Sidik. Tu te souviens de Sidik ?

Jamais je n'oublierai Sidik. Bertrand aussi l'a connu et s'en souvient. C'était lors d'un autre voyage, plus difficile encore, en 1984,
quand toute la vallée avait été détruite.

Nous avions retrouvé Sidik dans une grotte, plus haut, beaucoup
plus haut. Astana avait été rasé par les Russes. Sidik s'occupait de

faire parvenir du ravitaillement pour tous les moudjahidin cachés, installés médiocrement dans les grottes glaciales proches des lignes de crêtes, entre 3 000 et 4 000 mètres d'altitude. Il faisait si froid que ma mémoire en a conservé la blessure. Une folie de plus qu'ils avaient endurée sans se plaindre, se serrant les uns contre les autres... en chantant. Le prix de leur survie ! La nuit, des hommes parfois accompagnés d'ânes ou de chevaux parcouraient des distances incroyables pour aller chercher la farine pour le pain chez les paysans d'une vallée voisine encore laissée intacte par ces diables de Russes et leurs avions « cracheurs de feu et de tonnerre et de mort, plus redoutables que Dieu ».

– Sidik nous avait donné un pot de confiture !

De la confiture de mûres. Un trésor, compte tenu de la situation de précarité où ils se trouvaient tous à cette époque, simplement parce que nous étions étrangers, que nous étions des amis, que nous ne les avions pas oubliés. Personnellement, j'ai revu Sidik, plus tard, en août 1990, lors d'un tournage du film que j'avais signé avec Frédéric Laffont, *Poussières de guerre,* qui nous avait amenés à recueillir, « à chaud », les traces que cette guerre avait laissées sur quelques-uns des hommes et des femmes qui s'y étaient trouvés impli-

qués, Afghans et Biélorusses. Il avait perdu l'un de ses fils qui avait sauté sur une mine. J'avais filmé Sidik dans le village à nouveau habité, dont une partie avait été reconstruite. On le voit dans une séquence. Il montre des maisons en ruine, racontant que c'était un lieu où, avant-guerre, les gens dansaient. Puis je l'avais encore filmé dans sa

maison qui sentait le pisé frais. Devant ma caméra, il avait témoigné d'atrocités dont il avait été le témoin. D'un chien que les soldats russes avait brûlé et crucifié sur la porte d'une des maisons du village...

Aujourd'hui, le temps se réduit à ce poing de Merab qui frappe sur la porte d'entrée du jardin de Sidik. Le village, autour, est calme. Les paysans dorment. On entend l'eau d'un ruisseau. Le feuillage d'un arbre fruitier bruisse dans la brise. Merab frappe à nouveau. On entend enfin des pas. Un homme approche, entouré de la lueur d'une lampe à huile qui fait danser les ombres. Et la porte s'ouvre. Et c'est Sidik. Coco Sidik, comme dit Merab. Ils s'embrassent. Nous nous embrassons. On hisse nos sacs à dos dans une grande pièce d'hôtes. Sidik est dans la lumière, plus vieux, comme moi bien sûr, avec plus de soucis sans doute, mais toujours avec son sourire si précieux, cette délicatesse qu'il a d'accueillir ses invités avec chaleur. Avons-nous faim ? Non, non, qu'il ne se dérange pas. Il est si tard, il dormait. Qu'importe ! Il s'en va, puis revient alors que nous nous endormions, enveloppés dans ses couvertures qui sentent bon la propreté. Il revient avec du lait chaud et du pain... et de la confiture. Cher Sidik.

V

Coco Sidik
le survivant

Lorsque les chants des coqs se font entendre, l'heure de la prière est passée. Le jour se dilue lentement dans la nuit. C'est, inexorablement, ce même théâtre du temps afghan qui passe. De la vie qui va comme à rebours pour chacun. Combien de matins vivra-t-on encore ? La guerre est au-delà, plus très loin, moins loin que de la France. Existe-t-elle autre part que dans nos cerveaux d'hommes incomplets, tous tordus, occupés de vices autant que de vertus ?

Par la fenêtre, cette vallée naît avec le jour dans la plénitude de ses couleurs. Ses verts pastel, ses verts mousseux, des verts presque blancs. Dans les champs on travaille depuis l'aube. Les uns moissonnent, les autres retournent la terre, avec des socs en bois, tirés par des bœufs ou des chevaux. De la fenêtre, rien de ce dont je me souviens des deux derniers séjours ne concorde. J'ai plutôt l'impression d'être revenu en 1981, lorsque la vallée était encore intacte. La guerre est-elle vraiment passée ici ?

Sidik vient tôt, avec des œufs soigneusement brouillés, du thé, du pain, même du beurre. Il ne met pas longtemps à nous dire combien les mentalités ont changé.

– La guerre a déformé l'Afghanistan jusque dans le cœur des hommes. Il y a eu tellement de personnes qui n'ont pensé qu'à elles-mêmes, pas à la communauté, soupire-t-il.

Sidik a vieilli, oui. Des taches recouvrent maintenant sa peau. Il a comme un léger dodelinement de la tête, comme si, à force de penser à tous ses soucis, il s'était mis dans le rythme de celui qui les accepte. Il est grave, Sidik, car il vient de dénoncer les profiteurs de la guerre. Merab le sait. Nous en avons déjà longuement parlé. C'est la plaie ! Je ne sais plus de qui est la phrase : « La paix corrompt autant que la guerre détruit. » On le constate ici. Quantité de petits chefs ont accumulé des pouvoirs à leur seul profit, ne comprenant pas qu'ils se grandiraient plus à les partager. Les mortels oublient souvent qu'ils le sont, jouent comme s'ils étaient éternels. La vie est courte. Si courte. Et M. Sidik, Coco Sidik, le sait, lui qui a perdu un fils et pas mal d'illusions sur la nature humaine. Nous apprenons de sa bouche que la situation du Panjshir est dramatique. La population a doublé mais les réserves alimentaires étant ce qu'elles sont, elles ne suffiront pas à nourrir tout le monde. La raison d'une telle carence ? Les taliban occupent la plaine de Chamali, celle qui se trouve dans le prolongement de l'entrée de la vallée. Le ravitaillement arrive au compte-gouttes, par porteur, par la montagne, comme au temps des Soviétiques. Quelques fous osent emprunter la route asphaltée. C'est très dangereux et cela provoque une augmentation des prix, car les commerçants font payer cher l'approvisionnement à risques. Combien de temps ce blocus va-t-il durer ? Personne ne sait. Tout dépend de Massoud, le chef. Et que pense Sidik de Massoud, après tant d'années de lutte et de fidélité ?

– Ahmad Shah a encore sa place dans le cœur des Panjshiris, murmure-t-il. Mais ce qui s'est passé à Kaboul a été une très grande déception pour les paysans d'ici. D'abord nous nous sommes trouvés coupés de tout. Les commandants qui étaient avec Massoud sont partis à Kaboul, certains sont devenus ministres. Pas un n'a pensé à sa vallée. Vous verrez par vous-même, ce qui a été reconstruit ce sont les habitants seuls qui s'en sont occupés. Ces gens devenus importants n'ont fait que profiter de leurs postes pour s'enrichir et ne rien faire. Ils portent eux aussi une responsabilité sur cette paix impossible à établir en Afghanistan. C'est vrai que les étrangers viennent mettre du désordre ici, mais les Afghans sont aussi responsables de leur sort.

On pourrait rester toute la journée chez Sidik, mais il faut aller trouver Massoud et les autres. Je prépare le Caméscope, confie la perche et le micro à Bertrand, deux gourdes d'eau que nous allons remplir à la source de Malaspa, petit bourg situé plus haut, dont nous avons conservé le souvenir. Puis, à pied, nous voilà partis. Les souvenirs affluent. Au bord de la route, quelques carcasses de chars rouillent. Une manière de rappeler que le temps finit toujours par faire son travail. Dans quelques siècles, ces machines de guerre seront détruites. Chaque année elles perdent un peu plus de leurs peintures. Tank russe… Cela me ramène aux instants de peur, lorsqu'on marchait dans les ruelles et que tout pouvait arriver.

– Tu te souviens, Merab, en 1984 tout avait été cassé : les maisons, les arbres, les canaux d'irrigation…

Bien sûr Bertrand s'en souvient aussi, puisqu'il était de ce voyage… Mais à voir la vallée si belle, on ne dirait pas que ce cauchemar a existé. Les arbres sont vifs, leurs feuillages s'agitent au vent avec une légèreté qu'on pourrait dire insouciante. Les mûriers, les abricotiers, les pommiers regorgent de fruits. Les canaux d'irrigation ont été  remis en état et guident l'eau vers les champs. J'aime entendre cette musique de l'eau qui coule. Si précieuse, si claire. Comme si les sons ne pouvaient être plus forts, toujours dans la douceur de l'oreille. Avec délicatesse…

Les maisons, elles, ont perdu leurs cicatrices. Elles ne portent plus de traces des fragments d'acier qui les avaient contraintes à retrouver leur état de cailloux et de poussières. Elles s'élèvent aujourd'hui, de village en village, bravant le temps et les intempéries, cubes d'ocre coiffés de toits plats souvent encombrés de bois pour l'hiver ou de bouses de vache qu'on met à sécher au soleil. La vallée ne conserve donc que les séquelles de la présence des blindés russes, des véhicules transporteurs de troupes, certains retournés, d'autres éparpillés dans le fleuve, de-ci, de-là. C'est peu. Elle garde cependant un héritage autrement plus dramatique : les mines, tapies dans sa terre, qui n'ont pas encore explosé, comme les messages d'une guerre sans fin, de saloperies de plus. De trop, affirme Merab !

Un Afghan que j'ai connu en 1990 m'a dit : « Les cicatrices les plus douloureuses se trouvent nichées dans le cœur des hommes, car celui qui a vu mourir sa femme, parfois ses enfants, ne peut plus vivre comme avant. »

Avec Bertrand, nous nous souvenons de notre arrivée dans la vallée, plus haut, du côté du village appelé Dacht Riwat. C'était le 9 septembre 1984. Je le sais, j'ai conservé de cette époque mes petits carnets noirs où je notais tout, au fur et à mesure, le soir, au bord de la route, dans les maisons de thé, sur un rocher, près d'une rivière. Des impressions, des détails glanés au fil de l'aventure, afin de ne pas tout laisser s'envoler dans le temps et l'oubli : « 9 septembre. Nous atteignons la vallée du Panjshir par le nord. En arrivant dans le premier village nous sommes saisis par le silence. C'est devenu un village fantôme, pillé, éventré, brûlé. Partout, dans les rues, des boîtes de conserve abandonnées par les commandos soviétiques, partis depuis à peine quarante-huit heures. Des douilles de cartouches et d'obus, des morceaux de caisses de munitions. L'odeur du feu. Une voiture criblée d'éclats, transformée en passoire, des traces de sang séché que la terre n'a pas encore bu. Pas de cadavres. Les Soviétiques emportent leurs morts. Le calme règne et nous inquiète. C'est le seul vainqueur du jeu funèbre qui vient de se jouer là. À la nuit tombante, le décor se fait plus impressionnant. Les bazars traversés en 1981, si vivants, si bruyants, si beaux à regarder, à sentir et à écouter, sont devenus des monticules de gravats. On dirait une gigantesque décharge. Une poubelle. Les arbres des vergers ressemblent à des squelettes figés dans une danse macabre… Tout est devenu gris, noir, sombre. Nous avons faim. Nos couteaux ouvrent quelques boîtes de conserve éparpillées sur le sol. Au menu : cornedbeef russe ! Les Afghans n'osent pas en manger par crainte d'être empoisonnés. Ils pensent que les Russes ont appelé « bœuf » du porc pour insulter l'islam ! Dans les ruines d'une mosquée, on voit des pages du Coran, froissées, déchirées, éparpillées sur les pierres. "Les soldats russes se sont torchés le cul avec le Livre", nous a dit un homme. Seuls habitants de ce théâtre désolé et désolant : les moudjahidin. Dans la journée, par crainte de nouveaux bombardements aériens, ils vivent dans des abris de fortune aménagés dans des grottes, plus haut, dans les montagnes. La nuit, ils redescendent, choisissant de camper dans les ruines de leurs maisons, comme pour montrer qu'ils n'abandonneront jamais leurs villages… »

Nous avions voyagé plusieurs semaines à travers la vallée sinistrée, tantôt passant par les ruines pour les filmer, tantôt marchant sur les crêtes pour plus de sécurité et vivre avec les combattants. En fait, les Soviétiques, rasant ainsi le Panjshir, avaient fait la preuve de leur impuissance à venir à bout de Massoud et de ses hommes. Ils avaient exécuté un plan très théorique utilisant les grands moyens : après quinze jours de « bombardement tapis » vingt mille de leurs soldats avaient été engagés dans la bataille. Le décor racontait tout. Il suffisait de venir le regarder, être témoin, ouvrir les yeux, enregistrer. Sur cent kilomètres, le spectacle n'était que désolation. Comme tous les villages, Astana, le village de Sidik et de Merab, avait été détruit, lui plus particulièrement peut-être, parce que Massoud y venait souvent. Les agents de renseignements à la solde des Russes avaient dû le signaler. Toutes les maisons, même les charpentes, éparpillées à

la surface du terrain par les bombes, avaient été passées aux lance-flammes par les commandos envoyés là pour achever le travail. À cette époque, en 1984, la volonté des généraux russes était d'en finir avec cette résistance de Massoud. S'ils avaient décidé cette destruction totale c'était bien par rage et aveu d'impuis-
sance, car Massoud était toujours insaisissable. Des espions le traquaient sans succès. Aussi allaient-ils vider l'eau du bocal. Ces fins stratèges pensaient que, sans le support de la population, la guérilla de Massoud ne survivrait pas longtemps à leur pression. C'était faire peu de cas de la ténacité des Afghans, ces nomades de l'indépendance qui n'avaient pas peur de la mort puisqu'ils allaient au paradis (au *Janiat*) ! Ils étaient ainsi les Afghans que j'avais connus, la terre collée à la semelle de celui qui la possède et finit par lui obéir. Dans cette nature de rocs, de neige, d'ombres et de lumières, les Russes se perdaient, jetés comme des milliers de dés sur l'étendue de ces contrées sublimes de magnificence et pourtant si inhospitalières.

Averti par ses agents de renseignements infiltrés dans l'état-major soviéto-afghan, Massoud avait fait évacuer les cent mille habitants de la vallée, quelques jours avant le déclenchement de la première phase de l'opération. Une décision prise en quelques heures. Et tout le monde avait obéi. Ainsi, les cent mille paysans du Panjshir avaient-ils quitté leurs maisons, abandonné leurs champs alors qu'ils étaient en train de moissonner, emportant ce qu'ils pouvaient, c'est-à-dire pas grand-chose, poussant leur bétail dans la montagne, tirant les enfants par la main, les femmes assises sur les bêtes. Une femme médecin, une Française, en filma quelques scènes. Six heures avant l'arrivée des premiers commandos soviétiques, Massoud avait ordonné à ses moudjahidin de quitter les lieux et d'aller vers le nord. Il n'avait laissé sur les hauteurs, au niveau des crêtes, qu'une poignée d'hommes de reconnaissance ayant pour seule mission d'observer les mouvements de l'ennemi et de l'en informer. Si les Russes avaient annulé au dernier moment leur opération, le crédit de Massoud aurait baissé considérablement, mais les généraux ne connaissaient que la violence. Leur bureaucratie était trop lente pour faire monter l'information au niveau de l'état-major et faire redescendre de nouveaux ordres. Le bombardement intensif dura donc quinze jours, comme prévu par le plan, sans interruption sinon la nuit. La décision d'évacuation valut à Massoud de garder la confiance des Panjshiris qui ne se réfugièrent pas au Pakistan, mais dans les vallées voisines. Ainsi restaient-ils toujours proches et disponibles pour soutenir l'effort de résistance. Massoud, celui qui savait. Massoud, celui qui irait jusqu'à la victoire, pour les sauver, croyaient-ils. Comment empêcher la légende de naître et de grandir ?

– Incroyable ! murmure Bertrand, admiratif et songeur. La vallée est quasiment reconstruite. On dirait l'Éden…

– Tu la vois comme nous l'avions découverte avec Jérôme, il y a exactement seize ans.

Et puisqu'elle ne porte plus les traces de ses blessures, j'ai du mal à revenir au présent.

Juillet 1997. Pour atteindre l'endroit où Massoud a installé son bureau, en partant du village d'Astana, il faut une cinquantaine de minutes à un bon marcheur. Ce jour-là, il faudra six heures ! Mais six heures d'un bonheur que j'ignorais pouvoir connaître, me rendant compte plus que jamais qu'il y a tout à gagner à la fidélité. On m'a tellement reproché de revenir au même endroit !

Tout en refusant d'être considéré comme un spécialiste, je pense qu'il est plus précieux de revenir là où on commence à connaître des gens que de débarquer toujours en *terra incognita* et de se tromper, souvent par ignorance. Je suis sidéré de rencontrer des journalistes qui abordent des lieux et des problèmes humains sans avoir pris le temps de consulter des spécialistes, sans avoir lu de livres approchant la réalité qu'ils vont avoir à faire comprendre ! À revenir souvent, des liens se créent, moins superficiels à chaque rencontre. Des amitiés naissent. En outre, la guerre a cela d'exceptionnel, par l'urgence qu'il y a à vivre, qu'elle contracte les instants, rapproche les victimes hypothétiques en une petite famille fraternelle réunie par le danger. C'est, je crois, ainsi que se sont passées les choses. J'avais dans le Panjshir, plus qu'ailleurs en Afghanistan, des amitiés qui m'empêchaient d'être neutre, bien évidemment.

Première rencontre : Merab nous présente Coco Shahabodine, ex-chauffeur de la jeep russe de Massoud en 1981. Il se souvient de moi. Quelle mémoire ! Personnellement, j'ai du mal à le reconnaître. Nous avons le même âge, mais avec sa barbe blanche, on dirait un vieillard.

– Vous marchiez comme de vrais commandos…, nous dit-il.

Avant, il portait le pacole, maintenant il porte le turban. C'est devenu un ancien. Un *baba*. Il a à peine cinquante ans. C'est maintenant, dans la vallée, une barbe blanche, un sage. On le respecte, mais il ne fait plus rien. Il vieillit et se souvient des médecins français, non sans émotion. Ainsi, cet homme, sans rien connaître de la géographie, porte-t-il une parcelle de territoire dans sa conscience où les hommes et les femmes sont généreux, courageux et ne les ont pas abandonnés. Ce petit endroit lointain s'appelle la France. Autant notre diplomatie, à force de calculs, reste d'une froideur et d'un traditionalisme souvent stériles, autant les élans de soutien qui ont amené quantité de Français à venir aider sur le terrain le peuple afghan ont créé un lien précieux qui ne demandait qu'à se renforcer… En France, l'opinion publique a toujours plutôt bien compris et perçu la cause afghane, alors que les politiques se sont uniquement limités à des déclarations d'intention non suivies d'effet. Trop loin l'Afghanistan ? Plusieurs centaines de médecins, infirmiers, logisticiens sont allés en Afghanistan. De nombreux journalistes, des observateurs comme Olivier Roy, Mike Barry, Jean-François Deniau, Bernard Kouchner, Claude Malhuret, Jean-Christophe Victor, Patrice Franceschi… sont allés voir, sur le terrain, la réalité de cette résistance afghane. On ne peut pas dire que le problème afghan n'a pas été expliqué. Mais jamais les autorités françaises n'ont pris le dossier afghan très au sérieux. Alors qu'il y avait ce lien si précieux ! Alors que de nombreux Afghans, qui avaient étudié notre langue au lycée français de Kaboul, ont compté sur la France, au nom de cette amitié, mieux : d'une évidente complicité, pour qu'elle leur serve d'avocat sur la scène internationale. Mais la France est restée absente, ou si peu active. Elle n'a pas eu le courage, pas eu l'audace de s'enflammer pour éviter que ce pays ne sombre dans l'enfer du terrorisme islamique… Quel gâchis ! Si, à Kaboul, Massoud avait été sérieusement aidé, on aurait bâti, sur les liens existants, une coopération utile à l'économie des deux pays. Tout était à construire. Tout était ouvert pour nous, Français… Il fallait démilitariser Kaboul.

Ici, dans cette vallée qui s'étend sur près de cent kilomètres, je connais donc des hommes et des femmes qui ont su résister. Des êtres dont le courage m'a fait du bien, à moi le Français.

La vallée du Panjshir suit les courbes du fleuve. Je retrouve ses odeurs soudain si familières, ce temps afghan comme suspendu. Les personnes que nous croisons nous saluent. J'aime plus que tout le geste qu'ils font de poser la main sur leur cœur : « *Salam alaikoum* » (que la paix soit avec toi) ; paroles précieuses dans le contexte de cette guerre qui n'en finit pas d'apporter ses morts, ses blessés, ses rêves brisés et ses mauvaises nouvelles. Seule nouveauté ici : une antenne de la Croix-Rouge internationale installée depuis peu dans une maison, au bord de la route.

– Les délégués du CICR s'occupent surtout de nos prisonniers taliban, pratiquement pas de la population, confie Merab qui a déjà recueilli une multitude d'informations dont il va nous faire profiter à la demande.

Merab est discret, pudique, souvent timide. Il faut solliciter les choses sinon il les garde en lui. Son père avait cette même discrétion. C'était le *maolawi* du village, mais aussi, secrètement, l'homme savant, intéressé par tout. Je l'ai déjà dit, mais c'est ainsi que j'aime rendre hommage, à répéter les mots d'amour et d'amitié qui ne s'usent pas. Les femmes le savent si bien.

Le père de Merab faisait de l'alchimie. Il m'avait offert des morceaux de mica, me demandant d'essayer de les réduire en liquide. Il croyait qu'en France, lointain pays moderne, une telle transformation était possible. « Tu me rapporteras ce liquide dans une fiole, et avec moi tu deviendras riche pour l'éternité », m'avait-il annoncé très cérémonieusement. Son fils n'avait rien ajouté. Je me souviens, en 1981, l'avoir interviewé.

Sur les images, on peut voir Merab jeune homme. Dans un français hésitant, il traduit les paroles de son père qui raconte les premiers bombardements soviétiques sur son village. Merab à gauche de son père, tous deux debout sur un tas de pierres, devant les restes d'une maison d'Astana. On me voit à leur droite. Jérôme filmait. Derrière, on aperçoit des femmes et des enfants qui nous regardent sans vraiment comprendre ce que nous faisons. Et pour cause ! Qui savait, alors, dans la vallée, ce qu'était une caméra ? Personne. Cette scène fait partie du film *Une vallée contre un empire*. Le cinéma ressuscite aujourd'hui le père de Merab racontant l'arrivée soudaine des avions lâchant le feu et la mort : « Deux personnes ont perdu leur vie dans cette brutale attaque. » Ce fut l'un des premiers bombardements d'une très longue série funèbre.

Le père de Merab possédait des trésors dans sa maison. On y trouvait un astrolabe vieux de plusieurs siècles et des livres, quantité de livres dont quelques traités de mathématiques arabes, et un original d'Avicenne, ce grand médecin persan qui était passé par là, ou pas loin. Il avait aussi des

alambics dans lesquels il faisait bouillir des plantes, d'étranges décoctions dont il ne livrait la composition à personne. Car, tout *maolawi* qu'il était, il faisait aussi de la médecine, à sa façon. Ainsi s'enorgueillissait-il d'avoir soigné les diarrhées des médecins français... sans doute avec quelques savants mélanges d'opium et de poudre de perlimpinpin !

Un soir, sur un ton de confidence, il nous avait même confié sa recette pour devenir invisible. Oui, invisible !

– Vous montez dans la montagne chercher un arbuste qu'on appelle ici le *baid andjir*. Au printemps, il fleurit. Dans ses fleurs se trouvent des graines. Ce sont ces graines qu'il faut aller chercher et que vous rapportez au village. Là, prenez de la terre glaise et mélangez-la au sang des règles de votre femme. Arrosez chaque jour. Soyez attentif, faites venir le soleil lorsque les nuages vous le libéreront un peu. À la saison suivante vous obtiendrez un arbuste, un jeune arbuste qui lui aussi se mettra à fleurir et à donner des graines. Ces graines-là, prenez-en soin, récoltez-les, mettez-les dans votre poche et éloignez-vous, partez loin dans la montagne. Marchez au-delà des lieux où se trouvent les hommes et les bêtes domestiques. Trouvez un endroit calme. Asseyez-vous. Lorsque vous aurez vérifié votre parfait isolement, sortez votre miroir [1]. Prenez les graines que vous avez emportées dans votre poche. L'une après l'autre, vous les poserez sous votre langue. (Là, je vois son air malicieux, ses yeux vifs me fixer.) À un moment, avec une graine, vous constaterez que vous ne vous voyez plus dans le miroir. C'est cette graine-là qu'il vous faudra conserver, car c'est elle qui vous rendra, à chaque fois, invisible des hommes. Mais, avait-il ajouté, attention : ne vous servez de ce pouvoir que pour les bonnes actions. Sinon...

Il n'avait pas confié les risques d'un abus d'invisibilité, mais une histoire de djinns devait exister, terrible et effrayante. Cet homme érudit et poète est mort à Kaboul, une semaine après être rentré d'un exil de dix années qui l'avait fait vivre loin de son village où des commandos aveugles avaient brûlé ses livres, son matériel d'alchimie... et sa maison.

---

1. À signaler que les Afghans sont très coquets, qu'il est rare d'en trouver un sans son miroir dans lequel il peaufine la coupe de sa barbe et se regarde souvent.

Retour au présent, sur cette route où nous cheminons au pas de promenade. Un groupe d'Afghans arrive à notre hauteur. Merab embrasse les uns, les autres, salue. On se serre dans les bras. On se répète les formules de politesse : longue vie, que la paix soit avec vous… Soudain un homme embrasse  Merab. Un paysan, grand, sec, fort, avec un de ces sourires lumineux à travers le visage qu'on ne peut oublier. Sourire d'autant plus magnifique que ses dents sont rares. Et son visage va comme en superposer un autre que j'ai conservé dans mes souvenirs. Coco Asghar. C'est lui ! Je l'avais filmé en 1989, quelques mois après que l'incroyable était arrivé : le retrait des troupes soviétiques d'Afghanistan. Comme tous les Afghans, il était si fier de la victoire ! Je me souviens, ce n'était pas loin de l'endroit où je le retrouve aujourd'hui. Il avait dit qu'il allait nous montrer comment il avait lutté contre les envahisseurs. J'avais juste eu le temps d'ajuster ma caméra sur mon épaule, il s'était baissé, avait ramassé une pierre et l'avait lancée sur la carcasse d'un char immobilisé comme une statue, une vingtaine de mètres plus loin. Puis, sans que j'aie eu besoin de lui demander quoi que ce soit, il s'était tourné vers moi qui le filmais et avait dit : « Tank russe ! Voilà comment je lui ai balancé une grenade. Voilà comment ils sont partis. »

Sacrés Afghans ! Quel plaisir de le retrouver vivant. Il n'a pas changé, lui. Il fait partie de cette race d'hommes durs à la tâche, que le temps n'érode qu'avec lenteur. Il exige que nous le suivions dans son petit verger. C'est tout près, dit-il. Pas question de refuser. Nous voilà partis pour une diversion qui ne sera pas désagréable. Là, je me force à filmer.

Comme il se doit, Coco Asghar nous traite avec tous les égards que son éducation d'Afghan d'une autre époque lui a enseignés. Nous sommes ses invités. Il se doit de nous offrir ce qu'il possède de meilleur. Et le meilleur, pour le paysan qu'il est, ce sont ses fruits. Des abricots qu'il va chercher dans l'arbre, qu'il me tend avec son sourire à décrocher ses dernières dents. Et l'on rigole, parce qu'il me demande où sont passés mes cadeaux et que je n'en ai pas. Honte pour moi. Il aimerait bien des chaussures, mais ce qu'il aime le plus, c'est que nous soyons là, encore là pour les soutenir, même moralement. Le moral, c'est précieux dans les coups durs… J'aime cet homme qui nous raconte maintenant que les arbres les plus beaux sont ceux qui ont été le plus touchés par les bombes des Russes. Ironie du sort ! Taillés de près, déchiquetés, la nature leur a donné une fière et belle revanche. En ce mois ensoleillé de juillet 1997, ils poussent comme jamais, donnant des fruits comme jamais pour prouver qu'ils ne seront jamais détruits !

– À cause du blocus, on ne peut compter que sur nos ressources, annonce Coco Asghar. Nous ne mendions pas : nous sommes des moudjahidin. Nous sommes armés et pouvons encore offrir des fruits à nos invités, déclare-t-il face à la caméra.

Lorsque je lui demande de me décrire ce qu'il aime dans cette vallée qui est la sienne, il ne se fait pas prier, n'a pas besoin de réfléchir. Ses paroles viennent du cœur, aussi naturellement que le fleuve coule des montagnes :

– Tu le sens toi-même, goûte cet air. Quand il envahit ta poitrine, il rafraîchit ton cœur. Sa verdure, son ombre, ses fruits délicieux… C'est le Panjshir que tu connais.

Avec son sourire édenté qui illumine son visage, Coco Asghar poursuit longtemps son poème sur cette vallée qui lui est chère. Paysan-poète.

Il faut des efforts de diplomatie pour reprendre notre marche vers le village de Massoud, car non seulement Coco Asghar possède un verger généreux, mais il entend nous faire goûter son pain, son thé et quelques surprises que le malicieux ne voulait pas dévoiler. Nous fuyons, par devoir !

– Demain, demain…

Sur la route, une nouvelle embuscade nous attend. Cette fois, ce sont des *babas,* des vieillards, qui entendent profiter de notre présence pour lâcher ce qu'ils ont sur le cœur. Je filme leur colère qui vient éclabousser mon Caméscope.

– Pour quelques poignées de dollars américains et de roupies pakistanaises, déclare l'un d'eux avec force, ceux qu'on appelle taliban sont prêts à tuer leurs frères et à vendre leur pays ! Ils divisent les Ouzbeks, les Tadjiks et les Hazaras !

Merab risque une remarque : « Tu ne crois pas que c'est aussi de la faute de nos responsables ? »

Qu'avait-il dit là !

– Pas du tout ! réplique l'homme de plus en plus en colère. Pendant des années, le Pakistan et les États-Unis se sont servis de nous comme des pions contre les Soviétiques. Aujourd'hui, alors que l'URSS a volé en éclats, ils veulent mettre la main sur l'Afghanistan. Mais tant qu'il y aura un Afghan dans un berceau, ils n'y parviendront pas. Maintenant, on a des centaines de prisonniers pakistanais. Qu'est-ce qu'ils foutent en Afghanistan ? Pourquoi ne dénoncez-vous pas cette ingérence devant l'ONU ? Au nom de quoi un Pakistanais vient-il se battre ici ? Pourquoi ne pas le crier au monde entier ? Pourquoi ? Au nom de quoi les Pakistanais viennent dans notre pays ? Ce qui se passe ici ne regarde que nous. Pourquoi se mêler de nos affaires ?

Nous lui assurons que nous irons filmer ces prisonniers pakistanais. Il s'excuse de sa rage, nous serre la main. Nous nous quittons bons amis.

– Il faudrait peut-être se presser un peu plus, fait remarquer Bertrand, sinon nous aurons du mal à retrouver Massoud.

Merab acquiesce. Il sait combien le chef est sollicité. Il sait qu'il nous a donné rendez-vous à son bureau. Mais nous rencontrons encore d'autres hommes qui se souviennent d'instants partagés, malgré les années qui les séparent. Un paysan, avec un bonnet de laine blanche, qui nous confond avec des médecins de l'AMI. Deux commandants qui me parlent de *Poussières de guerre*, le film que j'avais réalisé avec Frédéric Laffont sur les traces de cette guerre contre les Soviétiques. Deux heures, deux parties : *Le Chant des armes* et *Le Temps des larmes*. Film que Merab avait traduit en persan et dont nous avions offert une copie à Massoud. À la prise de

Kaboul, mi-avril 1992, une fois le bâtiment de la télévision passé entre les mains de ses hommes, il avait demandé que soit diffusé le film. Et c'est Jérôme Bony, mon compagnon du premier voyage, alors correspondant pour Antenne 2, qui vit nos images dans le poste de télévision du hall de l'hôtel Intercontinental occupé par une presse exceptionnellement présente... Tant que la télévision afghane exista, c'est-à-dire avant l'arrivée des taliban qui l'ont détruite, notre film *Poussières de guerre*, dans sa version persane, fut diffusé plus de dix fois. Petite fierté, grand plaisir.

On accélère le pas. Il est presque quatorze heures...

VI

Massoud, son bureau, mes souvenirs

Le bureau de Massoud est niché dans une petite vallée perpendiculaire à celle du Panjshir, la vallée de Parende. C'est un endroit devant lequel on pourrait passer sans y prêter attention tant il ne présente aucun signe particulier. Trois bâtiments traditionnels, en pisé, collés à la paroi de la montagne qui ressemble à une falaise tellement elle est abrupte. On y trouve la pièce réservée aux transmissions qui se résument à un petit poste à ondes courtes. À côté, l'indispensable mosquée, rudimentaire. Elle jouxte une pièce sombre qui abrite la rédaction du bulletin du Panjshir dirigé par Mohammed Is'Haq, « ingénieur Is'Haq », une vieille connaissance. C'est lui qui nous avait reçus, en 1981, avec Jérôme Bony, lorsque nous étions des apprentis journalistes candidats pour un voyage clandestin. Pendant des années, grâce à un matériel Macintosh fourni par des amis, il a rédigé et imprimé en anglais un petit journal, *Afghan News,* où il rassemblait toutes les informations qui lui semblaient dignes d'être transmises. Ainsi ai-je pu recevoir des nouvelles du front, de tous les fronts, pendant des années. Le journal est mort le jour même de l'abandon de Kaboul par Massoud et les Panjshiris.

– Aujourd'hui, pense Is'Haq, mon matériel a dû être détruit par les taliban qui ne portent pas la presse dans son cœur, comme vous le savez.

Mais le nouveau bulletin, qui porte le nom de *Payam Modjahed* (Le message du moudjahid) est maintenant imprimé ici même, sur une vieille ronéo qui tire à cinq cents exemplaires... lorsque le papier ne fait pas défaut !

Décalé de la paroi, un autre bâtiment comporte des fenêtres sans vitres, habillées de rideaux. C'est là que se trouve le bureau du chef et l'antichambre où s'installe le secrétariat. Elle sert aussi de salle d'attente pour les personnalités importantes. Les autres font les cent pas et bavardent dehors, autour, sur la route et dans l'espace qui existe entre les constructions. On peut savoir si Massoud est présent par un simple coup d'œil au nombre de voitures en stationnement. Ce jour-là, elles étaient nombreuses.

Ce jour-là, à cette heure avancée de l'après-midi, Massoud était là. Assis devant un bureau de bois verni installé dans le coin, près de la fenêtre d'où on voit la route et le torrent. Cette fenêtre par où passe le câble reliant son téléphone satellite à l'antenne que son radio va toujours poser sur un tabouret, comme un objet précieux. J'ignore qui paie les communications satellite, mais l'addition doit être plutôt lourde. Lorsque ce n'est pas Massoud qui débrouille un problème avec les uns et les autres dans différentes provinces d'Afghanistan, c'est le docteur Abdullah, son bras droit, qui règle les affaires courantes… et converse souvent avec le correspondant à Kaboul de l'AFP, un ami néo-zélandais, Terence White. À peine sommes-nous installés dans le bureau où nous n'avons pu échanger que quelques mots avec Massoud qu'Abdullah est justement en conversation mouvementée avec Terence à propos d'un bombardement aérien sur Kaboul survenu la nuit dernière. Abdullah s'excuse. Il affirme que les bombes ont manqué leur objectif, qu'elles n'étaient pas dirigées contre des habitations civiles. C'est animé. À la fin, il me passe le combiné pour que je puisse dire un mot à mon confrère.

J'aime ce type, un gaillard de deux mètres revu à Paris six mois plus tôt. Il avait reçu un éclat d'obus de mortier dans le ventre et avait dû la vie sauve grâce à l'habileté d'un chirurgien afghan formé aux États-Unis, venu aider ses frères le temps de ses vacances. J'avais revu Terence à Paris où il était venu se faire opérer à nouveau, pour achever le travail chirurgical fait avec les moyens du bord, à Kaboul. Je le connaissais du temps de la guérilla. Nous nous étions rencontrés une première fois en 1987, la deuxième en 1989. Il me faisait toujours rire avec ses tenues paramilitaires, ses pommades de GI's pour les pieds fragiles et contre les moustiques. On aurait dit un rescapé de la guerre du Viêt Nam. Sa manière de parler le persan provoquait des fous rires chez ses interlocuteurs. Célibataire endurci, il avait ses manies et une totale autonomie. Je lui avais rendu visite lors de mon dernier reportage à Kaboul, en 1993. Il travaillait pour l'AFP, mais ne parlait toujours pas le français. Il fallait être fou pour vivre à Kaboul pendant cette période. Et fou, il l'était. Dans sa villa, on aurait dit la caverne de Marlon Brando d'*Apocalypse Now*. Ne manquaient que les têtes coupées et un génial Coppola pour sortir de l'ombre et crier « moteur ! ». Sur la cheminée, entre deux bougies, se trouvait une tête de mort, sans doute une vraie trouvée sur un champ de bataille. Au pied des murs, ali-

gnés comme des objets de collection, tout ce qui pouvait exister comme obus, éclats, grenades, mines… et un masque à gaz russe. Le plus délicieux, chez cet homme, qui en devenait un personnage, c'était son indestructible sens de l'humour. C'est sans doute à cette qualité qu'il doit d'être encore en état de marche. Et professionnel par-dessus le marché !

Grâce au téléphone-satellite, temps moderne oblige – mais je ne m'attendais pas à en trouver un ici, dans la vallée –, on peut se parler comme si on habitait la même ville. Il sent qu'il se prépare quelque chose d'importance du côté de Massoud. Après s'être dit qu'on s'aimait bien, il me souhaite bon travail et me lance un « Alors à bientôt ! », qu'il répéte pour que le message paraisse bien clair.

Le plus impressionnant, dans ce petit bureau, c'est de voir Massoud toujours occupé par mille tâches, comme autrefois, en 1981. Une fois encore, l'impression que j'ai ressentie en découvrant la vallée ressuscitée de ses ruines me faisait soudain croire à une anormale contraction de l'espace-temps. S'il n'avait pas des traits creusés et des cheveux blancs, je pourrais croire être revenu en 1981…

Comme au théâtre, l'acteur principal reçoit les seconds rôles : des visiteurs les plus divers se pressent dans sa salle d'attente pour un oui, pour un rien. On le voit signer quantité de papiers, d'autorisations de prise de munitions, de carburant, de nominations. Des actes qu'il aurait dû pouvoir déléguer depuis longtemps. Mais non. C'est là sa plus grande faiblesse. Massoud fait tout, comme avant. Mais avant, il y avait tout à découvrir. Et avant, il n'y avait pas eu le drame et l'échec de Kaboul.

À le voir travailler ainsi, je ne peux m'empêcher de penser à son destin. Nous avons à peu près le même âge. Il est né au début des années cinquante [1]. C'est au lycée français de Kaboul, le lycée Esteqlal, qu'il a fait ses études secondaires jusqu'à son entrée à Polytechnique où il a passé deux années avec le rêve de devenir architecte ingénieur. À l'âge de dix-sept ans, il est recruté par le mouvement de la Jeunesse musulmane [2]. Très tôt, au sein du mouvement, et parce que son père est militaire, Massoud se voit confier la tâche clandestine de recruter des officiers de l'armée afghane. Sa maison est surveillée par des agents de la police secrète de Daoud. Massoud, dès lors, vit en clandestin. Il se cache, ne rentre chez lui qu'à la nuit, en escaladant les murs. Seul son frère Ahmad Zia est au courant. Il l'aide. Son concurrent, c'est déjà Hekmatyar. Ils ne s'entendent pas. En 1975, Massoud prend part au soulèvement du Panjshir. Le mouvement décide de lancer des opérations dans la vallée, dans le Badakhshan, dans le Paktia et dans le Laghman. Ils sont quarante avec Massoud. Cette action a pour but de déclencher un coup d'État à Kaboul afin d'éliminer Daoud, le premier président de la République. Le plan a été préparé par Hekmatyar. Le *Jamiat* n'est pas d'accord, il préférerait faire une campagne d'information auprès du peuple afghan pour expliquer l'importance prise par le parti communiste et ses dangers. Le *Hezb* prend les choses en main garantissant le soutien rapide de l'armée. Hekmatyar en personne insiste sur le fait qu'il faut une bonne coordination. Tel jour, telle position. Il donne pour consignes aux hommes de Massoud d'écouter la radio et d'attendre les ordres pour la suite. D'après les amis de Merab, Hekmatyar a envoyé ceux qu'il n'aimait pas en dehors de Kaboul

---

1. Calendrier lunaire : 1328.
2. Qui se scindra en deux partis politiques : le *Jamiat-é-islami* et le *Hezb-é-islami*, respectivement dirigés par Rabbani et Hekmatyar.

pour les piéger. Il n'a rien fait pour déclencher le coup d'État et s'est entendu avec des gens du parti.

Ignorant les traîtrises, Massoud et ses quarante compagnons s'emparent du district de Rokha dans le Panjshir. Leur action est très mal perçue par la population. Quelques-uns de ses compagnons sont tués. Les autres attendent avec impatience le fameux message que doit diffuser la radio de Kaboul. Rien ne vient ! Ils doivent alors fuir vers le fond de la vallée où ils se font même agresser par des villageois. Quelques-uns parmi eux sont blessés, quelques autres faits prisonniers par les villageois qui les livrent à l'armée. Massoud et un petit groupe parviennent néanmoins à s'échapper en marchant à travers la montagne. Ils atteignent la vallée parallèle à celle du Panjshir : la vallée d'Andarab. De là, Massoud revient à Kaboul, en

clandestin. Le coup d'État des islamistes aura été un échec, mais Massoud est entré en politique… et en guerre. Hekmatyar aussi, et c'est déjà un adversaire. Son ennemi le plus dangereux. Cette période de militant, je ne l'ai pas connue. C'est Merab qui m'en a livré les données. Puisqu'elles restent invérifiables, autant être succinct.

De 1981 à aujourd'hui, seize années de guerre, d'efforts, de batailles, de défaites, de victoires, de compagnons morts, mutilés, emprisonnés, torturés, sans oublier ceux qui ont trahi, par faiblesse ou par intérêt. Comment un homme résiste-t-il à un tel destin ? C'est ce que j'aimerais savoir aujourd'hui, dans ce bureau surchauffé, mais ce n'est pas encore le moment de le lui demander. Avant-hier, je lui ai précisé que je ne ferai pas d'interview statique. J'ai juste demandé à être là, c'est tout, à filmer, comme avant avec ma petite caméra Super 8. Il a accepté avec son sourire habituel, chaleureux, en toute simplicité. J'ignore ce qu'il attend de ce genre d'activité. L'Occident ne l'aide pas. La presse ne lui a en rien été utile. Disons qu'elle lui a surtout valu des ennuis… secondaires.

Ma montre s'est arrêtée, je ne sais pas l'heure qu'il est. Je filme Massoud qui reçoit maintenant deux hommes venus de la plaine de Chamali occupée par les taliban. Deux barbes grises envoyées par les habitants de trois villages, en émissaires secrets, à la barbe des taliban, pour ainsi dire ! Ils n'ont pas de temps à perdre. Ils prennent là bien des risques. Je filme.

– Nous sommes tous prêts à nous battre contre les taliban, dit le meilleur orateur des deux, debout, face à Massoud assis à son bureau. S'il le faut, nous combattrons avec nos fusils de chasse ou des cailloux.

– Combien d'armes voulez-vous ?

– À vous de voir. Nous sommes entre 1 500 et 2 000 personnes.

– Tous veulent prendre les armes ?

– Oui, les hommes comme les femmes. Tous veulent se battre. Notre patience est à bout.

Massoud griffonne un chiffre et sa signature sur un carré de papier. Il a inscrit le nombre d'armes qui leur seront distribuées. Les hommes remercient et s'en vont aussi vite qu'ils sont entrés.

Au suivant...

En 1984, avec Bertrand et Merab, nous avions mis trois semaines avant de trouver Massoud dans les montagnes qui surplombent la vallée martyre. J'avais déjà écrit dans mon carnet : « Une fin d'après-midi glaciale. Une vallée encaissée. Nous ne filmons pas, nous marchons. Ou plutôt nous errons sur le haut des montagnes, de grottes en ligne de crêtes, questionnant chacun sur la présence du grand chef. On nous dit toujours qu'il est plus loin, qu'il a été vu, qu'il sera bientôt là, qu'il sait que nous le cherchons. Et puis, aujourd'hui, nous apercevons un groupe de moudjahidin bien équipés, vêtus d'un même uniforme de couleur vert pâle, le ceinturon bardé de chargeurs bananes. Quelques visages me sont familiers. Il y a Tadjuddin, un fidèle de Massoud, qui deviendra son beau-père, et d'autres dont j'ai oublié le nom. Ils nous font signe d'entrer dans une petite grotte. Il y a du monde. Nous sommes excités car nous sentons enfin le but. Le rideau qui fait office de porte s'écarte. Massoud est là. Fatigué, amaigri. Depuis l'attaque des Soviétiques, il ne cesse de marcher, parcourant des distances folles pour stimuler, organiser, réorganiser, monter des attaques, adapter ses actions aux situations. Massoud, toujours. Massoud encore en action. Massoud le résistant. Quelle fabuleuse histoire !

– Avez-vous un secret pour tenir tête à l'armée soviétique ?

– Ce secret s'appelle justice. Les Russes sont des agresseurs, notre cause est juste. L'aide et le secours de Dieu ont sans cesse été avec nous. Dieu est l'auteur des nombreuses victoires que nous avons remportées. N'oubliez jamais que le mouvement de la résistance afghane émane de notre peuple tout entier. C'est un élan populaire spontané, sans lequel nous ne pourrions tenir. En cinq ans, nous avons appris à lutter contre ces agresseurs. Nous connaissons maintenant leurs points faibles, nous savons nous adapter pour les frapper fort, au bon moment. Notre organisation est solide, voilà ce qui nous permet de tenir tête à l'URSS.

Il parle pendant que son aide de camp-secrétaire nous sert du thé et du lait chaud (en poudre) dans des verres Duralex *made in France*. À la place des chargeurs de Kalachnikov, dans son ceinturon, ce moudjahid, qui partage l'intimité de Massoud, a toute une batterie d'accessoires qui vont du carnet pour les messages à prendre sans cesse sous la dictée du chef, aux stylos Bic de réserve, aux boîtes de lait en poudre Klim. Un secrétariat portatif.

– En janvier 1983, les Soviétiques m'ont contacté par écrit pour me proposer une négociation. J'ai accepté de les rencontrer et nous avons convenu d'une trêve. N'étant plus soumis à la pression des Russes, j'ai pu travailler à entrer en contact avec d'autres commandants et mettre sur pied un système d'alliances avec d'autres régions. Lorsque le KGB et son homologue afghan, le Khad, se sont rendu compte que j'étendais ma zone, ils ont décidé de mettre un point final à la résistance du Panjshir. Vous avez vu ce qu'ils ont fait. Vous comprenez ce dont ils sont capables ! Cette année ils ont considérablement augmenté leurs effectifs et leur armement. L'accroissement de la pression est très net. De notre côté, les forces dont nous disposons et l'aide qui nous parvient restent au même niveau, c'est-à-dire très bas. Et si, n'en déplaise à Dieu, si les moudjahidin n'arrivent pas à renforcer leurs effectifs et leur armement, nous allons vers de très graves problèmes. Par contre, si nous sommes soutenus par le monde extérieur, notre résistance remportera de nouvelles victoires.

C'est alors qu'il aborde la crainte qu'il avait des commandos soviétiques. Il dénoue le foulard qu'il porte autour du cou, le laisse choir par terre, sur le sol glacé.

– Voilà la montagne. Les Soviétiques sont étranges, ils ne déposent pas leurs commandos tout en haut. Lorsque j'ai vu leur tactique, j'ai compris qu'il ne fallait pas avoir peur de risquer de cacher mes hommes en plein centre de leur dispositif. La nuit, nous frappons. Je vous le dis, à présent, pour nous, les commandos russes sont comme des bébés.

Comme chaque fois lorsqu'il aborde un point militaire, il est ravi, passionné… » Fin du souvenir.

Le cerveau est une merveille. Mon esprit joue avec les temps. Nous sommes assis dans les fauteuils du bureau où se succèdent les scènes. Trois Pachtous viennent d'entrer. Merab comprend qu'ils arrivent d'une province du Sud, elle aussi sous contrôle des taliban. Massoud est incroyable, il ne nous demande pas de sortir. Ces trois hommes sont pourtant venus les visages cachés sous des foulards pour ne pas être reconnus par d'éventuels espions. Je les filme. Massoud laisse faire. Ils ne parlent pas persan, mais pachtou. Merab, qui connaît aussi le pachtou, me chuchote à l'oreille une traduction simultanée. Ils sont venus proposer une alliance avec Massoud. À son signal, ils passeront à l'attaque. La discussion se poursuit, parfois animée, surtout lorsque Massoud leur demande de révéler leurs effectifs et leur armement. Il n'obtient que des réponses évasives et s'en amuse. Leur intention de combattre les taliban semble solide : un parent de leur chef a été roué de coups à la sortie de la mosquée. « Ce n'est pas ça, l'islam ! » a conclu un des messagers.

Massoud demande si quelqu'un a un billet de banque. Le docteur Abdullah en sort un de sa poche. Massoud le déchire en deux morceaux, en tend un bout à son interlocuteur qui le regarde avec attention et un brin de surprise.

– Lorsque quelqu'un de chez nous viendra te donner l'ordre d'attaquer, il sera porteur de l'autre moitié de ce billet. Maintenant j'espère pouvoir te faire confiance. Va chercher les armes dont nous avons parlé…

Dans l'antichambre, ça ne désemplit pas. Une foule d'hommes se presse autour de deux secrétaires qui restent calmes malgré le débordement évident. Je filme un vieil homme venu réclamer une pension.

– J'ai perdu mes trois fils, tous martyrs. Depuis ce matin, je suis là, mais personne ne s'occupe de nous. On me dit qu'il est impossible de m'aider aujourd'hui. Je ne sais pas où aller sous le ciel de Dieu !

Un jeune est venu demander une nouvelle paire de chaussures.

– C'est le fils du commandant Abdul Wahed, me dit Merab. Tu sais, ce commandant que tu avais filmé en 1981 avec Jérôme, celui qui réparait des armes soviétiques.

En effet, je me souviens de lui. Il avait été arrêté l'année

suivante, torturé puis exécuté [3]. Ce commandant, qui s'appelait Abdul Wahed, était passé maître dans l'art du bricolage. Il nous avait montré un canon lance-grenades. Une de ses réparations très personnelles. Puisque le percuteur manquait, il se servait d'un marteau pour tirer. Quant aux roquettes à fragmentation, qu'il avait d'abord démontées pour en comprendre le mécanisme, il raccordait les détonateurs avec deux fils électriques reliés à une pile de lampe de poche. Pour les mines, il fabriquait de belles saloperies, des pièges pour démineurs dont le principe était d'une simplicité efficace. Autour de la mine antichar, il faisait partir un réseau de fils

---

3. Dans le montage final de mon film, j'allais reprendre la séquence filmée en 1981 et commenter ainsi : « À l'époque de la guérilla, son père, bricoleur audacieux, recomposait à la main des roquettes à fragmentation, roquettes récupérées sur les très rares hélicoptères abattus. Voilà comment le sens du bricolage afghan tenait tête à l'armée soviétique ! Le courage faisait le reste. Quand il le fallait, des marteaux remplaçaient les percuteurs… »

électriques reliés à un système de morceaux de bois écartés par des ressorts, sous lesquels il avait placé des contacteurs, minuscules pièces d'un métal récupéré sur des théières. Placées à deux mètres de la mine et soigneusement camouflées par de la terre, ces planches, si quelqu'un marchait dessus, un démineur par exemple, rapprochaient les contacts et la mine explosait ! Fin des souvenirs.

Nous retournons dans le bureau où Massoud achève d'expédier les affaires urgentes. Je le filme une dizaine de minutes, recevant quatre personnes : chacune a un problème différent à lui soumettre.

Il est tard lorsqu'il se lève. Il s'excuse de ne pouvoir nous accorder du temps en privé, quelque chose d'urgent l'attend plus bas dans la vallée. Son adjoint confirme qu'il doit se rendre à une réunion qui va le retenir au moins un jour… sans doute deux… peut-être trois !

Lorsqu'il est parti, le bureau se vide complètement. Ne reste que le vent qui entre par la fenêtre grillagée. Ce vent qui agite le rideau et fait claquer la porte de l'antichambre.

En s'en allant à son tour, le docteur Abdullah, son bras droit, nous a confié l'essentiel : quelque chose d'imminent se prépare. Terence White avait du nez. On parle maintenant d'une offensive qui n'est plus un rêve.

VII

L'étoile du résistant

Comme il nous l'a si bien révélé, Massoud est de plus en plus en désaccord avec le président Rabbani accroché à son fauteuil au détriment de l'État afghan qu'il n'arrivera jamais à faire exister. Massoud n'avait donc pas voulu poursuivre la guerre dans la capitale, déjà à soixante-dix pour cent détruite par quatre années de combats. En septembre 1996, l'abandon de Kaboul aux taliban fut improvisé : en quelques heures, les hommes de Massoud et leurs familles s'étaient précipités sur la seule route qui mène au Panjshir.

– Lors du repli, raconte Merab, Massoud avait confié à un de ses proches que s'il avait su où tout cela allait mener, il ne se serait jamais engagé dans la lutte politique.

Depuis dix-neuf ans, Massoud fait la guerre. Nous nous disons souvent avec Bertrand qu'il doit exister une bonne étoile pour des hommes de sa trempe. Comme Arafat, que tant d'hommes haïssent, Massoud survit. De grandes différences existent pourtant entre ces deux personnages aux destins hors du commun. Massoud a toujours répugné au terrorisme et n'a jamais su se faire correctement représenter à l'étranger. De fait, il n'est pas suffisamment connu sur la scène internationale. Mais la chance est avec lui. Plusieurs fois, des tueurs ont été engagés pour l'assassiner. Jamais ils n'y sont parvenus. Pourtant il est peu et même rarement gardé. Dans la vallée du Panjshir, il lui arrive parfois de circuler seul. Sa maison ne bénéficie d'aucune protection particulière, sinon la présence de quelques compagnons armés plus enclins à boire du thé qu'à scruter l'horizon et ses parages. En fait, la maison de Massoud est ouverte à tous les visiteurs. On y entre aisément. Il suffit de s'adresser aux deux jeunes qui gardent au bas du chemin une longue ficelle, barrage plutôt symbolique. Mais chacun, ici, respecte le lieu. C'est ainsi, une éducation apprise avec le temps. On ne dérange le chef que pour une raison précise. Ici, on le respecte et on l'aime.

Située à Jengalek, cette maison appartenait à son père, ex-officier de l'armée afghane, tué par une voiture au Pakistan où il s'était réfugié. Ce devait être une belle et grande maison avant que les Soviétiques ne la bombardent, comme toutes les maisons de tous les villages du Panjshir. Elle en conserve les traces au point que, de loin, on la croirait inhabitée. Pour recevoir ses visiteurs, Massoud a fait construire un petit bâtiment adossé à la partie qu'il occupe avec sa famille. Personne n'entre dans l'aire privée de sa maison. C'est une règle que même son secrétaire n'enfreint pas. C'est là que Massoud habite avec sa femme, ses trois filles et son fils. Ses filles, je ne les ai jamais rencontrées, mais son fils, lui, vient souvent jouer avec les invités qui attendent parfois des heures sur les terrasses couvertes d'herbe qui se superposent en paliers à l'arrière de la bâtisse. Les invités ne logent pas chez lui. Plusieurs maisons de la vallée servent de maisons d'accueil. Celle de Sidik remplit cette fonction, comme celle de Moalem Naïm, un homme doux à la carrure impressionnante, qui met à disposition une aile de sa demeure pour recevoir les invités « de marque ». Nous y avons transporté nos bagages pour plus de commodité, car la maison de Sidik est située trop haut dans la vallée. C'est la plupart du temps chez Naïm que sont logés les rares journalistes qui parviennent jusqu'ici. Parmi eux, certains couvrent les événements d'Afghanistan depuis longtemps : l'Anglais Peter Jouvenal doit détenir le record des voyages en Afghanistan, à moins que ce ne soit Tomy Davis. Patrick de Saint-Exupéry, du *Figaro*, et son confrère Renaud Girard sont des habitués ainsi que quelques autres, attachés, comme nous, à ce pays, à cette histoire, à ces Afghans aussi fous que nous. Mais en ce mois de juillet 1997, il n'y a personne puisque seuls les taliban et leur folie intéressent alors les journaux. CNN n'est pas venu dans le Panjshir, Jane Fonda n'ayant sensibilisé son mari, Ted Turner, que sur les burkas des femmes de Kaboul qui les font ressembler à des fantômes.

Tout le monde ici ne parle que d'une chose : du mois de mai 1997, lorsque les taliban sont passés maîtres de Mazar, lorsqu'un vent de panique a soufflé dans le Panjshir. Profitant de la soirée et du calme qui l'entoure, Moalem Naïm nous raconte cette journée du 27 mai où Massoud recevait une succession de mauvaises nouvelles.

– J'étais avec le chef dix-huit heures sur vingt-quatre. Ce que je n'oublierai jamais de ma vie, c'est qu'en l'espace de six heures, seize événements graves, certains dramatiques, nous sont parvenus. Certains par téléphone-satellite, d'autres par radio, plusieurs par messages écrits. J'avais le visage du chef sous les yeux. C'était une situation terrible, presque désespérée, comme nous n'en avions pas connu depuis des années. Et là, j'ai constaté à quel point le chef était fort. Il gardait son sang-froid, restait patient et calme… alors que tout semblait s'écrouler autour de nous !

Moalem se sert du thé qu'un de ses cousins a posé sur le tapis. Il nous propose des bonbons faits de sucre enveloppant des amandes (ou des noyaux d'abricot).

– Le chef, reprend-il de sa voix douce et posée, paraissait solide comme une montagne devant ces événements. Je me suis alors dit, une fois de plus, que c'était un véritable héros.

Naïm soupire, ferme un instant les yeux, se souvient comme avec lassitude, comme si ce souvenir pesait lourd.

– La première nouvelle arrivée fut la chute de Mazar, de la manière la plus tragique puisque des milliers de combattants taliban étaient entrés dans la ville, que les Pakistanais les ravitaillaient en matériel lourd avec leurs porteurs aériens qui se posaient directement sur la piste de l'aérodrome de la ville, que nous avions perdu des alliés ouzbeks. La deuxième mauvaise nouvelle, ce fut la fuite du général Dostom et l'arrestation d'un certain nombre de gens à Hairatan. Des alliés ! Puis ce fut la chute de la ville de Kunduz et Takhar, la fuite du professeur Rabbani et celle du professeur Sayyaf partis se réfugier au Tadjikistan. Massoud écoutait, analysait, restait tranquille. Jamais un mot plus haut que l'autre. Ensuite on nous annonça l'arrestation d'un certain nombre de moudjahidin et la mort de Formoul, un commandant célèbre de la vallée d'Andarab [1]. On a alors appris que les gens du Badharsha [2] étaient perdus, qu'ils ne savaient quoi faire, que toute l'organisation qu'on avait mise sur pied s'était brutalement effondrée. Un désordre total ! Les gens de Kohband et Laghman interrogeaient le chef sur la conduite qu'ils devaient tenir, complètement désappointés, paniqués par ce qui était en train de se passer, allant jusqu'à demander l'autorisation de se rendre. Je me souviens alors de la sonnerie du téléphone-satellite. C'était le professeur Rabbani informant que l'attitude des autorités du Tadjikistan avait changé ainsi que celle des autres pays voisins. Ils nous soutenaient, inquiets de cette soudaine avancée des taliban. Et pour conclure, le professeur Rabbani exhorta le chef à venir le rejoindre sans tarder. Il disait que sa vie était en réel danger, qu'il devait fuir, qu'il n'y avait plus rien à défendre, que les jeux étaient faits ! Ensuite il y eut un appel pour nous dire qu'on manquait de roquettes sur la première ligne. On nous informa aussi de la mort d'un jeune homme dans la vallée, suite à une occlusion intestinale, et ainsi de suite, quelques autres nouvelles que j'ai notées dans mon cahier de souvenirs. Je pourrai vous le montrer si vous le voulez.

Naïm reste songeur un instant, puis sourit comme pour chasser ce très mauvais cauchemar. L'idée me vient de filmer tous ceux que je vais rencontrer, s'ils y ont participé, qu'ils me racontent la réunion qui a suivi l'annonce de ces catastrophes en série lorsque les taliban menaçaient comme jamais la vallée.

– La réunion fut organisée à la demande de Massoud, explique Naïm. Il a fait rassembler les responsables de tous les villages venus aux nouvelles : commandants, ulémas, maolawi, barbes blanches...

Naïm soupire. De tous ses souvenirs il affirme que c'est pour lui le plus douloureux. Il lui en coûte d'y revenir devant témoins... Mais nous sommes des amis...

– Un certain nombre avait le moral au plus bas, dit Naïm en regardant ma caméra que je viens d'allumer.

Hélas, le ton de sa voix a changé. Elle n'a plus cette profondeur tranquille et grave de la confidence. Il choisit ses mots, retient,

---

1. Vallée voisine, au nord du Panjshir.
2. Région du nord de l'Afghanistan.

contient son émotion. Je m'en veux de ne pas l'avoir filmé dès le commencement de son récit. C'est souvent ainsi…

On ne peut pas laisser tourner la caméra vingt-quatre heures sur vingt-quatre. Le regard capte quantité de scènes que la caméra déforme souvent, réduisant parfois la réalité à son expression la plus plate. C'est pourquoi cette petite surface de « réel » captée dans le rectangle du viseur est souvent en décalage avec le déroulement des faits. Pour restituer ce qui a été vécu et ressenti, il faut monter les images, retrouver au montage l'ensemble des scènes, restituer le décor, le détail, ce qui a été intuitivement perçu. Ensuite, pour les monter avec justesse, en faire un « sujet », un film, une histoire à transmettre, mieux vaut être celui qui les a vécu ces scènes, ce qui n'est pas toujours le cas dans le métier de journaliste audiovisuel d'au-jourd'hui. Aussi je n'arrive plus à croire à la crédibilité, voire à l'utilité de cette forme de journalisme. Pis, je la trouve dangereuse, pernicieuse, propre à nous plonger dans un monde virtuel, en décalage avec la réa-lité. Pour moi, il devrait y avoir obligation pour celui qui filme d'être présent au montage de  ses images. L'idéal enfin serait qu'il soit rigoureux et honnête. Et si, avec un peu de chance, il a du talent et du cœur, le résultat peut valoir la peine d'être savouré. Paradoxalement, Jean-Luc Godard l'a très justement exprimé : « Le cinéma, c'est vingt-quatre men-songes par seconde. » Avec la vidéo on a même l'équivalent de vingt-cinq images par seconde… Pour retrouver la vérité d'une scène, il n'est pas rare de rassembler des images qui n'ont pas for-cément de lien direct. Prendre le temps, voilà la recette de base pour avoir une chance de capter quelques moments précieux où tout sonne juste, vrai, où la caméra ne perturbe pas. Question de hasard et d'intuition. Les scènes les plus authentiques sont souvent enregistrées lorsque les hommes sont occupés à faire autre chose qu'à s'adresser directement à un objectif de verre et à une machine électronique…

Naïm, donc, était perturbé par ma petite machine pourtant bien silencieuse mais que je suis obligé de pointer dans sa direction. Il se contrôle. Tant pis, je le laisse me parler du mauvais moral des Panjshiris à l'annonce de la chute de Mazar, avec un ton qui donne peu d'espoir de conserver sa déclaration au montage.

– Ce moral si bas risquait d'influencer le chef. C'est du moins ce que je pensais.

Naïm sourit, passe une main sur sa barbe, lève les yeux au plafond (vers Dieu ?), nous regarde.

– Au contraire, j'ai vu le chef les rassurer par son calme et son sourire, même lorsque la nouvelle la plus grave nous est parvenue : le ralliement aux taliban du général Bassir Salanqui avec vingt-cinq autres commandants. Toutes ces nouvelles nous sont parvenues en six heures ! J'avais le chef sous les yeux, je me disais qu'il allait finir par être très affecté, mais non, il disait aux autres : « Nous sommes des moudjahidin, ce n'est pas grave, tout rentrera dans l'ordre, conservez votre sang-froid et votre foi. » Parmi la plupart de ses collaborateurs, on ne voyait que des visages anxieux. On n'entendait que leurs voix cassées. Quand je me suis adressé à quelques-uns, ils m'ont répondu qu'il n'y avait plus rien à faire, que ça ne servirait à rien de résister à une aussi évidente catastrophe, que la mort était partie pour venir les chercher. À part la mort, rien d'autre ne pourrait nous arriver dans cette vallée. Ils avaient totalement perdu leur moral. J'avoue que je faisais partie de ceux qui avaient peur mais j'avais tout le monde à l'œil. La situation continua à se dégrader au fur et à mesure…

La réunion, ce fut aussi Odji, le géant du village de Bozorak, père d'Asham qui nous avait accueillis à Mazar, qui nous la raconta, le lendemain. Le « chef » d'après Merab, n'était toujours pas revenu.

– Massoud, fit Odji de sa voix de ténor qui nous brodait déjà la légende, Massoud expliqua à tous la situation. Il n'épargna aucun détail : les histoires avec Malek, la fuite de Dostom, celle de Rabbani et des autres. Ensuite, il demanda aux gens présents des conseils, ce qu'il convenait de faire. Leur priorité était de placer leurs familles à l'abri, mais, pour le reste, tous se sentaient prêts à se défendre contre tout ennemi qui se présenterait. La chute de Mazar, ce n'était pas leur problème. Dans le passé, il nous est arrivé de nous battre contre les troupes de Dostom, donc ça ne changeait pas grand-chose. Ainsi, peu à peu, les gens se sont apaisés en rassurant Massoud. En fait chacun se soutenait. Le chef déclara alors que ceux qui avaient des difficultés, ceux qui venaient de Kaboul et qui ne voulaient pas se battre pouvaient partir où ils voulaient. « Moi, je reste. Je me bats jusqu'au bout avec les moudjahidin. Nous avons ce qu'il faut en munitions, en armes, en argent. Il n'y a pas d'inquiétude à se faire de ce point de vue. » La réunion s'est achevée sur cette décision. Certains pleuraient. Tout le monde était très ému. On ne savait rien de ce qui allait advenir. Et l'espoir ne valait pas un afghani[3]… Le lendemain, Mazar est tombée à nouveau, mais entre les mains des Hazarasa ! Les taliban venaient de perdre le combat comme si Dieu avait décidé de contrecarrer leurs plans. Ce fut la joie dans la vallée… sauf que les forces taliban étaient à Gulbahar, devant notre vallée et que nous n'arrivions pas à les en déloger. Fin de la fable.

Odji, ex-champion de Bozkachi, ex-conducteur de camion, est un fidèle de Massoud. Aujourd'hui c'est un homme riche. Comment l'est-il devenu ? Merab reste gêné et se tait. Plus tard, quelqu'un nous donnera une explication, mais est-elle juste ? « Odji a été nommé responsable d'une organisation anglaise spécialisée dans le déminage. Son travail consistait à sélectionner le personnel destiné à recevoir une formation de démineur. C'est lui qui gérait l'argent pour ce foutu boulot ! » Un travail dangereux, de longue haleine, essentiel à accomplir si l'on veut qu'un jour ce pays puisse être à nouveau visité. En Afghanistan, chaque jour, deux personnes sautent sur des mines ! Odji aurait détourné de l'argent à son profit… Si c'est

exact, c'est regrettable, comme ce fut, hélas, une pratique très répandue chez les moudjahidin qui s'étaient retrouvés dans Kaboul conquise !

---

3. Monnaie afghane.

Je regarde Odji et sa belle maison. Et ses belles et grosses voitures parquées dans la cour, qu'on aperçoit par la baie vitrée qui doit bien faire huit mètres de base. Je regarde ce colosse, et ne peut lui en vouloir. Les Afghans qui se sont battus contre les Soviétiques ont brûlé dix années de leur existence, leur jeunesse pour la plupart. Ils n'avaient rien demandé... Odji est riche, en a profité, mais il est là, sur le terrain, pas planqué à l'étranger à donner des leçons... Et le voilà qui nous offre à déjeuner dans cette grande pièce baignée de lumière, nous interroge sur ce que nous faisons, se souvient de bons moments lorsque nous nous sommes croisés dans la montagne, en 1984 [4]. Il est goguenard et ne manque pas de faire un discours très cérémonieux sur le respect qu'il éprouve pour ce que nous faisons là. Il sait que les Occidentaux qui sont venus ici n'étaient mandatés par personne, juste par leur solidarité complice. Les États, eux, sont restés en marge, à la lisière des actions de soutien : juste dans la lagune des discours. Au dessert, un melon blanc, il se met à nous parler de sa dernière bonne action : une école qu'il a fait construire. Le salaire mensuel d'un instituteur correspondant à 200 de nos francs...

— L'école, c'est le contraire de la guerre, clame-t-il en levant son impressionnante carcasse, se rachetant de ses rackets.

Après le déjeuner, nous allons visiter sa bonne conscience où de jeunes Afghans, garçons et filles, apprennent que la guerre n'est pas la finalité de l'existence. Cette entreprise efface les travers de ce vieil Odji qui se garde bien, lui, de nous faire des remarques quant à l'abandon de Massoud par les Occidentaux. Il se contente de regretter le soutien américain à ces obscurantistes taliban qui interdisent l'accès de l'école aux femmes.

— Vous savez, finalement, explique-t-il, la force des taliban est le résultat de nos faiblesses. Dans notre camp, il y avait trop de tiraillements, trop de personnalités différentes qui ne pensaient qu'à elles. Et puis les gens ne connaissaient pas tellement les taliban. Au début ils apparaissaient comme une sorte de mythe. En revanche, aujourd'hui, vous le verrez vous-même, les habitants des villages sous leur occupation n'en peuvent plus. Ils seront de

---

4. Il effectuait à cette époque des missions de confiance pour Massoud.

notre côté. Tout doucement, lentement, nous sommes en train d'avancer, la population nous soutient. Nous savons maintenant que Massoud prépare une contre-offensive. Ce mythe des taliban va exploser. Malgré leurs défauts et le désordre qu'ils ont fait régner à Kaboul, je crois que les moudjahidin finiront par être préférés aux taliban.

Sacré Odji ! Personnellement, je ne suis pas certain que les moudjahidin soient encore les bienvenus à Kaboul. En juillet 1997, beaucoup de responsables occidentaux d'ONG humanitaires leur préféraient les taliban. Ils les disent plus honnêtes. Du temps des moudjahidin, les vols, les braquages étaient monnaie courante. Beaucoup de moudjahidin considéraient que tout ce qui était à Kaboul leur appartenait, je l'ai déjà écrit… Les Soviétiques avaient installé leur état-major dans la capitale. Elle avait été épargnée par la guerre alors que les campagnes avaient été meurtries. Eux, les moudjahidin, venaient de la campagne et quiconque possédait une Kalachnikov pouvait faire régner son ordre personnel. En 1993, venu filmer la situation, je m'étais demandé où étaient passés les véritables moudjahidin. À Kaboul, on ne savait pas qui était qui. Bon nombre d'ex-communistes avaient pris le costume, le « look » moudjahid. Il suffisait de se laisser pousser la barbe, de s'habiller avec des vêtements traditionnels, la chemise et le pantalon ample en coton léger, de porter une Kalachnikov, de se coiffer d'un pacole. Certains anciens serviteurs du régime communiste se réjouissaient ainsi de les discréditer à outrance. Dieu, ou Allah, reconnaîtra les siens ! L'après-midi s'achève chez Naïm.

Cette nuit-là, les mitrailleuses antiaériennes placées sur les crêtes ont tiré. Un avion est passé. De la terrasse où nous dormons, les balles traçantes ont traversé le ciel. Ce n'était pas le feu d'artifice du 14-Juillet. Aucune bombe n'est tombée. Un peu de peur pour rien. Puis tout s'est tu. Seul alors, le son du fleuve est revenu jusqu'à nous, comme pour nous tracer l'esquisse d'un Afghanistan sans guerre.

VIII

Dans les coulisses de l'histoire

Dès l'aube, Naïm s'en est allé à ses obligations de service : sa moisson de renseignements. Avant de quitter la maison il nous a réveillés pour nous prévenir que Massoud serait aujourd'hui de retour à son bureau. Nous étions impatients d'en savoir plus sur l'opération qu'il préparait, mais je me demandais de quelle manière j'allais filmer cette nouvelle tournure des événements. J'avais déjà des doutes sur ce qu'il serait possible de saisir de Massoud. À Paris, j'avais rêvé faire de lui un portrait vivant et juste. Ici, c'était plus compliqué. Je ne regrettais pas de lui avoir précisé qu'il n'y aurait pas d'interview. Par expérience, lors de mes précédents tournages pour témoigner de sa résistance, je savais que, figé devant une caméra, Massoud ferait un discours attendu, sur un ton monocorde qui ne serait pas celui qu'il a habituellement. Je pensais à mes premiers films qui étaient devenus de plus en plus partisans, à l'exception d'*Une vallée contre un empire* qui avait la fraîcheur du premier témoignage. Ces Afghans nous avaient impressionnés, Jérôme Bony et moi, et ce pays fascinés. Pendant que le jour pointait autour des crêtes des montagnes, je superposais les images scellées dans ma mémoire. Celles aussi de mon deuxième film, *Les Combattants de l'insolence*, tourné en 1984 avec Bertrand et l'aide de Merabudine, dans les montagnes et les ruines du Panjshir, tout imprégné de l'exaltation qu'on n'avait pu s'empêcher de ressentir en voyant ces Panjshiris s'accrocher à leur terre détruite. Ils ne renonçaient donc jamais ?

J'étais revenu en 1984. Nous avions signé une coproduction avec Antenne 2 qui avait envoyé, en parallèle de notre expédition, le journaliste Jacques Abouchar. Abouchar devait se rendre à Hérat, la grande ville du Nord-Ouest, pour y filmer la guérilla urbaine dirigée par Ismaël Khan. Avec son équipe, à peine avaient-ils franchi clandestinement la frontière, en voiture, qu'ils étaient tombés dans une embuscade tendue par des bandits de grands chemins. Tout le monde avait réussi à regagner le Pakistan, même Jean-Louis Saporito, alors caméraman de l'équipe, un homme doux et talentueux, pourtant blessé, avec plusieurs côtes cassées. Seul Jacques Abouchar était demeuré de l'autre côté de la route. Il devait être capturé le lendemain par les Soviétiques et allait devenir le journaliste de télévision le plus célèbre du monde, tant la mobilisation pour exiger sa libération allait être importante. Après un mois dans la prison de Pul-é-Charki, Abouchar, était rentré en France avec tous les honneurs, jusqu'à recevoir la Légion d'honneur, pour la circonstance sans doute, mais aussi pour ses nombreux autres reportages, car il avait été longtemps un spécialiste remarquable du Proche-Orient. Pendant ce temps, Bertrand et moi avions connu toutes sortes de déboires qui ne nous valurent aucune publicité sinon d'être encore vivants pour les raconter. Étrange de repenser à tout cela, là, sur la terrasse de la maison de Naïm, pendant que le jour se lève. Sans doute cette histoire m'a-t-elle trop gêné pour avoir besoin de la livrer aujourd'hui.

À peine avions-nous traversé la frontière du Nord-Est, par la montagne, souffrant comme la première fois du manque d'entraînement pour attaquer le premier col à 5 000 mètres, qu'un groupe de Nouristanis [1] exigea de nous un visa qu'ils disaient obligatoire pour traverser le territoire de leur royaume. Nous en avions entendu parler mais n'avions pu demander ce tampon, car leur « ministre des Affaires étrangères » qui délivrait ce type de visa résidait au Pakistan, dans le bourg de Chitral où il nous avait fallu nous cacher de la police pakistanaise pour éviter l'arrestation et l'expulsion. Impossible donc de revenir sur nos pas. Mais de cela, nos interlocuteurs aux mines patibulaires qui jouaient les fonctionnaires ne voulaient rien entendre. Nos deux chevaux qui portaient notre matériel furent confisqués. Nous avions la liberté de nos

---

1. Habitants du Nouristan, province située près de la frontière pakistanaise, au nord-est.

mouvements, mais il nous était interdit d'aller au-delà du village, ce petit village de Peshawarak qui restera toujours gravé dans ma mémoire. Durant quinze jours, ce furent des palabres et des manœuvres pour faire changer d'avis ces Nouristanis qui se moquaient de savoir que nous venions « aider l'Afghanistan, en témoignant des exactions commises par les Soviétiques qui n'avaient rien à faire sur leur terre ». Autant parler dans le vide. Impossible de les persuader de nous laisser partir. Notre situation devenait chaque jour plus absurde et plus critique. Si des espions apprenaient aux Russes des garnisons voisines la présence de deux étrangers voyants et gueulards dans ce village, ce serait un jeu d'enfant  pour eux de venir nous cueillir. On commençait à s'énerver. Parfois, le ton montait si fort que Merabudine, parfait mais tendu dans son rôle de diplomate, se contraignait, soucieux d'éviter le drame, à ne pas traduire les insultes et les menaces que nous leur adressions en les regardant dans les yeux. Ce qui donnait à peu de chose près ce genre de scène : le chef du village, un mollah dégénéré, particulièrement obtus, répétait sans se lasser : « Les étrangers doivent retourner au Pakistan pour chercher leurs visas, alors il n'y aura plus de problèmes, nous les laisserons continuer leur chemin. » À quoi Bertrand répondait, s'énervant passablement, que la plaisanterie avait assez duré, que nous étions là pour témoigner du courage et de la résistance des Afghans devant l'oppresseur soviétique… Je surenchérissais par une variante leur disant que, si ça continuait, nous allions leur casser la gueule, et que ses visas, il pourrait toujours s'en tamponner les fesses. Le mollah, intéressé par la montée du ton, pressait aussitôt Merab de traduire « les paroles des étrangers ». Ce qui donnait dans la bouche de notre complice : « Oh, ils sont un peu énervés car ils ont très mal au ventre. Il faudrait leur trouver des médicaments… » Sacré roublard de Merab ! Il craignait que je ne fasse une démonstration du karaté que je pratique depuis des lustres sans l'avoir jamais appliqué hors du dojo de mon ami et prof, Sadek Mazri. Mais, karaté contre Kalachnikov, mieux valait ne pas perdre son sang-froid ! Nous n'étions pas dans un jeu vidéo.

Un jour, le quinzième, Bertrand eut l'idée de dire au mollah givré que sa mosquée était mal orientée… La nuit, on nous rendit les chevaux.

Sans aucun doute, cette immobilisation nous sauva la vie, car pendant qu'Abouchar se faisait capturer par les Soviétiques à l'autre bout de l'Afghanistan et que nous étions prisonniers dans ce Nouristan qui, cela dit en passant, est sublime de beauté, les commandos soviétiques avaient lancé leur opération de grande envergure sur le Panjshir. Si nous avions été sur place à ce moment, il n'est pas certain que nous aurions pu leur échapper !

1984 fut l'année la plus noire de l'histoire du Panjshir. Août et septembre 1984 furent, pour moi, les mois de tournage les plus rudes que j'aie jamais connus. Les plus inimaginables aussi ! Au terme de ce tournage, après avoir retrouvé Massoud, filmé la vie quotidienne de ses combattants et les preuves des destructions massives de la vallée, la veille de notre départ pour la longue marche de retour vers le Pakistan, Massoud libéra un prisonnier soviétique et accepta de nous le confier. Il s'appelait Nicolas et voulait venir en France. Il avait sympathisé avec nous et, au contraire de ses onze autres camarades détenus par les groupes de moudjahidin, il ne se bornait pas à nous faire la gueule en nous faisant comprendre que nous n'avions aucune leçon à leur donner sur le respect des droits de l'homme avec notre Napoléon Bonaparte qui n'avait commis qu'une série d'ignominies en Russie. Nicolas, lui, avait vu des films français avec Jean Gabin, Alain Delon… il avait entendu et aimé la voix de Mireille Mathieu. Il voulait venir en France… Parmi les souvenirs qui vivent en moi, celui de ce jeune Russe est douloureux, et tellement présent. Nous avons accepté de lui faire traverser le nord-est de l'Afghanistan. Nous ne savions pas alors qu'Abouchar avait été emprisonné. Un matin, nous sommes partis. Nicolas est devenu un compagnon émouvant au point que nous étions prêts à tout pour l'introduire en France, même clandestinement ! Depuis douze mois il était prisonnier des moudjahidin de Massoud avec lesquels il s'était bien entendu. Jamais je n'ai vu un prisonnier dire au revoir à ses « geôliers » de si bonne humeur. J'ai filmé la scène qui se trouve à la fin du film. Celui que j'ai appelé *Les Combattants de l'insolence*.

Après des péripéties trop longues à raconter ici, et dix-huit jours de marche à travers les montagnes, la chance nous souriait : nous réussîmes l'exploit de le faire entrer clandestinement au Pakistan. Toutefois, les Nouristanis nous ayant confisqué nos passeports, nous avions un nouveau problème : en approchant de Peshawar, nous réalisions que, sans papiers, il serait impossible d'aller avec Nicolas à l'hôtel Pearl, le seul endroit où l'on avait une chance de trouver un téléphone fonctionnant à l'international. Merab proposa de déposer Nicolas chez l'un des frères de Massoud qui vivait à la périphérie de la ville, le temps de prendre deux chambres et de revenir chercher notre ami russe avant la nuit pour éviter les contrôles de la police pakistanaise.

À l'hôtel, un journaliste d'Antenne 2, Olivier Warin, nous attendait avec impatience. Il avait été envoyé pour enquêter sur la capture d'Abouchar et savoir ce que nous étions devenus, nous, « la

seconde équipe clandestine d'Antenne 2 » ! Équipe doublement clandestine ! Inutile de dire qu'à l'annonce de la présence de Nicolas « dans nos bagages », à Paris, ce fut la panique. Les autorités françaises étaient sur le point d'obtenir la libération d'Abouchar ! Non seulement on nous dit de ne pas faire savoir que nous exis-

Prends une caméra, on te prendra pour un journaliste.

tions, mais rien ne devait filtrer sur le Russe. Aussi avons-nous demandé à un ami français qui travaillait pour une ONG soutenant la population afghane de nous donner son passeport. Il ressemblait à Nicolas, ce ne devait pas être très difficile de le faire entrer en France. On aviserait ensuite. Hélas ! Nicolas fut introuvable. Ahmad Zia, le frère de Massoud, se montra très gêné pour nous expliquer que le responsable politique du Jamiat-e-islami, le parti auquel appartenait Massoud, Is'Haq en personne, celui-là même que nous avons retrouvé dans le bureau de Massoud, il y a trois jours, rédacteur en chef du journal des moudjahidin, ce politique n'acceptait pas cette libération. Il avait fait cacher Nicolas quelque part, déclarant que les autorités françaises auraient à se prononcer officiellement sur ce cas. En fait, il souhaitait monnayer Nicolas contre une aide à la résistance… Il n'y eut rien à faire pour l'amener à changer d'avis. Olivier Warin nous proposa de suivre l'affaire. Bertrand ayant des relations politiques à Paris, nous sommes rentrés en France plaider la cause de Nicolas. Mais rien ne fut possible ! Entre-temps on m'avait donné le prix Albert-Londres pour le film. Les propos de Jacques Abouchar sur les Afghans : « … ce sont des fanatiques et des zozos », furent repris à outrance dans tous les bulletins de la propagande russe à propos de l'Afghanistan. Quelques mois plus tard, Nicolas fut tué dans une explosion. Prétendument dans un dépôt de munitions où il s'était réfugié avec quatre autres prisonniers, suite à une tentative d'évasion. Je suis revenu au Pakistan enquêter sur la mort de Nicolas. J'ai rencontré Rabbani qui n'a rien voulu me dire. Puis, avec un journaliste moldave réfugié en France, Victor Loupan, j'ai réalisé un film sur d'autres prisonniers soviétiques[2]. C'était en 1985. Je me souviens de la chaleur qu'il faisait – 40 degrés et une humidité qui nous trempait – lorsque des Afghans nous avaient conduit vers un lieu où ils détenaient deux prisonniers. Nous avions découvert deux types en mauvaise santé, maigres, l'un d'eux sous perfusion. Il s'appelait Nicolas, mais ce n'était pas notre ami. J'avais alors filmé. Le plus valide, Igor, raconta à Loupan, en dessinant la scène, comment un lieutenant-chef, du groupe auquel il appartenait, faisait allonger sur la route les Afghans capturés qu'il faisait ensuite écraser sous les chenilles des chars. J'aurais tant aimé sauver Nicolas… Cruelle histoire.

Lors de sa diffusion, notre reportage fut attaqué par l'agence Tass. Novosti osa déclarer que tout cela n'était que mensonges. Malheureusement pour ces propagandistes, les jeunes Russes que nous avions filmés en 1985 furent libérés et accueillis au Canada. Avec Loupan, nous nous sommes rendus à Toronto pour les retrouver, leur montrer le film que nous avions tourné lorsqu'ils étaient en captivité et leur demander si oui ou non les propos qu'ils avaient alors tenus devant la caméra étaient vrais ou simplement dictés par leurs geôliers. Igor, à la fin de la projection qui s'était déroulée dans notre chambre d'hôtel, demanda une copie pour la montrer à ses

---

2. *Les Damnés de l'URSS.*

enfants, plus tard… Aujourd'hui il vit à Toronto, est marié, a deux enfants, exerce le métier de bijoutier. Son compagnon de cellule, qui s'appelait aussi Nicolas, que nous avions filmé à l'article de la mort, est retourné en Sibérie où il s'est aussi marié. Il a trois enfants. Ce nouveau film[3], diffusé sur Antenne 2, a touché ceux qui l'ont vu, mais n'a pas ressuscité l'autre Nicolas dont le souvenir voyage encore dans l'espace et me hante…

Nous retrouvons Massoud dans son bureau. Il est, ce 7 juillet 1997, étonnamment détendu. Il rit volontiers lorsque Merab lui demande comment il parvient à combiner le travail politique et le travail militaire.

– Comme tu le vois : tout naturellement, répond-il en enfilant ses chaussures qu'il avait ôtées pour prier. Je m'efforce de régler les problèmes au jour le jour.

Dans le bureau, peu de monde, seulement quelques commandants réunis pour une réunion à juste titre appelée « restreinte ». Ils attendent un appel téléphonique de leur correspondant à Mazar afin de savoir où en est la constitution du gouvernement. Ce rêve en marche dont nous a parlé Quanony. Mais le satellite tourne au-dessus de nos têtes et ne transmet rien. Le temps passe en allées et venues de messagers pour des affaires d'intendance. Puis je filme  Massoud qui prend un exemplaire du bulletin édité chaque semaine par l'ingénieur Is'Haq et son équipe de journalistes.

– Il y a un poème dans notre journal. Quelqu'un l'a-t-il lu ? demande Massoud à la cantonade.

Les commandants présents s'emparent d'un exemplaire et plongent le nez dedans avec application. La scène est drôle ! On dirait de mauvais élèves pris en défaut.

---

3. *Soldats perdus.*

— « Le Verre brisé », dit Massoud. C'est le titre de ce poème. Personnellement je l'ai lu deux fois pour le commandant. Le voici : « Il fait nuit, nos regards ont les yeux de ceux qui attendent… » Vous comprenez ?

Les hommes dodelinent de la tête, mi-affirmation, mi-négation, de peur de se faire engueuler. De vrais lèche-bottes !

— Toi, le mollah, dit Massoud avec un grand sourire, c'est trop dur pour toi ! Puis il reprend : « Il fait nuit, nos regards ont les yeux de ceux qui attendent… Dans la nuit les étoiles scintillent çà et là… » Tu comprends ? demande Massoud à un commandant.

— Oui, quand on regarde le ciel, on y voit plein d'étoiles.

— Non ! Qu'est-ce que cela veut dire ?

« Dans la nuit, les étoiles scintillent çà et là…

« Trempé des larmes de peine et de souffrances

« Mon lit se trouve comme posé sur des flammes…

« Arrosé du courage un rien devient perle

« S'il atteint le courant de ma volonté.

« À l'image d'un jardin à l'approche du printemps. »

Dans le bureau, personne n'ose lever la tête d'un texte qui laisse ces esprits imperméables. Aussi Massoud se met-il à en commenter la substance pendant que je continue à le filmer.

— Un rien insignifiant, vous savez, une perle, une goutte de pluie qui n'était rien, quand elle tombe sur une perle, la goutte devient perle. C'est pareil pour le courage. Mon courage est une perle. Un rien rejoint mon courage et devient perle. Ça veut dire que je suis un homme si courageux que tous ces problèmes et ces souffrances ne peuvent m'atteindre : « À l'image d'un jardin à l'approche du printemps. »

Massoud pose le journal sur la table.

— Ce jeune poète a beaucoup de talent. Il habite Rokha et deviendra sans doute un grand poète de l'Afghanistan. Si jeune ! Il a des inventions lumineuses et de belles manières de les mettre en forme.

Je demande à Massoud s'il aime la poésie.

— Quand j'ai le temps, je lis des poèmes, confie-t-il.

Ce moment, saisi au hasard d'une visite, se trouve dans le film. Massoud, tel qu'il est, avec sa gentillesse, son amour de l'Afghanistan, sa douce ironie vis-à-vis de ses hommes qui regardent le doigt lorsqu'on leur montre la lune. Un tel instant de grâce arrive soudainement. « Séquence poème. »

Maintenant qu'elle a été enregistrée, elle pourra vivre et revivre longtemps sur des écrans et dans nos souvenirs.

Non, Massoud n'a rien d'une brute de guerre, comme l'affirment certains (qui ne l'ont jamais rencontré !), même si les drames qui jalonnent son existence ont tracé sur son visage des sillons profonds jusqu'à l'âme, qu'il protège de tout regard extérieur. *A fortiori* d'une caméra.

IX

La légende du Lion

L'homme perdu, encerclé par les taliban, discrédité par l'incapacité dont il semble avoir fait preuve à Kaboul, ne sachant en devenir le maître, se porte mieux qu'on ne le croit.

Ce n'est pas un surhomme, bien que les paysans l'appellent l'« homme de Dieu », bien qu'une légende soit née de son « invincibilité », bien que longtemps les histoires les plus folles, ou poétiques, aient circulé sur son compte : Massoud vole au-dessus des rochers ; il est partout à la fois ; Massoud a reçu de Dieu une vie étcrnelle ; Massoud ne peut être touché par les balles, par les bombes, par aucun objet d'acier... Tout cela décliné de mille manières au gré de la fantaisie des conteurs dont l'Afghanistan possède une multitude. Étranger à ces racontars, comme étranger aux affichettes de propagande imprimées dans les camps de réfugiés au Pakistan, le montrant en Rambo, Massoud possède une arme bien à lui : il est aimé par la population du Panjshir. C'est là qu'il puise ses forces. C'est là qu'il n'a jamais trahi la confiance de ceux qui lui pardonnent ses erreurs. Mais ce sont des journalistes qui lui ont donné le surnom de « Lion ou aigle du Panjshir » (Panjshir : cinq lions). Une légende raconte qu'au XVe siècle le sultan Mahmoud de Ghazna avait réclamé des hommes de chaque province d'Afghanistan afin d'entreprendre de grands travaux. De partout, on avait expédié des troupes d'hommes solides, par centaines. Le Panjshir s'était distingué en n'envoyant que cinq hommes. Cinq fiers gaillards que le sultan avait regardés avec colère. Ces Panjshiris se moquaient de lui. C'était un affront !... De rage, il les avait mis au travail, comme les autres, et s'était aperçu que chacun de ces Panjshiris faisait le travail de cent hommes venus d'autres provinces. Il avait alors remercié la vallée. Est-ce depuis cet événement que les habitants ont conçu un net sentiment de supériorité ? L'histoire ne le dit pas, mais la réalité est là. Les Panjshiris en font un peu trop. Ils sont peut-être plus individualistes encore que les autres Afghans, plus fanfarons. Encore que les groupes se jalousent facilement. On raconte que, dans un village, les habitants prétendent que ceux d'un autre village font toujours semblant de se curer les dents pour faire croire qu'ils mangent de la viande tous les jours...

Avec leur chef, la population du Pansjhir vit une histoire vraie mêlée d'amour et de respect, jamais de déception, plutôt de tristesse lorsque les choses ne vont plus comme ils ont rêvé qu'elles aillent. J'ai passé l'âge de croire que tout est aussi idyllique. Parmi ces Panjshiris se trouvent de fieffés abrutis, des profiteurs, des jean-foutistes notoires et quantité de traîne-savates.

Le Panjshir, c'est la force et la faiblesse de Massoud. Moi aussi j'aime ce lieu, comme une terre d'adoption où je me suis senti heureux... et utile. Sa force, telle que je viens de la décrire ; sa faiblesse, parce que son entourage est lourd, plutôt incompétent, trop courtisan. Cet entourage fait écran entre le monde et Massoud qui, ne voyageant pratiquement jamais à l'étranger, a peu l'occasion de remettre en question ses visions, de se nourrir d'idées, de conceptions différentes. Il vit trop ramassé sur lui-même, avec ses proches, toujours les mêmes, comme dans une sorte de cocon. À visionner à nouveau les premières images que j'avais faites de lui, je me dis qu'il a peu évolué dans sa perception du monde. Massoud reste en Afghanistan. Massoud se sent afghan et ne veut pas s'en aller tant que la paix d'une nation afghane ne sera pas devenue réalité. Mais là, il se fait quelques illusions. Concrètement, il détient sans doute le moyen de faire changer les choses, mais il ne sait pas s'en servir. Il ne joue pas le jeu d'aujourd'hui car il ne se rend pas compte que le monde a changé, que les mentalités sont peu à peu transformées par les objets de la technologie, que les valeurs liées à la nature de l'homme comme la spiritualité se trouvent mises à rude épreuve.

C'est pourtant Massoud en personne qui a été un des plus prestigieux héros de la guerre contre les Soviétiques. C'est lui, Massoud, qui a orchestré la chute du régime de Najiboullah, offrant Kaboul et l'Afghanistan aux politiques, sur un plateau, cadeau gagné à coups de souffrances indescriptibles, offert à tous ces leaders restés à prendre du poids et de la prétention dans leurs quartiers généraux, à Peshawar.

Pendant les dix années de la présence soviétique où planait le danger d'être anéanti à tout moment, Massoud, ses hommes et plusieurs autres chefs courageux étaient sur le terrain, à l'intérieur. Ils souffraient, avaient peur, pleuraient ceux qui tombaient, s'accrochaient même lorsque tout semblait définitivement perdu. Massoud aurait mérité d'être mieux compris en Occident. Surtout, d'être aidé une fois à Kaboul. J'en veux beaucoup à quelques intellectuels trop pressés qui, sans avoir jamais mis les pieds à Kaboul au  moment de l'entrée des moudjahidin, s'indignèrent et critiquèrent Massoud lorsqu'il décida de faire pendre six hommes, en place publique. Dans quelques articles et éditoriaux de livres, j'ai pu en lire certains qui exprimaient leur déception de voir « les pendus de Massoud ». Quelle ignorance ! Ces pendus n'étaient autre que six salopards pris en flagrant délit de pillage, de viol et de meurtre. Car ce qu'on ne vit pas à Kaboul, en avril 1992, outre le comportement de moudjahidin stupides, ignorants et cupides, ce sont les prisonniers de droit commun que des criminels vengeurs avaient libérés des prisons. À Kaboul, ce sont tous les petits chefs disposant de stocks d'armes, mais sans troupe, qui recrutèrent n'importe qui, même des voleurs, même des pillards, qu'ils armèrent pour se donner l'apparence de commandants puissants, avec quantité d'hommes… qu'ils ne contrôlaient pas. Massoud, lui, avait donné des uniformes à ses moudjahidin ; il les avait encadrés du mieux qu'il avait pu, perfectionnant une armée, certes modeste, mais disciplinée, aux hommes à peu près triés, respectueux de valeurs qui étaient les leurs et les siennes… et les nôtres. Mais voilà, dans les feuilletons qu'aime se fabriquer l'Occident, le héros n'avait pas su prendre les commandes à temps. L'Afghanistan reste loin, si loin et tellement compliqué ! Et l'Occident repu, craintif… Je préfère suspendre ma phrase. Au diable les moralisateurs !

Aujourd'hui, j'ai moi aussi seize années de vie de plus depuis notre première rencontre. J'ai eu femme et enfants, des amis, quelques ennemis agacés par la passion de mon activité de cinéaste. Longtemps j'ai cru servir la justice avec ma caméra. Aujourd'hui, humanisme rime parfois avec crétinisme. On pense qu'un honnête homme est un crétin parce que la mode veut que celui qui se joue des lois, des règles pour mieux profiter est le héros. Le héros d'aujourd'hui est un petit bourgeois. Le héros, c'est la starlette sur papier glacé grand tirage. Le héros c'est le ragot, la célébrité qui ne sert qu'à s'autocélébrer. Pas l'authentique. Voilà une dérive dangereuse, sorte de suicide collectif. Sans parler d'une maladie chronique, puissamment inscrite à présent dans les manies de ceux qui font l'actualité : la maladie des sondages. On sonde sans cesse, pour un oui, pour un non. Jamais les peut-être. Et on bâtit des stratégies d'action sur ces sondages. La vie ne serait donc réduite qu'à des comportements répertoriés, contrôlés, analysés… pas une aventure, pas une improvisation perpétuelle ? Je sais que je fuis ce monde-là lorsque je m'en vais dans les montagnes d'Afghanistan…

Massoud, lui, ne se pose pas ce genre de problématiques. Il fait la guerre. J'aimerais filmer l'homme de paix qui existe sous la carapace de l'homme de guerre, mais là, une fois de plus, dans son bureau, on ne parle que de guerre. Massoud est au téléphone-satellite. Je filme :

– Votre bombardement d'avant-hier sur Kaboul a touché le Q.G. des Pakistanais. Il a été très précis. Il a touché la station radar. Vingt-quatre Pakistanais ont été tués…

Abdullah, près de lui, fait signe qu'il se trompe.

– Non, seize Pakistanais tués, corrige Massoud. Parmi eux, un certain major Tariq. Certains disent qu'il a été tué, d'autres qu'il est blessé. Le bombardement d'aujourd'hui n'a pas touché la piste…

La conversation s'éternise. Lorsqu'il en a fini, je demande qui est l'interlocuteur. Merab traduit.

– Général Malek, répond Massoud sans commentaire, car il sait bien ce que je pense de ce genre d'alliance.

Je suis français, il sait. Pas afghan. Des choses m'échappent. Malek, celui qui a trahi Dostom ! Malek, celui qui a livré Ismaël

Khan aux taliban !… Lesquels le gardent prisonnier dans la ville du Sud, à Kandahar, là où se trouve le quartier général de leur chef qu'on ne voit jamais, un certain mollah Omar. C'est aussi dans cette ville que vit en toute impunité le Saoudien Oussama ben Laden, recherché par les Américains comme dangereux terroriste, « le plus grand financier des poseurs de bombes », dit-on, mais qui était là bien avant pour faire la guerre contre les Russes… Étrange pays où on pactise avec l'ennemi, avec le traître. Les Américains sont, pour moi, incompréhensibles. Ou leurs spécialistes en politique étrangère sont tombés sur la tête…

À ma demande, Massoud me prête son téléphone afin que je puisse appeler chez moi, en France. Il est des intuitions qui naissent au fond de soi. Mon père était malade, il souffrait d'une leucémie. J'apprends sa mort, ici, dans ce petit bureau où on ne parle que de guerre.

Massoud converse avec un commandant, le bureau est occupé d'hommes qui s'activent, ou font semblant, me voilà avec mon chagrin. Je suis là, en Afghanistan, à des milliers de kilomètres de mes frères et sœurs, de mes enfants, de ceux que j'aime. Mais ma vie est ainsi. Jamais autant je n'ai senti  combien c'était dans l'ordre des choses d'être ici et là-bas en même temps, d'occuper l'espace autant par le corps que par la pensée, de libérer sa peine autant que de savoir sa joie. Mon père m'avait beaucoup soutenu lors de mes voyages en Afghanistan. Il avait aidé ma mère à ne pas se faire trop de soucis pour un fils s'en allant dans une guerre, sans pouvoir jamais donner de nouvelles. Ironie du destin : c'est la première fois que je peux donner et prendre des nouvelles avec cette invention incroyable du satellite, mais c'est pour apprendre que mon père s'en est allé de ce monde où il a été si savant et si sage.

Polytechnicien, dernier enfant d'une famille de sept enfants dont le père était capitaine de vaisseau, mort des suites d'une blessure contractée dans les Dardanelles, mon père n'a jamais cessé d'étudier. N'ayant pas connu son père, il a eu cinq enfants, sans trop savoir comment leur parler, sinon nous apprendre à respecter les autres, à travailler, à rester humble en toute circonstance. Difficile. Après avoir dirigé une grande entreprise de chimie, une fois à la retraite, mon père a commencé une nouvelle existence : impressionné par Soljenitsyne, il s'est mis à étudier le russe. Et lorsqu'un polytechnicien se met à étudier, il n'en reste pas aux prémices. Après sa licence, puis sa maîtrise, mon père passa son doctorat. La Russie le fascinait. Il aimait les Russes. Le système totalitaire soviétique lui procurait une excitation intellectuelle quasi totale. Ainsi est-il devenu le spécialiste le plus discret de la Russie contemporaine.

C'est en revenant d'Afghanistan en 1984 que j'ai vu mon père pleurer pour la première fois. J'avais rapporté, dans mes bagages, des lettres trouvées sur les corps de soldats tués dans la vallée du Panjshir. En les traduisant, ses larmes eurent vite fait de noyer ses mots… Plus tard, en 1987, il a aidé mon ami et associé Frédéric Laffont à réaliser un film sur la religion en URSS, puis, en 1989, c'est lui qui nous a permis de réussir *Poussières de guerre*, allant avec Frédéric en Biélorussie à la rencontre d'anciens soldats qui avaient combattu en Afghanistan pendant que je traversais le nord-est de l'Afghanistan avec un autre compagnon de route, Christophe Picard, à la recherche des traces laissées par cette guerre sur les Afghans. Ces Afghans qui, parfois, pensaient que les Soviétiques n'étaient pas des hommes, mais des machines. Ces Afghans qui, souvent, n'avaient vu d'eux que leurs tanks, leurs avions et leurs hélicoptères blindés MI24.

Un jour, un mollah nous a expliqué très sérieusement que l'homme descendait d'Adam et d'Ève, mais que les Russes, eux, descendaient directement du singe. Devant la caméra, il a développé sa théorie dont il était certain et dont il n'aurait pas supporté que nous en contestions l'authenticité :

– Dans le temps, un jeune Ouzbek s'est marié avec une jeune fille d'un village lointain. Lorsque le mari a ramené sa nouvelle femme dans son village, en traversant la forêt, ils furent attaqués par des singes déchaînés. Le marié mourut sous les coups des bêtes, mais la mariée, elle, fut emportée par la harde. Ils l'amenèrent dans une grotte. C'est là qu'elle fut violée. Neuf mois plus tard, elle mit au monde deux enfants, mi-homme, mi-singe. En persan, la mariée se dit *arrusse*. On ne pouvait donner un nom normal à ces créatures, aussi les appela-t-on « *Fils d'Arrusse* », fils de la mariée, ancêtres des Russes... Avec le temps c'est devenu les « Russes ».

Ces Afghans, à qui les Soviétiques avaient voulu insuffler une idéologie incompréhensible... Plus tard, en 1994, j'ai filmé avec mon père une petite ville russe. Il en avait décortiqué tout l'historique : *Par un bel été russe,* diffusé dans une collection supprimée.

Le soir, dans la maison de Naïm, je ne pourrai pas encore laisser aller mes larmes. Une étrange rencontre nous attend.

X

Le questionnaire
des Russes

Lorsque nous entrons chez Naïm, dans le salon, un homme lave une caméra... avec de la vodka. Il porte une tenue camouflée, a cet air renfrogné des gens qui ne savent pas dire bonjour, et semble plus adepte de la musculation que de la lecture. Sur son crâne rasé, un béret commando parfait l'image qu'il cultive. Et si nous n'avions pas remarqué sa caméra, nous nous serions crus tombés dans un cauchemar à contre-temps : un commando russe dans cette maison au cœur de la vallée du Panjshir ! Ça aurait pu arriver avant, pendant nos périples clandestins...

En 1989, après avoir achevé *Poussières de guerre*, Frédéric Laffont et moi-même, avec l'aide de mon père, avions réalisé une version en russe. Profitant du vent de liberté soufflé par un certain Gorbatchev, vedette de l'Occident mais très impopulaire dans son pays, nous étions allés projeter le film en Biélorussie où Frédéric avait tourné. Cette visite fut organisée par un réalisateur biélorusse avec lequel nous nous étions associés : Sergueï Loukianchikov, auteur d'un film particulièrement courageux et touchant sur les anciens de la guerre d'Afghanistan[1]. Accompagnés de deux journalistes de presse écrite, Jean-Claude Raspiengeas de *Télérama*, et Ariane Chemin du *Monde,* de la délicieuse traductrice Camille Durand, qui avait été de tous les tournages de Frédéric pour la partie russe, nous étions arrivés à Minsk où l'on nous attendait.

La première projection eut lieu dans une église transformée en salle de cinéma. Deux postes de télévision avaient été placés sur des

---

1. *La Honte*.

tables. Trois cents personnes environ étaient venues. Parmi elles, des femmes qui avaient perdu leur mari, leur fiancé ou leur fils en Afghanistan, mais aussi des *Afghantsy* [2]. C'était grave et émouvant. Avec Frédéric, nous nous demandions, non sans une certaine appréhension, quelle allait être leur réaction. Une demi-heure après le commencement de la séance, des sanglots se firent entendre dans la salle plongée dans l'obscurité. Ils ne cessèrent pas de toute la projection. Lorsque la lumière s'alluma, nous étions face à une assemblée bouleversée. Je me souviens du visage décomposé de Sergueï. Il ne réussissait pas à parler, essuyait ses larmes avec la manche de sa veste. Il nous serra dans ses bras. Puis, une femme, qui avait gardé son manteau et tenait son sac au bout d'une main, s'approcha. Qu'allait-elle faire ? Elle nous embrassa.

– Merci, dit-elle, de nous avoir montré ce qu'on nous a toujours caché. On nous disait que cet Afghanistan était un pays noir, peuplé de monstres et de bandits. Lorsque je vois les paysages lumineux que vous avez filmés, les visages si beaux de ces hommes dignes que vous avez enregistrés, je mesure combien on nous a menti !

Une autre femme nous remercia, puis d'autres qui se mirent à raconter leurs histoires et leurs peines. Les hommes, eux, restèrent graves. Il n'était pas habituel d'entendre la parole des Afghans. Cette guerre était restée cachée, un malaise entourait les rumeurs de son existence pour ceux qui n'avait aucun membre de leur famille « là-bas ». Pour les autres, on ne doutait pas que les crimes commis l'étaient par les contre-révolutionnaires, pas par les Soviétiques. Et soudain, ces hommes et ces femmes, abasourdis par ce qu'ils venaient de voir et d'entendre, découvraient que les atrocités commises lors de cette guerre n'avaient pas pour seules victimes ceux de leur camp. L'horreur n'était pas une exclusivité afghane. Il n'y eut pas seulement des corps mutilés par les « bandits » mais aussi par des soldats encadrés de leurs officiers lors d'expéditions punitives atroces. Les légendes, ensuite, avaient amplifié l'horreur et ses mythes, comme le film le montre lorsqu'un officier russe commente, devant la caméra de Frédéric, dans un petit musée consacré à la mémoire d'un héros, une grande fresque murale représentant le « monstre », « l'Ennemi », terrassé par les forces russes, forces du bien, évidemment !

---

2. Nom donné en russe aux anciens combattants d'Afghanistan.

Le jour suivant, invités par la télévision biélorusse, nous nous étions retrouvés dans un studio – on aurait dit une cathédrale tant sa taille était grande – pour un débat avec des familles ayant perdu un de leurs proches dans cette guerre afghane. Le problème, c'est que la télévision n'était pas encore spécialiste du genre. Les sièges étaient tous positionnés vers les deux caméras. Ainsi fallait-il se tourner lorsqu'une personne assise derrière vous vous posait une question. La rencontre n'en dura pas moins une bonne heure, au terme de laquelle tout le monde alla déposer une fleur sur une estrade couverte d'un tissu de velours rouge, symbolisant le grand cercueil des morts.

Le lendemain, Sergueï, provocateur de nature, avait réussi à nous faire inviter à l'école militaire qui formait les commissaires politiques de l'armée soviétique ! Il jubilait à l'idée de cette… confrontation. À Minsk, on comptait deux grandes écoles : celle des officiers du KGB et celle où nous sommes arrivés en milieu d'un après-midi ensoleillé. Le général, directeur de l'école, nous reçut avec chaleur et une certaine décontraction. On était en pleine *glasnost*. Après une visite commentée au musée de l'école où des photos et des décorations faisaient état de son histoire, il nous introduisit dans l'amphithéâtre principal. Là, deux cents élèves en uniforme se levèrent d'un seul bloc. Une bien impressionnante assemblée ! Pour moi qui avais plusieurs fois bravé les interdits de l'armée soviétique, j'avais comme une ivresse à me trouver là, devant ces hommes qui auraient pu me terroriser dans d'autres circonstances. D'ailleurs, Sergueï m'avait expliqué qu'il y aurait, dans la salle, des officiers du GRU, service de renseignements de l'armée, qui encadraient les élèves pour la discipline les concernant et dont certains, nous confia le général avec un petit sourire, « avaient fait la guerre d'Afghanistan ». J'étais très intéressé de les rencontrer. Je ne m'attendais pas à une telle réception. À peine dans l'amphi, deux élèves nous offrirent des œillets enveloppés dans du plastique. On accueillait les « camarades » français, pensaient-ils, qui venaient montrer un film sur une blessure de l'armée et du peuple russe et biélorusse[3]... Je tenais la petite cassette VHS dans ma main, ces deux heures de film qui en disaient long sur les mensonges de cette guerre, mais aussi, et surtout, sur les souffrances inutiles qu'elle avait provoquées.

La projection débuta après un long discours du général que Camille nous résuma tant il était plat et simplement protocolaire. Les officiels russes, sans vodka, donnent facilement dans le pompeux. Ce fut le cas. Puis nos images, les témoignages enregistrés, les paroles des uns et des autres, Afghans et Russes, emplirent l'espace de cet amphithéâtre où on ne devait jamais avoir entendu de telles vérités. Ces vérités étaient gênantes à écouter. Le malaise grandit. Plus les témoignages se succédaient, plus le général rougissait. Au bout d'une demi-heure, il ne regardait plus vraiment, devait réfléchir en parallèle à ce qui lui arrivait. Non, ce n'était évidemment pas un film de propagande. Ou plutôt, ce devait être un film fabriqué par la CIA. D'ailleurs, ce Sergueï Loukianchikov était un drôle de vibrion libre ! Quelle idée d'avoir invité ces étrangers. Qu'est-ce qu'ils venaient faire ici ? Ce n'était tout de même pas aux Français de nous faire la morale sur l'Afghanistan. Leurs parachutistes en Algérie ne s'étaient-ils pas mis à abattre des bergers, des gardiens de moutons ? Ah ! pour sûr, le général se trouvait mal à l'aise. En plus, dans cet amphithéâtre, il faisait chaud. Trop chaud. Et quand tout cela allait-il s'arrêter ? À la moitié du film, une quarantaine d'élèves, dans un vacarme de bottes, quittèrent la salle. Nos confrères de la presse écrite s'informèrent au passage de la cause de leur retraite. Raison de service ! Ah bon ! Pas à cause du film ? Non, c'est intéressant ce film...

Lorsque la dernière séquence arriva (des paysages sur lesquels nous avions placé la lecture de lettres d'amour d'une jeune mariée à son époux, tué plus tard dans le Pansjhir et dont nous avions rapporté la douloureuse histoire), la voix de Natacha Dioujeva se fit entendre. Natacha, une amie russe que j'aimais, qui travaillait au

---

3. Blessure d'autant plus vive que les généraux de l'armée avaient été opposés à l'intervention en Afghanistan, puis avaient réclamé plus de moyens pour en finir avec les « contre-révolutionnaires », moyens que les politiques leur limitèrent... jusqu'au retrait qu'il fallut camoufler en opération pacifique, annonce de jours meilleurs, alors que pour certains soldats il y avait tout de même de la honte à se retirer du champ des opérations.

journal dissident basé à Paris, *La Pensée russe,* Natacha avait traduit et lu pour le film les mots de cette femme amoureuse, inquiète, écrits sur un papier plié en quatre, trouvé dans la vareuse qui enveloppait le corps d'un jeune gaillard russe qui n'avait sans doute pas choisi d'être venu, mort parmi d'autres pour une erreur politique. Natacha, depuis, nous avait quittés, pourtant si jeune elle aussi, emportée par la même maladie qui avait mis fin à l'existence de mon père. Et elle ressuscitait là, par la magie du cinéma, avec sa belle voix si particulière, délicate, fragile et tendre, dans cette salle où les paroles d'amour qu'elle éparpillait dans l'espace prenaient allure de provocation. Elle aurait aimé ça, Natacha. Elle qui avait fui la Russie totalitaire. J'ai aimé et respecté cette combattante qu'un ami avait épousée. Nous pensons tous à elle. Après le mot « Fin », il fallut gagner l'estrade et prendre place pour le débat.

nous passions notre temps au cimetière.

– Un film de propagande ! lâcha un officier, sans doute désigné pour donner l'avis général. Les paroles des Afghans que vous avez filmés ont été dictées par les gens de la CIA ! dénonça-t-il sans douter de rien, comme si nous n'étions finalement que des agents américains.

Le général, écarlate dans son uniforme qui semblait soudain trop étroit, garda le silence. Le débat intérieur qu'il avait vécu durant la projection l'avait apparemment exténué. Il avait opté pour la plus totale réserve. S'ensuivirent des remarques du même acabit avec une variante intéressante venant d'un élève afghan qui affirmait que nous ne racontions que des sornettes. Selon lui, des espions occidentaux se faisaient passer pour des médecins, mais c'était une couverture, car, en fait, ils formaient les « bandits » du Panjshir aux techniques de la guérilla…

Le débat s'enlisa, chacun restant sur ses positions. Tout cela dans une bonne humeur toute de circonstance. *Glasnost* oblige ! Toutefois, à la fin de la séance, alors que tout le monde avait quitté les gradins et s'en allait par le couloir, un homme s'approcha de moi. Il se présenta comme ayant été officier en Afghanistan.

– J'ai servi dans la vallée du Panjshir. Vous y étiez aussi, je crois. C'était au cours de l'été 1984. Je peux vous dire que si nous vous avions trouvé à ce moment, nous vous aurions tiré une balle dans la tête... Mais maintenant, ajouta-t-il, visiblement très ému, après avoir vu votre film, j'ai honte de cela.

Honte de cela... Les paroles de cet homme sont dans mon esprit lorsque je regarde ce journaliste russe, sur le tapis du salon de Naïm, nettoyant sa caméra comme il nettoierait une arme, jouant la carte du « grand reporter [4] ». C'est le caméraman d'une équipe de journalistes russes. Avec lui, Marcelov Michael et Serdicow Michael, venus faire un portrait de Massoud pour la première chaîne de la télévision de Moscou. Ils travaillent pour l'émission *Top secret*. Merabudine les regarde sans amitié. Il pense à ce que les Russes ont fait de son village, des richesses de son père, de son pays. Pour lui, ils restent impardonnables. Mais ici, dans la vallée, ils ne rencontrent aucun problème avec la population. Ils circulent comme des invités, chaque Afghan qui les rencontre vient les saluer, parfois leur offrir un thé, un fruit, un cadeau d'hospitalité. Voilà pour leur méditation : l'attitude d'hommes qu'ils décrivaient autrefois comme des barbares. Par l'intermédiaire de leur traducteur tadjik et de Merabudine, nous communiquons. Mais ils ne sont pas bavards, trop occupés à préparer l'interview que leur a promise Massoud. Ils acceptent néanmoins que je les filme, pour témoigner de leur présence, se prêtant courtoisement à une mise en scène toute naturelle : je les suis allant filmer des images d'un char détruit qui rouille près de la maison, en bordure de fleuve. Je filme. Leur caméraman me filme. Peut-être vont-ils parler de ces journalistes occidentaux qui étaient autrefois des partisans. Peut-être rient-ils de nous voir ici, à l'aise parmi ces paysans qu'ils connaissent si peu.

En fin d'après-midi, puisqu'ils ont accepté de me laisser les filmer en train d'interroger Massoud, nous partons vers la maison de Jengalek. Sur place, ils choisissent un endroit, une des terrasses « salles d'attente », avec vue sur la vallée. Pour le son, on ne pouvait choisir emplacement plus mauvais : une chute d'eau venant

---

4. J'ai toujours été amusé de cette dénomination. S'il y a le grand reporter c'est donc qu'il existerait de petits reporters... mais ceux-là on ne les voit nulle part !

d'un canal d'irrigation s'écoule à proximité dans un bruit effrayant. Après tout, ils allaient doubler en russe les paroles de Massoud, c'était leur problème. En revanche, le cadre a de l'allure. Je filme leur mise en place, leur trac, leur façon d'opérer. J'ai l'impression de filmer un théâtre : ces hommes russes, ex-soviétiques, la caméra japonaise, le fauteuil afghan en rotin prêt à accueillir Massoud en personne. L'attente se prolonge. Presque trois heures. Puis l'acteur principal arrive, escorté de ses « conseillers », de quelques curieux et de gardes « au cas où ».

Si Massoud a accepté l'interview, c'est que les Russes, aujourd'hui, lui apportent armes et munitions sans lesquelles il ne pourrait lutter. Il leur serre les mains, jette un regard vers moi qui filme, sait que je lui ai demandé de faire comme si je n'étais pas là, va prendre place dans son siège.

Les journalistes russes vont enregistrer deux heures de propos géopolitiques. De secret, Massoud en révélera un : au temps de la guérilla, des généraux soviétiques lui faisaient directement parvenir des renseignements. Nous le savions. La télé russe avait son scoop... même sa prière ! Car le soleil s'en va. Massoud s'est excusé un instant pour rendre grâce à Dieu. C'est un homme reli-

gieux et pratiquant ; en aucune manière, il me semble, un de ces illuminés fanatiques qui mélangent pouvoir et foi, matériel et spirituel, pour donner un cocktail d'explosif à leurs aigreurs et leurs haines. La nuit vient. Massoud demande qu'on branche un groupe électrogène. Aussitôt fait ! Le caméraman installe un petit spot sur pied.

Dans la nuit, le visage de Massoud se met à luire comme la lune, sur fond de montagnes rougeoyantes dans le coucher du soleil. On dirait une peinture. L'interview prend alors une tout autre tournure. Le journaliste, décidé à aller jusqu'au bout de la chance qu'il a de se trouver devant Massoud, entreprend de le soumettre à un questionnaire, type questionnaire de Proust revu et corrigé façon guerre d'Afghanistan. Moins poétique. Extraits :

QUESTION : Quelle est votre arme préférée ?

MASSOUD : La Kalachnikov, évidemment !

QUESTION : Quel est votre film préféré ?

MASSOUD : Malheureusement, je suis bien loin du cinéma.

QUESTION : Votre occupation préférée ?

MASSOUD : La lecture.

QUESTION : Quel animal aimez-vous ?

MASSOUD : On a tous une préférence pour le cheval.

QUESTION : Votre voiture préférée ?

MASSOUD : Je n'en sais rien. Je préfère le cheval.

QUESTION : Quel est votre sport préféré ?

MASSOUD : J'ai joué un peu au football.

QUESTION : Pouvez-vous nous raconter une blague ?

MASSOUD : Je n'en ai vraiment pas à l'esprit. Allez, on arrête l'interview !

LE JOURNALISTE : S'il vous plaît, monsieur l'interprète. J'ai encore une question vraiment importante à poser à M. Massoud. Je voudrais savoir quelles personnalités historiques et politiques il préfère.

MASSOUD : Parmi les hommes politiques actuellement en exercice, je n'ai pas vraiment réfléchi, mais parmi les personnalités historiques sur lesquelles j'ai lu des ouvrages, j'ai une préférence pour de Gaulle.

Il a tout dit. Dans l'obscurité, Massoud serre les mains et s'en va. Les journalistes russes sont dans un état d'excitation extrême. S'ils le pouvaient, ils rentreraient chez eux sur-le-champ pour rapporter cette matière forte, ce scoop : Massoud révélant que des généraux trahissaient, sauvant ainsi l'honneur d'un peuple entraîné dans une guerre injuste par des vieillards séniles. Paix à Brejnev, il est décédé !

Le lendemain matin, je profite d'un petit déjeuner commun pour interviewer à mon tour le journaliste. Il me tient un discours sur la fraternité entre les hommes, les erreurs du passé, le fait qu'il se sent touché d'être ici, sur cette terre où tant de ces compatriotes ont souffert, où certains ont perdu la vie, où beaucoup n'ont rien compris de ce qui leur est arrivé.

— Nous faisons un travail utile, pour l'histoire, déclare-t-il, et pour une certaine idée de la vérité. Le magazine pour lequel nous travaillons a la vocation d'explorer des événements de notre époque, de révéler ce qu'on nous cache.

Une heure plus tard ils sont dans l'hélicoptère, celui-là même qui ne cesse de faire des rotations entre la vallée et le monde extérieur. Peu de temps après, nous sommes, nous, dans une jeep, à suivre Massoud vers la ligne de front qu'il s'en va observer pour préparer la future opération dont tout le monde parle à mots couverts, l'espoir au cœur. Les Russes vont manquer le prochain scoop...

XI

La ligne de front

Je me contrefous de filmer un « scoop » en général et en particulier. Plus nous descendons la route de la vallée, plus nous nous approchons de l'endroit où l'on se bat, plus nous nous sentons vulnérables, fragiles, exposés au danger.

À rouler vers la zone de combats, je pense aux handicapés que j'ai filmés, dont l'existence est à jamais détruite ou déviée de ce qu'elle aurait pu être. J'ai peur, oui. La voiture tout terrain, louée à l'un des plus jeunes frères d'Odji, file dans la poussière de la route sans macadam, se balançant sans cesse au gré des ornières et des bosses, dans le sillage de sable qui s'élève derrière le véhicule du chef.

– Dis donc, Merab, il est pressé !

– Il pense qu'il faut faire vite pour attaquer les taliban avant qu'ils se reprennent complètement.

Une heure plus tard, nous stoppons derrière le 4x4 noir de Massoud, à l'entrée des gorges qui marquent le commencement de la vallée. En octobre dernier, elles ont été le théâtre d'âpres combats lorsque les taliban pensaient en finir avec Massoud. Pour stopper leur avancée fulgurante, Massoud avait fait sauter la route et quelques pans de paroi, disposant ses canons sur les crêtes pour parfaire le barrage et le rendre infranchissable. Depuis, une contre-offensive a permis de dégager l'entrée de la vallée et de reprendre deux grands bourgs situés au début de la plaine de Chamali : Gulbahar et Jabul-Seraj. Les hommes du génie, aidés d'une centaine de prisonniers, travaillent depuis lors à remettre la route en état. Si l'offensive est lancée, les camions auront à emprunter cette voie pour acheminer hommes et munitions. Mais quand ? Personne ne sait. Massoud seul décidera du montant. Avant, il faut le suivre. Et le suivre c'est s'exposer, même si depuis dix-neuf ans la chance est avec lui. Merab nous a confirmé que son chef bien-aimé avait failli sauter sur une mine, il y a trois semaines, lorsqu'il inspectait la ligne de front devant la ville de Kunduz, encore entre les mains des taliban. Les pneus de sa voiture avaient frôlé la mine que la jeep qui le suivait n'évita pas, hélas. Le chauffeur et un passager étaient morts, deux autres hommes avaient été sérieusement blessés, jambes amputées. Massoud et sa bonne étoile !

Après avoir marché environ un kilomètre sur le tronçon actuellement en réfection, nous entrons dans une petite maison pour attendre les véhicules qu'on est allé chercher dans la plaine. La pièce a des murs couleur violine. Une fenêtre grillagée donne sur la route. Le torrent fait entendre son vacarme. Pour se parler, il faut crier. Massoud est tendu. Il écoute un homme qui explique qu'il a besoin d'armes pour ses hommes, car, selon les ordres, ils ont fait passer les leurs aux habitants de la plaine sous domination taleb. Massoud donne son accord pour cinq cents Kalachnikov.

Nous sommes cinq dans la pièce : Massoud, son chauffeur garde du corps, l'homme qui vient de parler, Bertrand qui tient la perche du micro et moi qui filme. Je m'applique à rester discret, à ne poser aucune question, à suivre ce qui va se passer, c'est tout. Un quart d'heure plus tard, on vient. Un camion est remonté de Gulbahar pour nous y emmener. Il y a aussi une carriole tirée par un cheval et un véhicule 4x4 dont la portière a été transformée en passoire par une rafale d'arme automatique. Les hommes restés dehors embarquent avec nous dans la benne arrière. Les autres s'entassent dans la calèche. Massoud est dans le 4x4. Nous voilà partis vers la zone des combats. Je filme tant bien que mal ce petit convoi qui s'en va dans la poussière, jusqu'à ce que la secousse du départ me projette au fond de la benne. Je sais que ça ne sera pas spectaculaire mais que ce sera dangereux. C'est ainsi, ce n'est pas du cinéma. Il n'y aura pas d'artificiers spécialistes en effets spéciaux inoffensifs pour nous régler les explosions d'obus. Il y aura des bruits inquiétants, une tension qu'on sentira, des blessés parfois, ou des morts, et beaucoup de vide entre tout ça. Une explosion a salué notre départ : ce sont les hommes du génie qui travaillent. Ils font sauter la paroi pour dégager de l'espace à la route. Ils sont pressés…

À Gulbahar, nous stoppons devant une maison. Dans la rue, la foule est compacte. Les gens se pressent. Un vent violent ratisse la poussière de la route, fait voler les tissus des pantalons, des chemises, des foulards, des burkas des femmes. Beaucoup de civils en armes, des habitants du bourg, viennent voir Massoud. Beaucoup d'excitation. On se fraie un passage dans cette foule pour atteindre l'entrée de la maison, un poste provisoire du Jamiat. À l'intérieur, les moudjahidin ont l'air hagard de ceux qui dorment peu. On entend des explosions sourdes, plus ou moins lointaines. Un homme  nous fait signe de nous asseoir sur les coussins disposés contre les murs. Le thé est déjà chaud. Massoud vient prendre place. On sent qu'il y a comme un rituel dans cette « inspection ». Celui qui doit être le commandant du poste fait son rapport au chef.

– L'ennemi (les taliban) n'a pas attaqué hier.

– À Qalae Sahra ?

– À Qalae Sahra ils ont attaqué. Les gars ont bien résisté. Ils ont pris une mitrailleuse PK, un lance-roquette RPG et cinq fusils. On a eu un blessé. L'ennemi s'est retiré après une heure de pression. Ils ont eu quelques morts et plusieurs blessés. Ils les ont emportés avec eux. L'ennemi essaie d'établir une ligne de front le long du fleuve, au niveau d'Ezat Khel. Mais nous avons installé des mitrailleuses antiaériennes, une Zigouyak et une Dashaka. Nos gars sont de Said Khel, ils connaissaient bien le coin. On peut avoir confiance en eux. Si l'ennemi réussit à s'installer là, notre passage vers Parwan sera coupé. Ils auront une position dominante. Mais je pense que nous pouvons réussir à les en empêcher.

Massoud écoute, un chapelet à la main. Il acquiesce. Des combattants de la plaine entrent dans la pièce où deux hommes distribuent du pain et du thé. Les rapports se succèdent pendant une quinzaine de minutes, puis Massoud donne le signe du départ.

Dans la rue, je profite de la foule pour interroger quelques personnes, au hasard, sur ce qu'elles pensent des taliban.

– Ici, ils n'ont fait que des saloperies, dit un jeune homme avec rage. Des pillages, des viols, des agressions sur les vieux et les enfants. Ils ont incendié des maisons et brûlé des champs. Nous, nous sommes décidés à nous battre, à les pourchasser aussi loin qu'on le pourra. Dites-leur qu'on veut les chasser jusqu'à Spin Boldak[1].

– Ces gens-là ne sont que des fils d'Anglais, proclame les autres. Personne, ici, ne les aime. Ils ont violé leur honneur. Ce ne sont que des Pakistanais.

– Mais on dit qu'ils se battent pour amener la paix dans votre pays !

– Foutaise ! Qui a dit ça ? Ce ne sont que des mensonges. Il y a tout un paquet d'anciens communistes qui collaborent avec eux !

Une rumeur naît à quelques mètres. C'est une femme qui crie, une vieille femme. Merab nous explique qu'elle est en train de raconter qu'elle a tué un taleb avec une pelle… Il y a soudain beaucoup d'agitation dans cette rue. Massoud, retenu par des commandants en bas de la maison, parvient enfin à sa voiture. Nous montons dans une jeep russe avec des moudjahidin portant tous des talkies-walkies. On se serre, on s'écrase, je filme comme je peux par le pare-brise crasseux. C'est parti… vers la ligne de front. Le bruit du moteur est doux, le balancement du véhicule bien amorti est lent, et il n'y a bientôt plus personne sur les bords de la route. On avance à travers une partie de la petite bourgade où les habitants préfèrent ne pas revenir s'installer. De temps en temps, un obus tombe. Un tank tire dans un vacarme effroyable. Puis le silence revient. La campagne est si calme, autour, lorsque la guerre se tait.

Nous avons stoppé face à une enfilade de ruelles étroites. Merab, qui avait pris place à l'avant, se partageant le siège près du chauffeur avec deux autres combattants armés, nous explique la situation.

– Le chef va visiter le front, on peut le suivre si vous voulez, c'est à deux, trois kilomètres. Mais ici, des obus de l'artillerie taleb tombent, alors il faut faire vite, à pied, à travers ces ruelles.

---

1. Petite ville située à la frontière du Pakistan, entre Quetta et Kandahar, où pour la première fois, en 1994, sont apparus les taliban.

Nous descendons et commençons cette course. Je filme en courant au moment où un obus explose, non loin de là. Les hommes se pressent et personne ne parle.

– Où sommes-nous ici ?

C'est ce que je demande à Merab tout en filmant alors que nous courons. Il explique, pour la caméra. Le danger maintenant bien réel ne se voit pas. Il s'entend, lorsqu'une explosion est proche. Il se sent lorsque les visages des hommes affichent cette marque de la peur, celle qui tend les traits et rend le regard fuyant. J'ai infiniment de réserve à ce propos sur les débats de ma professsion : faut-il ou ne faut-il pas montrer des images d'abomination ? J'ai tendance à penser qu'elles ne servent à rien, sinon à acculer le téléspectateur à son impuissance tout en l'accoutumant à des scènes qui finissent par se banaliser. Je filme Massoud sur un toit qui regarde le paysage en direction des lignes

taliban. Je filme le paysage. Lorsqu'il fait demi-tour, je le filme encore et lui demande d'expliquer la situation. Il est tendu.

– D'ici jusqu'à là-bas, fait-il en donnant une direction avec le bras, ce sont les moudjahidin. Au-delà, dans les hauteurs, les positions ennemies.

Il s'en va. Nous descendons dans son sillage. Une fois dans la rue, Merab nous déconseille de le suivre.

– Restez cachés ici. Là-bas, sur la ligne de front, vous ne pourrez pas filmer. Si les taliban nous voient, ils se mettront à tirer.

Nous sommes à une centaine de mètres de cette fameuse ligne de front.

Massoud est nerveux, il connaît le danger d'un tel endroit. Le mieux est de l'attendre là.

Je me souviens de la folle période de 1986 lorsque, profitant de la trêve qu'avaient accepté de signer avec lui les Soviétiques, Massoud avait organisé ses groupes dans le Nord-Est. Il avait ainsi pu lancer une série d'attaques surprises sur des positions soviéto-afghanes.

Farkhar, Nahrin, Kalafghan, Borka… plus tard Kuran-é-Mudjan, puis Top Khona… Des endroits difficiles, souvent perchés sur des hauteurs, surplombant des étendues plates où les groupes se trouvaient exposés longtemps avant d'être sur l'objectif. Ces batailles, Massoud les avait préparées comme le font les officiers de métier, autour de « caisses de sable », des maquettes à l'échelle reconstituant les objectifs grâce aux renseignements glanés avec méthode. Lui qui n'avait jamais fait d'école de guerre avait dû tout apprendre sur le terrain… Ces postes pourtant bien défendus et très armés étaient tombés les uns après les autres. Autant de points d'intersection et de vallées libérés, autant de facilité retrouvée pour le ravitaillement. Je me souviens de Pana, un de ses plus fidèles commandants. Pana qui menait les hommes à l'assaut en criant dans son talkie-walkie, protégeant les imprudents, donnant les bons conseils pour économiser les forces, les munitions, les pertes. Pana que j'avais filmé en 1989, si timide devant la caméra, qui n'avait pas voulu se faire filmer seul, mais avec ses hommes. Pana, le joueur d'échecs souriant, l'homme tranquille qui avait hâte que la guerre prenne fin, assassiné en 1995 par les taliban, dans une embuscade qui l'avait surpris sans arme. Combien de compagnons précieux Massoud a-t-il perdus ? À combien de morts allait-il encore résister ?

Il se passe bien une heure avant de le voir revenir. Une vingtaine d'hommes le suivent. Nous leur emboîtons le pas jusqu'à l'endroit où les véhicules attendent. La peur s'en est allée. Plus on mettra de distance entre nous et le front, plus les risques s'atténueront.

— Aujourd'hui c'est relativement calme, une chance, dit Merab qui reprend sa place, écrasé entre deux combattants, toujours à l'avant du véhicule.

On se retrouve avec Massoud et son « état-major » dans une maison, à trois ou quatre kilomètres du front. Là, dans une petite pièce traversée par le vent, on nous apporte un repas. Une toile cirée est étendue sur le tapis. Un homme passe de l'un à l'autre, un récipient en fer-blanc et un broc d'eau pour se laver les mains. Puis les plats arrivent : viande de mouton dans sa sauce, riz, pain, thé, et même de l'eau de la rivière voisine. Je demande à Massoud de faire le point sur la situation. Bien qu'il soit occupé par ses pensées, il répond, par politesse, mais avec ce ton monocorde que je ne pourrai utiliser dans le film :

– Comme vous avez pu le constater, la topographie est telle qu'au milieu se trouve une grande plaine verte entourée de collines. L'ennemi se trouve sur ces deux flancs, à la fois sur les hauteurs, mais aussi dans la plaine où il a placé quelques positions pour en interdire l'accès. Il s'agit de la région de Gulbahar, Jabul Seraj et Said Khel. En face, au fond de la plaine, en direction de l'aéroport de Bagram et de la ville de Charikar, l'ennemi a une ligne de front relativement faible. Mais la population de la plaine n'est pas avec les taliban, aussi ne peuvent-ils compter que sur leurs propres forces. *Inch Allah !* À mon avis, cette partie peut être prise rapidement, sans trop de difficultés. L'ennemi restera uniquement concentré sur Charikar, Ferqae Dou, Bagram et sur les hauteurs. Comme je viens d'observer le terrain, je pense qu'une opération est possible malgré cette force concentrée sur ces points dominants. Mais les renseignements que nous avons sur leur moral me fait dire qu'une fois la ligne brisée, l'ennemi ne disposera d'aucune réserve, même de Kaboul.

– N'êtes-vous pas fatigué de cette guerre qui n'en finit pas ?

– La guerre ne plaît à personne, dit-il, un peu exaspéré par la question. C'est notre devoir. Nous devons défendre notre patrie et notre peuple. Quand le pays est attaqué, quand notre peuple est victime d'une agression, nous n'avons d'autre solution que de nous battre pour nous défendre.

Le déjeuner va refroidir. Chacun se penche vers la nourriture. Les moudjahidin mangent avec les doigts de la main droite. Massoud réclame qu'on nous trouve des fourchettes. Un homme nous en apporte.

Dehors, parfois, une explosion couvre le bruit du vent qui met en désordre le feuillage des arbres plantés autour de la maison. À chaque éclatement d'obus, je regarde les hommes qui nous entourent, aucun ne sourcille. Ce sont des combattants. Des guerriers. La guerre les a habitués à ne plus penser, sans doute, au moment où l'obus sera sur eux.

Une fois le repas achevé, deux hommes roulent la nappe de plastique. On la remplace par une carte d'état-major soviétique. Massoud et trois commandants se penchent pour étudier la situation. Je filme. De dessus, d'un côté, sans les gêner, sans qu'ils s'en inquiètent. Ce n'est pas avec le SIRPA [2] qu'on pourrait filmer ainsi des officiers préparant une attaque. Durant la guerre du Golfe, les journalistes étaient soigneusement, scientifiquement tenus à l'écart de la réalité militaire. Avec Massoud, il n'en est rien. Il a confiance. Il ne se soucie pas de l'importance ou non des médias, ce n'est pas de son monde.

— Là, c'est la route par laquelle nous venons de passer, dit le commandant en pointant l'endroit sur la carte. Et voilà l'endroit par où nous avons amené les tanks. De là, on peut aller partout. Là aussi il y a une route.

— Laquelle ?

— Tague-Lar, à côté du canal, et ça mène à la station-service de Pole-Matak jusqu'à la jonction de la rivière Salang.

— Où se trouve notre tank actuellement ?

— Là. Il ne peut pas passer de l'autre côté. Mais on peut aussi faire passer un ZU 23 de ce côté-là.

— De là, dit Massoud, se redressant, pendant que je ne cesse de le filmer, il faudra un feu très puissant. Puis, sur les collines, du côté de Salang, au niveau des crêtes, je pense que vous devrez placer deux ou trois canons de 82 millimètres.

Un commandant prend la parole :

— De la manière dont vous expliquez les choses, l'ennemi peut être anéanti très rapidement à condition qu'il ne résiste pas sur les collines.

— Sur quelles collines ?

L'homme répond en citant des lieux que je ne connais pas.

— Si les positions du bas ne sautent pas, l'ennemi résistera sur les hauteurs.

— Non, moi je dis autre chose : une fois que les canons de 82 tirent vers les hauteurs, du côté de Qalae Sahra, Ferqae Dou tombe rapidement. Au même moment, il faut mettre un maximum de pres-

---

2. En juillet 1997, c'était encore le Service de relations publiques de l'armée française.

sion sur les autres flancs de Matak et Djengal Bagh. Avec nos tanks d'un côté et les BM 12 [3] de l'autre, on vise au milieu, et les gars montent à l'assaut sur la route à Totom Dara Payan et à Totom Darae Bala. Les habitants combattants regagnent alors leurs villages qu'ils connaissent comme leurs poches. En même temps, à partir du Salang, on tire sur les collines…

Massoud est précis. Les hommes écoutent avec attention et acquiescent de la tête. Je filme, mais les lieux qu'il cite sont nombreux et quiconque ne possède pas sa carte d'état-major serait bien en mal de comprendre exactement la tactique mise au point. C'est le problème du journalisme audiovisuel : on ne peut pas tout dire, on ne peut pas tout montrer, comme on ne peut pas tout expliquer dans un film.

L'intérêt de filmer une telle scène est de montrer comment une opération militaire se prépare. Un homme de guerre en action. Sans commentaire, sinon que je préférerais filmer le Massoud homme de paix. Si tant est qu'il y parvienne…

– À Ghorband, poursuit-il, on commence l'opération le même jour au niveau d'Achawa et on coupe la route. On peut commencer de nuit en tirant sur le tank qui nous pose un problème. Il faut mener l'attaque afin de couper au niveau de Rabat et permettre à nos gars du coin d'entrer dans la ville en nombre suffisamment important pour s'y imposer. L'attaque doit être lancée simultanément aux niveaux A, B, C et D. Le maximum que l'ennemi pourra faire sera de résister jusqu'à midi. En fait, le temps qu'il faudra à nos renforts pour arriver, les contourner et en finir…

Vite, je change la batterie du Caméscope. Quelques commentaires sont encore apportés à cette proposition de tactique. Je profite d'un silence pour demander à Massoud d'expliquer comment sont organisés ses groupes.

– À l'intérieur de nos bases comme dans le Panjshir, nous avons des grades. Dans la

_____

3. Canons d'origine soviétique constitués d'un ensemble de tubes, appelés aussi « orgues de Staline ».

région où les moudjahidin viennent de descendre, il n'y a que trois grades. C'est bien ça, les amis ? (Il sourit.) Moudjahid, chef de groupe et commandant. Dès que la ligne de front sera repoussée, on remettra de l'ordre dans tout ça. Allez, conclut-il en se levant, que Dieu nous protège !

Il doit se rendre à nouveau sur la ligne de front, à un autre point, afin de peaufiner son plan. Nous voilà repartis vers la zone exposée, vers laquelle une autre jeep nous emmène.

Massoud monte sur le rempart d'une fortification en pisé accompagné du commandant Bismellah Khan. Je les filme au haut d'un rempart. Le Caméscope bouge dans le vent, Massoud montre un point du doigt, discute avec les mains car le vent emporte ses paroles. Quelques instants d'observation. Il regagne son véhicule et s'en va pour une autre réunion avec des chefs de groupe.

— Merab, on pourrait aller interroger des commerçants à Gulbahar.

La lumière du soir rend les couleurs des images plus belles qu'elles ne le sont en réalité. Le rouge entre dans la palette, les peaux deviennent plus mates, les tons plus denses. Notre jeep nous remonte vers le bazar de Gulbahar. Autour des rares boutiques qui sont restées ouvertes, des habitants se pressent, étonnés de voir des Occidentaux, étonnés mais plutôt heureux. Les témoignages fusent. Je les enregistre, leur haine née de cette occupation par les taliban !

— Quand les taliban m'ont emmené, raconte un vieil homme, ils m'ont demandé des armes. Ils tabassaient les gens à coups de câbles métalliques. Ils me disaient : « Tu donnes ton arme ou on te tue ! » Alors j'ai apporté mon fusil, mais la nuit qui a suivi, avec toute ma famille on s'est sauvé à Kaboul. Dès que j'ai su que les taliban ont été chassés de Gulbahar, il y a une quinzaine de jours, je suis revenu.

Un autre commerçant, portant le turban, s'approche de la caméra et s'adresse à elle comme à une personne.

— Quand ils sont arrivés pour occuper Gulbahar, nous, nous étions déjà partis. Ils ont tout volé : ma lampe à pétrole, la vaisselle, mes vêtements, mon magnétophone…

— Qu'en ont-ils fait ?

— Ils les ont emmenés pour les vendre, à Kaboul. Où voulez-vous qu'ils les emmènent ? Le poste de télé, la machine à coudre, la théière Nickel, tout cela, il ne reste rien.

– On dit que les taliban apportent la paix, la sécurité.

– Qui amène la paix ? crie-t-il soudain, très en colère. La sécurité de quoi ? Si tu possèdes une arme, donne-la-moi ! Ils finiront par en fabriquer en se servant de nos propres os...

Un vieil homme qui demande la parole depuis un

moment place son visage devant l'objectif de la caméra et, d'une voix tranquille, énumère des noms.

– Abdul Manan a trouvé la mort sous leurs coups de bâton. Faiz de Chechma est mort aussi. L'oncle de Farid Khan a été roué de coups de bâton à la mosquée. On l'a trouvé mort deux jours plus tard. Qu'est-ce que vous voulez d'autre ? Ils ne se posaient même pas la question de savoir si on était vieux ou jeune...

Le soleil descend derrière la montagne. D'autres témoins se pressent autour de nous pour raconter d'autres horreurs. Je n'ai plus de batterie et plus tellement envie d'enregistrer ces accusations comme un chapelet débité dans la haine et la rancune. Je ne connais aucun de ces taliban qui ont occupé cette extrémité de la plaine de Chamali, mais, à Paris, j'ai rencontré des Afghans qui se sentent proches de ces Pachtous en lutte pour reprendre le contrôle de cet Afghanistan que leur ethnie a si longtemps dominé. Il m'est arrivé de les comprendre. Croire, un instant, que les taliban pouvaient désarmer les fous de guerre, apporter la paix, quelle erreur ! Je sais que plusieurs diplomates occidentaux poussent plus loin et plus longtemps leur croyance en cette force taleb. Mais les règles édictées par leurs responsables sont d'ores et déjà devenues irrecevables, me semble-t-il.

De cette journée, nous sommes comme enivrés. La jeep nous remonte jusqu'aux gorges où les ouvriers travaillent encore à élargir la route. On perçoit la tension née de l'urgence, sachant maintenant qu'une véritable offensive se prépare. On pense aux journalistes russes qui doivent être dans leur salle de montage en train de découper l'interview de Massoud. On pense aux Français en congé annuel, aux plages de Bretagne et de Méditerranée où se bronzent ceux qui savourent cette existence entre parenthèses qu'on appelle « vacances ». On est content de laisser dans notre dos cette zone dangereuse où la vie tient à une trajectoire d'objet métallique. Mais on est conscient qu'il va falloir y revenir un jour, bientôt, et que cette fois ça ne sera pas aussi calme.

Un étrange compte à rebours a donc commencé.

XII

L'annonce faite à ses hommes

Le lendemain, nous ne sommes pas les seuls devant le bureau de Massoud. Naïm nous a prévenus : Massoud a demandé à ce que tous les commandants viennent pour une importante communication. Il fait chaud. L'animation est celle des grands jours. Il y a même un embouteillage sur la petite route qui monte le long du torrent. Personne ne sait vraiment s'il faut entrer prendre place dans le bureau ou attendre l'arrivée de Massoud.

La réunion est prévue à 9 heures. Pour la circonstance, le secrétaire de Massoud a fait ouvrir le rideau et les portes qui séparent habituellement le bureau de la partie secrétariat-antichambre. Devant le bâtiment, les hommes affluent, la plupart portent des armes. Chaque commandant vient avec une escorte, surtout ceux qui sont implantés dans des zones peu sûres, où les traîtres peuvent frapper. L'Afghanistan d'aujourd'hui est pourri. Ils le savent. Tout le monde le sait. Les commentaires vont bon train entre ces hommes qui attendent. On sent une excitation contenue. Il y a de la tension dans l'air, mais chacun s'applique à ne pas trop montrer qu'il y est sensible. Ces combattants sont les derniers à soutenir Massoud. Ils ont placé leur confiance en cet homme, leur chef bien-aimé, celui qu'ils croient capable de leur créer un avenir différent de celui que leur préparent les taliban marionnettes des Pakistanais, trop excessifs dans leurs manières d'appliquer la loi coranique.

Mohamed Is'Haq est là, lui aussi, occupé à récolter des informations pour le journal de la part des uns et des autres. Pour lui les taliban peuvent être un bien pour l'Afghanistan : ils montrent à tous ce qu'il ne faut pas faire, c'est comme un vaccin contre les folies de l'intégrisme, de l'extrémisme, de l'intolérance érigé comme un système. Au nom d'Allah on ne peut empêcher l'homme et la femme d'être libres, Allah n'est pas un dictateur, et Mahomet, son prophète, n'a jamais voulu que l'homme devienne un esclave, bien au contraire. Comment les taliban se sont-ils à ce point fourvoyés ? Par absence de projet politique, selon Is'Haq. La plupart n'ont aucune éducation, viennent de la campagne où l'on croit encore que la terre est plate. Comment administrer un pays ? Déjà les moudjahidin n'ont fait que des erreurs. Mais eux, sans doute, cette fois, ont appris. L'avenir le dira peut-être. Peut-être pas.

Pour le moment tout reste si fragile, suspendu à Massoud dont le véhicule vient de se frayer un passage jusque devant le bureau. Il sort, aussitôt assailli par des hommes venus dans l'espoir d'obtenir son soutien, des paysans qui ont parfois marché des jours pour demander une entrevue ou la signature de papiers. Le docteur Abdullah les repousse gentiment. Ce n'est pas le moment. Il est 10 heures, la réunion va commencer. Une heure de retard. Presque une politesse !

Dans le petit bureau, les commandants se serrent tant bien que mal. En Afghanistan, on a un certain entraînement. Avec Bertrand, en 1987, nous avions voyagé à plus de quarante dans la benne d'un petit camion. Jamais je ne me suis senti si près d'être écrasé. Les Afghans, eux, en rigolaient, comme toujours. Là, aujourd'hui, c'est presque aussi encombré, mais personne ne rit. Tous ont l'air grave des moments importants. Massoud, lui, est assis devant son petit bureau de bois verni sur lequel ne traîne aucun papier, juste son crayon qu'il a posé à la verticale, devant lui. Quelqu'un ferme la porte. Le silence s'installe lorsque les derniers entrés réussissent à se caser dans la foule. Tout commence par une prière. Je filme. Bertrand tient la perche à deux mains. Dans sa bonnette antivent, le micro ressemble à un gros haricot. Je l'ai équipé ainsi car le vent, parfois, entre par la fenêtre qui n'a pas de vitre, juste un rideau léger qui, souvent, s'écarte, se gonfle, revient devant l'encadrement. Personne ne prête attention au micro, ni à la caméra. Les hommes prient, yeux fermés, pendant que le mollah assis sur un canapé chante une sourate du Coran que Merab ne me traduit pas car il a peur de faire des erreurs. Sans doute aussi par crainte de troubler le recueillement de ses compatriotes. Brève prière, car le temps est compté.

Après avoir remercié tout le monde d'être là, Massoud fait l'appel. Lorsque, à un nom appelé, personne ne répond, il s'informe de la raison de l'absence et passe au suivant. Rares sont les absents, l'heure est si importante ! C'est la première fois depuis le départ de Kaboul qu'une nouvelle donne se présente : les taliban ont été vaincus à Mazar, leur plan de conquête en a été considérablement ralenti, leur crédit militaire plutôt endommagé. C'est la première fois que ces hommes vont reprendre courage, vont oser croire que l'espoir n'est plus un acte de folie ou d'inconscience. Ainsi, devant ma caméra,  Massoud, qu'on disait fini, encerclé, sans crédit, sans armée, se met à parler à ses fidèles combattants d'une conquête possible.

– Avant que l'ennemi se réorganise, dit-il d'une voix posée, avant qu'il ne rassemble ses troupes pour nous attaquer à nouveau, avec l'aide de Dieu, nous devons frapper un grand coup. Il nous faut être capables de l'anéantir et permettre ainsi à nos forces de retourner à Kaboul. L'important, c'est surtout de faire comprendre aux taliban que la solution militaire ne résoudra en aucune manière le problème de l'Afghanistan. Ils doivent en être autant convaincus que nous le sommes aujourd'hui afin d'accepter de négocier la fin de la guerre. Le Pakistan et les autres pays qui soutiennent les taliban doivent eux aussi comprendre et admettre que la guerre ne sera jamais plus la solution. Ainsi pourrons-nous stopper l'effusion de sang en Afghanistan.

Attentifs, les hommes acquiescent. Lorsque Massoud ponctue ses fins de phrase par des respirations, on entend le torrent.

– Actuellement, la situation nous est favorable. Peut-être pour un très court moment. À Mazar, l'ennemi a encaissé un sérieux revers. Il n'a pas pour autant cessé de croire en sa victoire militaire. Les Pakistanais vaincus et l'ISI[1] pensent encore qu'avec une autre

---

1. Les services secrets de l'armée pakistanaise très impliqués dans le soutien et l'encadrement des taliban.

opération ils viendront à bout de notre résistance. Ils croient qu'à partir de leur implantation dans la ville de Kunduz ils vont réussir à progresser en attaquant et en achetant des commandants dans le Nord-Est. Ils croient toujours cela dans l'ordre du possible ! Leur intention principale est de briser la ligne que nous maintenons et, ainsi, de venir nous encercler. Voilà leur plan. Concernant le Nord, je suis certain que si l'ennemi ne traverse pas nos lignes, il ne pourra jamais s'étendre dans cette région. Il ne peut pas se battre en permanence. Il va finir par manquer de force et de moral. À Kunduz, ils n'ont qu'un aéroport par où leur parvient le ravitaillement. Un jour ou l'autre, nous finirons par en bloquer l'accès. Ensuite, les gens vont s'organiser pour lutter contre eux. Leur popularité est en train de baisser. Ce qu'ils font là où ils s'implantent finit par se savoir. Il faudra du temps. Le temps va jouer pour nous. Il faut réorganiser, approvisionner, régler les querelles entre les commandants, rassembler les chouras des ulémas, les chouras des barbes blanches, reprendre l'administration des districts, des départements. Nous devons bâtir pour tenir. Tout en accentuant la pression autour de Kunduz, nous devons renforcer nos bases. Si on se contente de lancer des opérations et qu'on abandonne l'organisation, à long terme on ne pourra pas tenir. À l'inverse, s'occuper de l'organisation sans lancer d'opérations serait une erreur : l'ennemi en profiterait pour se renforcer. Aussi, je demande, à tous, d'aider à ce que les deux actions puissent être menées parallèlement. Nous avons deux objectifs essentiels : le premier, n'en déplaise à Dieu, consiste à tout faire pour que l'ennemi ne traverse pas notre ligne de front ; le second, qu'on profite de sa faiblesse provisoire pour repousser la ligne de front. Notre intention est de nous trouver à Kaboul, ou du moins à ses portes.

Le silence qui suit cette déclaration d'intention rend l'atmosphère lourde.

– L'infiltration sur la plaine de Chamali a été bien menée. J'ai espoir qu'on en tire un profit maximal. Mais ne comptons pas trop sur ça, comptons d'abord sur nos propres forces et tentons de faire au mieux. Il y a quelques points très positifs. *Primo :* l'état d'esprit de la population qui se trouve à présent totalement mobilisée ! Des centaines d'hommes et de femmes de tous âges sont prêts à se battre. Croyez-moi, il n'y en avait pas autant pour lutter contre les

Soviétiques. Aujourd'hui, personne ne vient dire qu'il a peur de voir sa maison détruite, ses champs saccagés ou brûlés. Tous viennent demander à quel moment il faut attaquer. Cela prouve qu'ils sont prêts. *Secundo :* les gars de Parwan-Kapissa ne vont pas agir comme ça s'est passé la dernière fois. Ils en veulent tellement aux taliban qu'ils vont se battre pour leur propre compte. *Tertio :* l'ennemi agit maintenant comme les Russes. Il n'a aucun contact avec la population locale. Il n'a fait qu'installer des postes les uns à la suite des autres le long de la route, par crainte d'être pris à revers. C'est exactement ce que faisaient les Russes ! Mais comme cela a été constaté auparavant, et vous le savez, il ne suffit pas d'attaquer par l'arrière. Pour être efficaces, nous devons nous préparer à lancer des assauts de face. La première fois, c'est ce qui s'est passé. Je veux parler de cette fois où les taliban sont arrivés jusqu'à Gulbahar et que vous tous, avec Ghaffour Khan, les avez attaqués de face. Après l'assaut, l'opération de nettoyage sera confiée aux gens du coin. Comme ils connaissent bien leurs villages, c'est à eux de s'en charger. Nous, nous avons décidé de préparer 4 000 hommes : 2 000 pour la première phase et 2 000 pour la seconde.

Massoud laisse passer un temps, regarde si tout le monde le suit.

– Si je vous ai demandé de faire l'effort de venir ici aujourd'hui, c'est pour que les 2 000 combattants désignés pour partir les premiers soient parfaitement bien organisés et équipés, et cela dans les plus brefs délais afin que l'attaque puisse être lancée dans deux ou trois jours. Il ne faut pas qu'au dernier moment quelqu'un vienne me dire qu'il manque un homme du génie ou me raconter que pour un tank il n'y a pas de tankiste, ou qu'il n'y a personne pour le mortier ou que l'infirmier d'un groupe n'est pas présent. Tout doit être préparé dès aujourd'hui. Il faut me donner les noms des responsables pour 2 000 hommes, pour 1 000, pour 300, pour 100. Si je vous ai rassemblés, c'est justement afin que soient désignés ces responsables. Est-ce clair ?

Des murmures. Chacun regarde son voisin et opine de la tête. Je continue à filmer. C'est un moment historique ! Même si la presse internationale s'en désintéresse, c'est un moment qui donne de l'ampleur aux événements. La grande décision d'aller sur Kaboul vient donc d'être prise. Je sais que ces images auront, pour l'Afghanistan, plus tard, si les taliban perdent, une véritable valeur historique. D'autant plus importante que les Afghans ont la mémoire mythomane, ou plutôt une mémoire toujours prompte à embellir les choses. C'est d'ailleurs ce qui les a tant discrédités aux yeux des journalistes professionnels occidentaux. Au début de la guerre contre les Russes, lorsqu'une embuscade était montée contre un convoi soviétique et que deux chars étaient mis hors d'état par les moudjahidin, le fait, au fil des récits colportés par les messagers, se transformait tant et si bien qu'arrivée à Peshawar, la bataille avait pris une ampleur incroyable. Ce n'était pas deux tanks qui avaient sauté mais trente ! Ce qui n'avait été qu'une simple embuscade était devenue une bataille ! On était entré dans l'épopée qui faisait vibrer les auditeurs afghans et se marrer les observateurs occidentaux. C'est ainsi dans ce pays, où les conteurs sont plus nombreux que les comptables. Où le rêve est devenu plus beau que le réel.

Parce qu'un brouhaha a envahi la pièce surchauffée, Massoud demande le silence, sans élever la voix, comme à son habitude. Je ne l'ai jamais entendu hausser le ton pour se faire entendre. Il n'en a pas fini. Le débit de sa voix a changé. Il va vite. Avec son crayon, il rythme ses phrases qui annoncent les premières mesures de préparation.

– On commence par le haut de la vallée : le commandant de Paryan[2] est-il arrivé ?

Un homme se lève, intimidé. Grand gaillard qui ne sait pas comment se tenir, qui se tord les mains et parle trop bas.

– Dans la réunion que vous avez eue avec les barbes blanches et les moudjahidin, avez-vous enfin pris ou non la décision de vous battre ?

– Ils sont prêts, répond l'homme, mal assuré.

– Peut-être pas, souffle Massoud, ironique et tout en sourire.

Les autres rigolent. L'atmosphère se détend.

---

2. Vallée du haut Panjshir, cet écrin de beauté par où nous étions venus en 1981.

– Si, affirme le commandant de Paryan, piqué au vif. Si, ils sont prêts !

Massoud sourit encore :

– S'ils sont aussi motivés que toi, ils n'iront pas loin !

L'homme fait mine de se fâcher. Massoud reprend :

– De combien de PK[3] et de RPG[4] disposez-vous ?

– Avec mes excuses : mes groupes, à deux ou trois exceptions, ne possèdent aucun PK.

J'arrête de filmer. La bande vidéo vient de se terminer et Bertrand commence à sentir des crampes dans les bras à tenir la perche. Pendant que je charge une nouvelle bande, chacun à leur tour, les hommes exposent leurs problèmes. C'est long, mais passionnant. On comprend à quel point l'organisation ici est un tour de force. Massoud, une fois encore, doit tout prendre en charge lui-même. En fait, une grande partie de ceux qui l'entourent, ou l'ont entouré, ont dû mal appliquer ce qu'il proposait, ou l'ont induit en erreur. À Kaboul, par exemple, il était suicidaire d'exclure à ce point les commandants de l'ethnie pachtoune qui, eux aussi, avaient payé cher l'effort de résistance aux Soviétiques. Eux aussi avaient eu leurs héros et leurs victimes. Les Panjshiris l'avaient trop vite oublié. Les Panjshiris n'avaient pas été les seuls à se battre. Leur vallée n'était pas la seule à avoir été détruite. Un million cinq cent mille Afghans étaient morts en dix années de présence soviétique.  Ils auraient dû partager le pouvoir et la victoire… Vœu pieux d'un Occidental qui ferait sans doute mieux de s'occuper de ses affaires !

– Écoutez tous ! lance Massoud. Pour chaque groupe de cent hommes il faut trois PK, six RPG, un canon de 82 mm, un ou deux infirmiers, deux hommes du génie, un ou deux responsables de

---

3. Mitrailleuse à bande.
4. Lance-roquettes fabriqué par les Russes, mais aussi par les Chinois.

l'approvisionnement et deux logisticiens. Dans la mesure du possible, il faut prévoir un ou deux Dragnov [5]. Est-ce clair ? Le mortier, c'est lourd, il ne sera pas utile. Voilà ce que vous devez préparer.

Massoud est le maître d'école, les hommes sont les élèves. D'ailleurs, lorsqu'un de ces combattants veut faire une remarque, il lève le doigt et attend que le maître lui donne la parole. Il se met alors debout, parfois à moitié debout par crainte d'en faire trop. C'est touchant de voir ces redoutables soldats se comporter comme des enfants, timides, si respectueux. Comme si Massoud, fragile, devait être écouté avec soin. Ne jamais le heurter avec une trop lourde charge de problèmes, sinon en douceur, tout en lenteur. C'est aussi pour cette raison que les choses arrivent si filtrées jusqu'à lui. Son entourage, croyant le protéger en lui cachant parfois la vérité, a contribué souvent à l'affaiblir, déformant ses jugements, faute de données rigoureuses.

Massoud poursuit. Je me suis remis à tout filmer.

– Les Qararghas ont reçu des uniformes. Je veux voir tous les gars en uniforme. Qu'on ne vienne pas avec des vêtements traditionnels. Au moindre coup d'œil, chacun doit pouvoir reconnaître celui de son camp.

Le bureau où maintenant on étouffe fait penser à une classe d'école une fois la leçon terminée : pendant que les élèves rangent leurs affaires, le prof achève son cours. Une fois encore, Massoud les amène à écouter, à repousser à plus tard leurs commentaires.

– Autre chose : je pense que chaque moudjahed possède un sac à dos à la maison. Je n'en connais pas qui n'en ait pas. Toi, tu en as, ou pas ?

L'homme désigné du menton opine de la tête. Il en a !

– Et un sac de couchage, en as-tu ?

– Non, j'ai une couverture.

– Bon je vais te faire cadeau d'un sac de couchage, mais emporte aussi la couverture dans ton sac à dos. Dites à tous vos hommes de venir en uniforme, avec un sac à dos et une couverture. Je donnerai des rangers à ceux qui n'en ont pas. Écoutez, il existe un proverbe : « Avec du chagrin dans le cœur, même une borne fait pleurer. » Je veux des chefs de groupe motivés, qu'ils demandent aux hommes de se soutenir les uns les autres, de se prêter leurs affaires. Vous

---

5. Fusil russe à lunette, utilisé par les tireurs d'élite.

savez bien que tout est difficile actuellement, nous devons tous être conscients que les efforts de chacun donneront de la force à tous.

La réunion s'éternise. Massoud passe aux nominations des chefs de groupe et aux promotions. De nouveaux commandants naissent devant nous. C'est long. J'ai cessé de filmer. Bertrand s'est assis. Merab est près de moi, poursuivant sa traduction simultanée tant bien que mal. Massoud finit par aborder les problèmes liés aux véhicules, annonçant à tous que la route est en train d'être refaite au niveau des gorges, celle-là même par laquelle nous nous sommes rendus avec lui sur la ligne de front, plaine de Chamali. Il parle des salaires qui vont être versés, mais précise qu'il ne peut s'engager à fournir des talkies-walkies à tous ceux qui en réclament.

La réunion s'achève comme elle a commencé, soudainement. Massoud se lève, tout le monde s'écarte pour lui permettre d'atteindre la porte, respectueusement. L'avenir, plus que jamais, repose sur lui. Est-ce pourquoi il ne peut jamais quitter le pays ? Tous, à sa suite, quittent les lieux. Dehors, les jeeps et les véhicules tout-terrain font des demi-tours précipités. On sent que la nouvelle ne va pas être longue à se propager. Ne restent dans le bureau que deux Français un peu sonnés d'avoir été témoins d'une telle ambiance et un Merabudine plutôt heureux et impatient de voir prendre corps cette nouvelle. Ne place-t-elle pas à nouveau l'espoir au présent après que tout a semblé définitivement fichu ? Afghanistan, pays des surprises, des revirements inattendus…

Je profite du calme pour filmer le bureau vide. La table de Massoud, son fauteuil, le rideau qui bouge dans le vent. Par la fenêtre sans vitre, je filme le torrent qui coule dans des fracas d'écume au-delà de la route, les véhicules qui disparaissent au loin dans la poussière, s'en allant éparpiller les hommes dans leurs garnisons où tout, soudain, va se mettre à s'agiter. Mais tout est si fragile, chacun en semble conscient, et rien n'est encore gagné ! Loin de là. Même avec l'aide de Dieu. Ce Dieu tant invoqué par les uns et par les autres.

XIII

La guerre n'est pas l'Afghanistan

L'Afghanistan habitue à l'attente. Ce pays, c'est mon exercice de patience. Chez nous, vite ne suffit plus, on veut toujours aller plus vite. Parfois trop vite. Les Occidentaux que nous sommes, parfois, en perdent la sagesse. De plus en plus, à force d'observer les hommes, je me demande si la rapidité n'est pas incompatible avec la maturité qu'il faut pour appréhender l'usage de nos machines à gagner du temps. Le téléphone-satellite permet aujourd'hui d'abolir les distances et le temps. Les leaders afghans en sont équipés. En quelques années, ils sont passés du messager à pied ou à cheval, à l'antenne parabolique miniature dont on règle l'azimut à l'aide d'une simple boussole, la tournant vers un objet volant dont ils n'ont pas vraiment idée. Je me souviens de la colère d'un mollah, en 1987, un soir, dans une garnison de moudjahidin, lorsque nous dissertions sur la rondeur de la terre et le décalage horaire. Il ne voulait pas nous croire. Merabudine avait même failli se faire égorger lorsqu'il entreprit de raconter que les Américains avaient envoyé des hommes marcher sur la Lune. Inconcevable folie ! Une manifestation d'arrogance de la part d'étrangers…

– Pourquoi alors, s'était emporté notre incrédule, pourquoi, puisqu'ils ont été, comme tu le prétends, sur la Lune, pourquoi n'ont-ils pas attaché l'astre à une corde ?

Il ne nous avait pas laissé le temps de nous interroger sur une telle question.

– Pourquoi ne l'ont-ils pas ramenée près de la Terre. Ainsi on y aurait fait pousser du blé, et le prix du blé en Afghanistan serait devenu plus bas qu'il ne l'est aujourd'hui avec toute cette guerre !

Raisonnement logique ! Mollah et paysan, il connaissait l'influence de la lumière lunaire sur les cultures. On aurait pu débattre de l'idée, mais il s'était énervé tout seul et avait quitté la pièce en pestant dans sa longue barbe blanche.

Retour au présent de ce mois de juillet 1997 où le rythme de vie de la vallée du Panjshir change. Massoud, quant à lui, passe son temps au téléphone-satellite et devant sa radio. Les conversations sont souvent longues et animées pour convaincre, pour ordonner, pour coordonner, mais demeurent difficiles à suivre, donc peu intéressantes à filmer puisqu'il faudrait mieux connaître ses nombreux interlocuteurs. Merab s'efforce d'en savoir plus sur la date de l'offensive, mais le docteur Abdullah est parti en Ouzbékistan et au Tadjikistan chercher de l'aide et régler le difficile problème de l'approvisionnement en munitions. C'est Gada – un général que je connais depuis longtemps mais qui ne parle pas, ou si peu, et dont je ne sais rien sinon ce que m'en a dit Merab –, qui finit par nous expliquer qu'il ne se passera rien avant cinq ou six jours, car les munitions n'arriveront pas plus tôt. Gada est le général de toutes les garnisons du Panjshir ; sur la foi de son information nous décidons de nous offrir un luxe dont nous rêvions : prendre nos sacs à dos et nos sacs de couchage, de meilleure qualité que ceux des moudjahidin de Massoud, monter saluer un ami qui habite plus haut dans cette petite vallée de Parende. Nous sommes en manque de marche, en manque de montagnes. Le voyage en avion, puis en hélicoptère, la visite du front en 4x4, tout ce modernisme nous frustre de l'imprégnation du paysage, des efforts qu'il fallait dépenser et de cette impression de relever un défi, petit homme devant l'immensité. Et puis, ce moment, nous nous l'offrons comme une parenthèse avant d'avoir peur à nouveau, avant les risques qui se profilent à l'horizon. Si l'offensive a lieu !

— *Inch Allah !* soupire Merab. Vous voulez vraiment monter vers le col ?

— Par où est passée l'armée d'Alexandre le Grand, précise Bertrand qui n'est pas historien pour rien.

Et comment ! Nous voulons même l'atteindre et regarder de l'autre côté, sur Andarab.

Merab, qui a pris goût au confort comme en témoigne son bel embonpoint, se résout à notre escapade. Depuis longtemps il sait que nous sommes des dingues.

L'ami à qui nous tenons tant à rendre visite habite une maison située à mi-chemin de la route menant au col de Parende. C'est Abdullah Jan, un homme de confiance dont nous avons pu apprécier la valeur pour l'avoir eu comme guide en 1987. Merabudine n'avait pu être de ce voyage car il était, à l'époque, engagé dans la politique au sein du Jamiat-é-islami-é-Afghanistan. On avait besoin de lui à Paris, dans la petite représentation du parti dirigé alors par un jeune Afghan brillant Homayoun Tandar. À l'aller, comme interprète, nous  avions eu un Afghan qui vivait réfugié en France où il vivait de petit boulot en petit boulot. Un certain Daoud Mir. Il avait découvert Massoud en regardant *Une vallée contre un empire*. Il était alors étudiant à Dijon, l'homme du Panjshir l'avait passionné ! Il ne rêva plus que de le servir. En août 1987, après un voyage de dix-sept jours à travers les montagnes de l'Hindu Kouch, nous avions dû monter plus au nord du Panjshir, dans la vallée de Farkhar où Massoud avait installé son quartier général. Le lieu avait été choisi à l'embranchement de deux vallées permettant, en cas d'attaque surprise, un repli rapide. Entre rochers et torrents, le bâtiment n'était autre qu'une petite maison, sous les arbres, où vivaient Massoud et ses compagnons. À l'époque, son état-major était constitué d'un entourage ardent, plus compétent qu'aujourd'hui, car plus riche en hommes éduqués que la guerre allait tuer ou dégoûter parfois jusqu'à préférer l'exil à la folie du désespoir. Il faut savoir que pour l'Afghanistan comme pour la Pologne, les communistes se sont livrés à un véritable massacre des élites considérées comme des opposants potentiels. Intellectuels, clercs, officiers, fonctionnaires soupçonnés d'islamisme ont été torturés et massacrés dans des camps d'extermination. À Pul-é-Tcharki, à Djalallabad, à Mazar-é-Sharif on a tué, assassiné, torturé. Dans les semaines qui ont suivi le coup d'État de 1978, quelque vingt-sept mille personnes ont ainsi disparu. À tous ceux qui méprisent les Afghans jugés incapables de s'entendre et de construire leur nation, je rappelle une fois encore cette donnée fondamentale : il n'y a quasiment plus d'hommes éduqués, formés, capables d'administrer un pays. Les cadres de la société afghane ayant échappé au massacre sont nombreux à avoir émigré. Certains sont devenus médecins, juristes, ingénieurs, et n'ont pas envie de revenir avec leurs familles dans un Afghanistan devenu terre de dangers, d'avenir impossible. En 1984 déjà, Massoud s'était plaint du manque de cadres intermédiaires. Le courage est une force, mais il est difficile de mener une guerre longue avec 80 pour 100 d'illettrés ! Comment construire une nation sans aide extérieure ?

En 1987, les choses étaient différentes. C'était encore la dynamique de la résistance. Et puisqu'elle était partie pour durer, les Soviétiques n'ayant pas l'habitude d'abandonner le terrain, les Afghans du Nord-Est s'étaient organisés pour ce long terme. On avait ouvert des écoles. On trouvait autour de Massoud quelques jeunes gens ayant terminé un cycle d'études supérieures à qui il confiait d'importantes responsabilités : renseignements sur la capitale, infiltration de l'armée, affaires économiques. Massoud fédérait, attirait ceux qui ne voulaient pas renoncer à l'espoir. Il était devenu légende. Tenir tête à l'armée soviétique, quel défi ! Les affiches à son effigie couvraient plus encore qu'auparavant les murs des bazars et des camps de réfugiés au Pakistan. Elles mélangeaient, je l'ai dit, d'une manière hyper-réaliste *Rambo, Bruce Lee* et *Les Douze Salopards* [1].

Depuis 1984, Massoud était entré dans ce qu'il appelait alors la « phase de la défense active », c'est-à-dire la constitution de « zones libérées » d'où il lançait des opérations, parfois de grandes envergure lorsqu'il s'agissait d'attaquer un poste de l'armée gouvernementale, des opérations soigneusement préparées, permettant d'aguerrir les hommes, de récupérer des armes, d'étendre la zone. Nous avions passé quelques jours auprès de lui, loin des spéculations occidentales sur les désirs secrets de Gorbatchev, loin

---

1. Le film préféré des moudjahidin de Massoud qui, ayant saisi une cargaison de magnétoscopes et de télévisions lors d'une embuscade tendue sur la route du Salang, se le passaient et repassaient à l'envi.

des éternelles tentatives d'unification des partis à Peshawar. Massoud avait, sans le savoir, adopté les trois points du programme de Clemenceau en 1917 : « Premièrement : je fais la guerre ; deuxièmement : je fais la guerre ; troisièmement : je fais la guerre. » En trois années, sous les yeux des Soviétiques qui n'y pouvaient rien, Massoud avait réalisé son plan d'un « Conseil du Nord », coordination militaire et politique de neuf provinces du nord-est de l'Afghanistan.

Je me souviens de ces soirées passées dans la petite pièce qui lui était réservée. La nuit, à la lumière d'une lampe à pétrole, je vois Massoud coupant lui-même un melon blanc pendant que tout le monde présent dans la pièce écoute la radio : les informations de la radio gouvernementale parlent des contre-révolutionnaires, suivent deux programmes de la BBC, l'un en langue pachtou, l'autre en persan. À cette époque, même les nuits étaient dangereuses. De temps en temps, des avions passaient entre la terre et les étoiles. Parfois des bombes explosaient. Ailleurs, toujours ailleurs…

Déjà, à cette époque, je n'arrivais jamais à faire parler Massoud, à lui faire dire ses sentiments personnels, ses états d'âme. La conversation revenait toujours sur la stratégie. Sa vie se confondait avec la guerre. La guerre. La guerre… Ce qui ne l'empêchait pas d'être curieux de l'Occident et de la France. Avec Bertrand il parlait aussi des écrits de Mao Tsé-toung que quelqu'un lui avait offerts, de Clausewitz qu'il était en train de découvrir, des écrits de Gérard Chaliand qu'il semblait apprécier beaucoup. Il me posait des questions sur l'Angola où j'avais été filmer les maquis de l'UNITA, l'organisation de Jonas Savimbi qui nous avait pris pour des naïfs, si habitué qu'il était à manipuler les gens pour leur faire croire qu'il était démocrate. Lorsque, des années plus tard, les élections libres ne l'ont pas désigné comme chef, il a pourtant choisi de reprendre les armes contre la paix plutôt que de s'incliner devant le vote d'un peuple angolais exsangue ! Démocrate de parole, c'est tout. Quelle déception ! Et Massoud de parler des missiles antichar Milan dont il aimerait bien disposer [2]. Il n'avait jamais encore quitté l'Afghanistan depuis le début de la guerre.

En 1987, Massoud était plus optimiste qu'en 1984. Il n'avait plus la naïveté de croire en une victoire militaire sur les Russes. Il avait néanmoins conscience d'une chose précieuse : le fait qu'à travers cette guerre une nation afghane pouvait naître. Un embryon de nation capable de transcender les traditionnels clivages de la société afghane, gagné au prix de très lourds sacrifices. Il nous disait sa crainte de voir un compromis politique trop rapide, qui interromprait ce lent processus de construction à travers les provinces et les divers mouvements de résistance. Un départ des Soviétiques, dans ces conditions, casserait cette tentative de fédérer l'Afghanistan... Deux années plus tard, malheureusement, les Soviétiques avaient abandonné le terrain aux communistes afghans du régime de Kaboul, laissant un nombre important de discrets conseillers envenimer les choses ! Massoud avait vu juste : la chance de fédérer un Afghanistan multiethnique avait soudain disparu. Peu d'observateurs l'ont souligné. Afghanistan si mal compris !

Abdullah Jan, lui, a traversé le temps, et nous, son verger. Nous arrivons en sueur en haut du chemin qui monte à sa maison. Il nous accueille comme si nous nous étions quittés le mois dernier. Nous avons tous dix années de plus, mais nous nous reconnaissons. C'est l'éternel et rassurant miracle de la complicité. Il a moins changé que nous. Gaillard, toujours l'œil vif, un rien moqueur. Sans plus de cérémonie il fait venir des tapis et des coussins que des jeunes gens qui l'aident à reconstruire sa maison viennent étendre sous le feuillage d'un noyer.

– Ici, l'ombre est fraîche. J'ai appelé ce bel emplacement « Paris ». Son ancien nom était *Chahi Chah* (le puits royal). S'il vous plaît, prenez place. Dans le temps, les Russes ont jeté une bombe là, dit-il en désignant un endroit, à proximité. Une autre là-bas. Les noix que vous voyez ont été déchiquetées par les éclats. Par ici, ils ont tiré des roquettes. Il y avait aussi des noix. Tout a été anéanti. Nos animaux qui se trouvaient là ont été sévèrement touchés. Les Chouravis se sont acharnés sur cette maison. Moi-

---

2. Il en recevra quelques exemplaires, mais si peu !

même j'ai été blessé juste derrière la maison, d'un éclat dans le pied. Je me suis glissé jusqu'à la rivière qui m'a protégé. Notre maison avait pris feu. Ce sont nos voisins qui ont éteint l'incendie. C'était au début de la guerre, en 1981. Quelques autres bombes sont tombées plus loin. Ils en ont probablement jeté par ici plus de deux cents. Là-bas, une bombe est restée sans exploser. On a récupéré son explosif qui pesait environ cinq cents kilos. On voit encore le corps de la bombe dans la rivière. Tout ça parce que le chef venait souvent ici, chez nous, en clandestin, et que des mouchards l'avaient dénoncé. Ils allaient faire des coups dans les environs, puis ils revenaient.

Le brave Abdullah Jan se souvient et raccourcit l'histoire :

– Il y a eu quelque trois cents ou quatre cents bombes qui ont été jetées sur cette maison et ses alentours. Après la victoire, quand nous avons réussi à faire tomber le régime de Kaboul et à prendre la ville, Massoud n'a pas eu le temps de revenir. À partir de ce moment, beaucoup de gens se sont mis à profiter, à se construire des maisons avec l'argent pris à Kaboul. Nous qui étions de vrais moudjahidin, nous avons su rester nous-mêmes et vivre normalement, comme avant. Et voilà, je suis seulement en train de la reconstruire, ma maison ! Finalement, on essaie de faire ce qu'on peut. Lui, le chef, n'a pas eu le temps de nous aider.

On ne se plaint pas, notre amitié est sincère, du fond de notre cœur. On l'a aidé à ses débuts et par la volonté du Tout-Puissant.

Le thé, les bonbons, les voisins invités, tout cela coupe court à la conversation dans laquelle Abdullah Jan n'excelle pas. Mais j'aime cet homme avec sa simplicité et son honnêteté.

Lorsque nous lui expliquons que nous avons envie de monter vers le col, qui se trouve à près de 5 000 mètres, il se tourne simplement vers un de ses voisins et lui demande de préparer son âne pour porter nos sacs. Que nous voulions marcher vers le col ne lui pose aucun problème. Il n'est pas de la race d'hommes qui s'inquiètent de savoir pourquoi. Pour nous être agréable, il prépare un petit sac avec de la nourriture, son sac à dos de moudjahid, avec le sac de couchage et la paire de rangers. Son voisin, lui, prendra la Kalachnikov et les chargeurs. On ne sait jamais. Si on rencontrait des loups ! Abdullah Jan est un homme libre. Il est aussi terriblement seul avec une tristesse qui ne le quittera jamais. À Kaboul il a perdu son unique fils. Il n'a conservé qu'une photo, dans un cadre, et une raquette de badmiton, accrochées à un mur du salon.

XIV

La beauté n'est pas la guerre

Pour le plaisir, parce que la paix, l'amour, l'amitié et l'harmonie restent, pour moi, le plus délicieux des cocktails de l'existence, nous sommes allés marcher. Dans un pays en guerre, grand comme l'Afghanistan, quantité d'espaces existent encore pour montrer à quoi ressemblerait la paix ici. Et tout au long de la vallée de Parende qui va s'élargissant au fur et à mesure de la montée, la paix ressemble au calme de la nature et à ce qu'elle renferme de démesure, parfois, avec ces montagnes brutales, puissantes, comme lancées à la conquête du ciel. Ciel couleur de lapis-lazuli, cette pierre semi-précieuse qui a tant aidé au financement de la résistance. D'un bleu nuit, parsemée d'or comme l'est encore le ciel du petit matin lorsque les dernières étoiles s'accrochent encore au regard.

La vallée de Parende possède quelques villages fait de la terre qui les entoure. De cette terre généreuse, irriguée avec l'eau venue de la neige et des sources de montagnes par un réseau intelligent né de la main de l'homme. Cette terre où pousse ce que l'homme sait lui confier : blé, orge, maïs aux grains dodus, arbres fruitiers, raisins (qui ne donnent hélas, jamais de vin !), pommes de terre, petits pois, oignons, tomates… et cette abondance de verdures allant des mousses qui ornent le bord des ruisseaux aux herbes libres où, en pagaille, dansent des fleurs sauvages. On ne s'en lasse pas. Les arbres bruissent de leurs feuillages tendres, offrent leurs odeurs qui, parfois, enivrent comme ces eucalyptus qu'au détour du chemin on vient de frôler. Merabudine s'est enveloppé la tête d'un foulard pour se protéger de la fraîcheur du matin et du soleil qui va bientôt brûler. En bas, dans la vallée principale, on le sait, l'étrange jeu de folie des hommes prépare son nouveau coup. La mise est ce qu'elle est. Avec ses dernières forces, son ultime crédit, ce qui lui reste de confiance, Massoud règle son offensive surprise. Et nous, Bertrand, Merabudine, Abdullah Jan, son voisin, son âne et moi, jouons à faire semblant d'être des touristes voyageurs. Merab sait que nous avons souvent rêvé qu'il soit nommé ministre du Tourisme pour venir faire des marches ici, avec nos enfants, lorsque la paix sera là. Ce matin, il ne parle pas beaucoup. La marche lui semble d'un autre temps, celui d'avant les hélicoptères bricolés à l'afghane, des 4x4 venus d'Arabie Saoudite, voire, lorsque la chance est là, comme ce fut le cas pour venir ici, les avions généreux de la Croix-Route. Merab a pris les kilos de l'inactivité physique du réfugié afghan qui a réussi à ne pas être totalement démuni, mais qui attend, et mange, et grossit. Plus les pas sont nombreux, plus Merab peine, mais pour rien au monde il ne s'en plaindrait. Fierté d'Afghan !

Je le sais pour avoir un jour fait exploser mon ras-le-bol d'une fatigue extrême dans l'ascension du col Paprouk. C'était pendant la marche de 1984. Je n'en pouvais plus. Nous avions marché près de trente heures de suite pour passer entre les pattes des policiers pakistanais. Nous avions peu mangé. Nous n'avions pas eu le temps de nous acclimater à l'altitude et, pour comble de malchance, j'avais un mal de dos qui annonçait la sciatique… Je me vois encore, me plaquant le dos à la paroi de cette montagne maudite où l'on prenait dans le nez, les yeux, la bouche une poussière abrasive soulevée par les sabots des caravanes, emportée par le vent qui vous la jetait au visage. Je me souviens avoir gueulé mon envie d'arrêter, comme un boxeur demande qu'on jette l'éponge. Refuser cette souffrance, moi le novice qui n'avait pas su se préserver. La montagne, les alpinistes le savent bien, est à ceux qui patientent. Aux lucides qui se protègent, l'abordent avec sagesse – pour ainsi dire, humilité. Ce n'est pas par oubli d'humilité que j'avais péché, mais par impatience. J'aurais aimé être arrivé au col sans avoir à endurer la violence du souffle qui manque, le tiraillement des muscles, sentir la victoire, recevoir cette récompense de la vue qui accueille le regard jusqu'aux lointains, au-delà d'un tapis de montagnes, de crêtes, de neige et de roches à n'en plus pouvoir compter. Grandioses, ces vues qui s'offrent lorsque les derniers pas vous hissent au sommet d'un col ! Grandioses ! Eh bien non ! Il fallait souffrir. Nous, les petits hommes. Les minuscules bestioles cheminant dans cette immensité. Merab, qui fermait la marche, m'avait trouvé avec ma rage.

– J'en ai ras-le-bol de ces montagnes de merde ! De ces caravanes de merde ! De ton pays de merde !

Il avait été surpris par la charge, lui qui devait égrener d'autres pensées. Je me souviens qu'il avait répondu ce qu'il y avait de plus sage à répondre, que les autres aussi, tous Afghans qu'ils étaient, n'étaient pas épargnés par les souffrances. Tout le monde, dans ces voyages insensés, souffrait. Seulement personne  ne le montrait, et je n'étais qu'un imbécile à me croire seul touché par l'envie d'abandonner. Est-ce à partir de là que cette envie d'abandon, comme sortie de secours, n'a plus jamais eu le droit de s'installer dans ma conscience ? Sans doute. Et voilà pourquoi, en ce mois de juillet 1997, je peine avec plaisir sur le même genre de sentiers qui m'avaient fait si peur ! Je profite de l'espace que rien ne vient troubler, juste Bertrand, à un moment, qui a trouvé une mine papillon que nous faisons exploser. Saloperies de souvenirs !

Cette initiative d'un voyage jusqu'au col, nous l'avons justifiée en disant qu'il fallait filmer des images de montagnes. Mais c'est plus pour retrouver le don de l'effort qu'un voyageur se doit de faire s'il veut vraiment accéder aux plaisirs de la découverte d'un monde qu'il aura un peu conquis. L'arrivée en avion, puis en hélicoptère, nous a frustrés de cette phase initiatrice précieuse. En quelque sorte, nous remettons là les choses à leur juste place. Nous allons sur le sentier, traversant les derniers hameaux vides, car paysans et bergers se sont déjà éparpillés dans la nature. Nous montons, pas à pas, les mains croisées derrière le dos lorsque la pente se fait trop raide. Et nous regardons. Parfois, nous stoppons un temps pour écouter. La rumeur de l'eau. Celle du vent. Les cris des marmottes qui alertent les autres. L'aigle qui glisse, très haut, de ses ailes déployées comme une ombre. J'aime ce pays.

Quelques jours plus tôt, en regagnant la maison de Naïm où les journalistes russes ne nous attendaient pas, nous avions croisé, sur la route, la voiture louée par les gens de la Croix-Rouge. On avait échangé quelques mots. On avait plutôt senti une distance entre ces expatriés suisses et les Afghans qu'ils ne connaissaient pas, qu'ils jugeaient avec un certain mépris à cause de leur désordre, de leur crasse, de ce que parfois la première apparence peut révéler de faux. Voyager à pied, prendre le temps, c'est une des plus exactes façons de sentir ce qu'on découvre et de ne pas le trahir.

À l'heure du déjeuner, Abdullah Jan dénoue le baluchon qu'il a emporté de chez lui. Sur le foulard à carreaux bleus s'étalent des beignets, compacts sous la dent, huileux et sucrés au goût. À le voir s'appliquer ensuite à sortir une poignée de thé d'un sachet, nous revivons, nostalgiques que nous sommes, le temps fort de ce retour vers le Pakistan, avec lui comme guide, en septembre 1987, parce que Daoud Mir, le jeune interprète censé nous conduire jusqu'au bout du tournage, nous avait lâchés en route. Arrivé chez Massoud, l'admiration pour le chef avait été si forte qu'il n'avait pas voulu rester avec nous mais s'était offert, corps et âme, au service de la cause du grand homme. Puis-je l'en blâmer ? Depuis, il a été nommé représentant de Massoud à l'ambassade d'Afghanistan à Paris, puis s'est mis à le critiquer, lui aussi, parce qu'il n'a pas pris le pouvoir. Mais c'est une autre histoire, comme beaucoup d'autres trop longues, trop complexes à raconter. Abdullah Jan s'amuse maintenant à essayer les lunettes de soleil de Bertrand.

Que pense-t-il de l'offensive qui se prépare ?

Pendant que le thé chauffe sur le feu de bois né entre quatre pierres, à l'abri du vent, Abdullah Jan dit qu'il ne pense pas. Il prie.

XV

Un journaliste
est un homme

Allah ne livre pas de munitions. Le Prophète a écrit les sourates il y a bien longtemps. Les Afghans se font la guerre depuis trop d'années et quelques autres les aident à continuer encore et encore jusqu'à un point que personne, finalement, ne connaît. S'il existait, quelque part, un grand manipulateur, ça se saurait ! Et ici, dans la vallée du Panjshir, le problème du jour ce sont ces munitions qui n'arrivent pas où elles devraient arriver, c'est-à-dire en haut de la plaine de Chamali où les hommes de Massoud commencent à se masser depuis vingt-quatre heures. Elles sont bloquées, quelque part plus au nord.

Comme un sursis, notre marche jusqu'au col de Parende a suspendu le temps et repoussé à aujourd'hui les nouveaux dangers. Car depuis ce matin, nous voilà de retour à Gulbahar, occupés à filmer des chars qui passent, à quelques kilomètres de la ligne des taliban. De temps en temps, on entend exploser un obus. On entend aussi quelques rafales de bi-tubes qui font un bruit d'enfer. Décidément, ce n'est pas le paradis, Gulbahar, à quelques heures d'une offensive !

En descendant du col où la neige et le brouillard nous ont empêchés de regarder la vallée d'Andarab, nous sommes passés par le bureau de Massoud. Il n'était pas là. Il n'y avait que Gada, trop vieux pour diriger l'offensive. Trop vieux pour courir avec les jeunes qui ne demandent qu'à en découdre avec ces taliban qu'on diabolise à ne plus savoir comment les rendre encore plus monstrueux. Je ne peux jouer les donneurs de leçon sans penser à un ami jurassien suisse, qui a fait la guerre contre les Bernois, pour un petit canton francophone, non pas avec son fusil d'assaut – qu'en Suisse, il aurait dû posséder dans son grenier – mais avec des mots, de l'intelligence et de l'humour. Pierre-André Marchand, poète, chanteur, rédacteur en chef du journal satirique *La Tuile*, aussi talentueux et efficace que *Le Canard enchaîné,* et qui se fout de ma gueule lorsque je prends l'air triste à penser à l'horreur de la guerre.

– Ah, le Pompon, le voilà-t'y pas qu'il va nous faire pleurer alors qu'il l'aime, la guerre ! Ça l'excite, sinon il n'y irait pas y jouer avec le feu, grands dieux !

Le plus surprenant dans cette veille d'offensive, c'est le calme qui semble continuer à régner. Les ruelles de Gulbahar sont peu animées. Quantité des petites échoppes qui bordent les rues sont closes. On les dirait même abandonnées. Dans ces rues ne passent que des groupes de moudjahidin, sans discipline, par paquets ou affinités. On ne comprend pas très bien où ils vont, si ce ne sont pas les mêmes qui passent et repassent. Je filme les préparatifs. Des enfants déchargent d'un véhicule blindé un stock de roquettes pour RPG. Les munitions arrivent enfin, « en quantités très insuffisantes », se plaint un commandant. Nous apprenons qu'elles sont bloquées sur la route de Salang, que des camions sont partis les chercher.

Et les obus des taliban explosent. Et la peur s'installe. On se dit toujours, lorsqu'on attend, que le prochain peut être pour nous. Alors on cherche à se raconter des histoires qui feront penser à autre chose qu'à cette folie d'être venus ici. Gulbahar-sur-guerre. Qu'est-ce qu'ils attendent ? Où est passé Massoud ?

Nous le trouvons dans une maison, au fond d'un jardin. Il est installé près de la radio et Merab nous dit qu'il dialogue avec Rabbani. Je pensais qu'ils étaient en très mauvais termes ! Merab fait la grimace comme pour dire que ça pourrait être pire.

– Tu connais l'Afghanistan, lâche-t-il, sans doute pour me faire plaisir et s'excuser.

Massoud parle de Kaboul, je saisis quelques mots. Kaboul, ce fruit empoisonné qui les obsède. Kaboul, cette ville piège où tous les rêves se sont enfouis dans la poussière des ruines qu'ils ont jetées à terre. Quel gâchis !

Je me souviens de mon voyage de juillet 1993. De l'arrivée sur l'aéroport de Kaboul. Le pilote de la compagnie afghane Ariana qui égrène son chapelet en tenant le manche à balai, les mains moites, le front perlé de sueur. Je me souviens de cette descente rapide vers la piste, cet environnement charmant de carcasses d'avions dispersées sur le gazon brûlé par le soleil. Kaboul-sur-guerre. Comme Gulbahar, en pire ! Durant cette période, où à l'étranger les amis de l'Afghanistan attendaient la paix, les hommes de Dostom tenaient

l'aéroport et jouaient les alliés de Massoud. Hekmatyar, lui, tirait sur la ville, à la roquette, à l'obus, au missile. Les objectifs étaient imprécis. Seule la volonté de nuire donnait les trajectoires : vers la mort de quantités de civils innocents. Les obus tombaient sur les rues animées, sur des marchés, sur des maisons, sur les hôpitaux où des Français, des Suisses, des Belges et des Anglais expatriés, volontaires et courageux, continuaient à faire de l'humanitaire. Pour le bien du monde. Eux aussi aimaient l'aventure !

J'avais tourné un film sous forme de petites séquences, le carnet de voyage d'un amoureux déçu. Film triste que j'avais appelé *Kaboul au bout du monde*. Des saynètes glanées au fil d'un court séjour de trois semaines. Edward Girardet, l'ami américano-suisso-français faisait la prise de son. Merab nous avait servi d'interprète. On ne riait pas beaucoup car tout était trop triste. Un tel gâchis. Tout était sinistre, sinon une scène filmée à l'aéroport où une fanfare militaire et des officiels en costumes et Mercedes noirs attendirent durant des heures deux personnalités du sud de l'Afghanistan. Des Pachtouns qui allaient être reçus par le président Rabbani et Massoud pour tenter d'avoir leurs places au pouvoir. L'attente avait été si longue ! Je me souviens d'avoir filmé les musiciens faisant la sieste, allongés à même la piste. Celui qui portait le drapeau d'Afghanistan s'en servait comme d'un parasol. Les trompettes gisaient sur le tarmac. C'était désuet, drôle, pathétique. Les invités de marque avaient fini par arriver en hélicoptère, escortés de leurs gardes et de leurs ulémas. Avec des fausses notes mais avec application, la fanfare avait joué un hymne national qui ne voulait rien dire. Qali Baba, l'hôte de marque, avait défilé comme un gros pantin. Cela semblait si dérisoire ! Puis ce beau monde s'était rendu au palais présidentiel où je les avais filmés en grande assemblée, occupés à se faire des discours sur la paix pendant des heures. Dans cette grande salle où une centaine de personnalités se pressaient, essentiellement des Pachtous du Sud – qui deviendraient plus tard des taliban –, j'ai eu l'impression de filmer la caverne d'Ali Baba. J'avais fait glisser ma caméra sur leurs visages juqu'à Massoud assis sur son fauteuil, avec les autres. Il n'avait pas parlé, du moins en notre présence. Et Rabbani, qui jouait au président, maître d'un gouvernement d'incapables et de corrompus, de Panjshiris pour la plupart, qui roulaient des mécaniques en se croyant tout permis…

J'avais aussi filmé un Afghan qui me disait que tous les leaders étaient tombés sur le cul, qu'ils étaient tous devenus fous : « L'un aidé par l'Iran, l'autre par les Russes, le troisième par les Pakistanais et les Américains… » Et, bien sûr, il se marrait. Que pouvait-il faire ?

J'avais filmé les usines détruites. Dans le centre des archives des douanes d'Afghanistan réduites en cendres, j'avais filmé le panneau rouge sur lequel était inscrit : *Interdit de fumer*. Quelle dérision !

Les hôpitaux étaient pleins. Tout le monde suivait l'évolution du drame au jour le jour grâce à une journaliste dont j'ai déjà cité le nom, Suzy Price de la BBC. Elle leur racontait leurs guerres : celle de Sayyaf, aidé par l'Arabie Saoudite, qui massacrait des Hazaras chiites ; celle de Hekmatyar, le pion des Pakistanais financés par les Américains qui se moquaient bien de voir Kaboul se détruire, cet Hekmatyar qui voulait le pouvoir à tout prix. Guerre aussi de Mazari, le chef des Hazaras du parti Wahdat, qui voulait tuer Massoud, et réciproquement ; guerres de quantité d'autres illuminés imbéciles, et encore d'autres salopards qui voulaient une place dans les ministères pour ne rien faire. Les cons ! Gâchis total, je ne le répéterai jamais assez !

Grâce à Suzy nous étions partis filmer chez Hekmatyar en personne. À cette époque, en juillet 1997, il vivait installé dans son repère de Char-Assiab, à vingt kilomètres de Kaboul. On était alors en pleine tragi-comédie. Après avoir détruit une partie de la capitale d'Afghanistan avec ses roquettes, il venait d'être nommé Premier ministre mais ne voulait pas entrer dans la ville par crainte des hommes de Massoud dont il réclamait le départ. Massoud avait pourtant démissionné de son poste de ministre de la Défense.

Hekmatyar ! Je me souviens avoir filmé cet assassin. J'aurais préféré tenir une kalachnikov plutôt qu'une caméra... Il avait tué de mes amis. Je l'aurais tué sans état d'âme. Mais j'ai pensé à mes enfants. Ce n'était pas ma guerre... Terrible tension de l'avoir dans mon viseur... pour des images. Je pensais aux journalistes face à Hitler. S'ils avaient su les horreurs, n'auraient-ils pas dû tenter de l'assassiner plutôt que de le photographier ? Facile[1] ! À la fin de l'interview, où le « Premier ministre » avait confirmé qu'il ne viendrait à Kaboul qu'en toute sécurité, Suzy et Terence White, mon ami, le correspondant néo-zélandais de l'AFP qui l'accompagnait, étaient sortis de la pièce. N'étaient restés qu'Hekmatyar, Ed et moi. Il avait paru gêné, ne sachant que faire, attendant une question que je me gardais de poser. Derrière lui, son garde du corps, la Kalachnikov armée, en position rafale. L'instant m'avait  paru long. S'il avait connu ma pensée ! Mais je ne voulais pas mourir pour l'Afghanistan. Vivre, témoigner, continuer à faire des films me semblait finalement être la voie la moins mauvaise.

Filmer Kaboul détruit, lorsqu'on a intensément rêvé de ce moment où la paix allait rendre possibles les balades en touriste, fut un moment douloureux pour moi comme pour tous ceux qui aiment ce pays et ses habitants. Je me souvenais des discussions avec les moudjahidin, dans les grottes du Panjshir, en 1984, lorsque tous parlaient avec ferveur de cet objectif qui s'appelait alors, tout simplement, espoir. C'était si peu probable de vivre un jour un voyage à Kaboul, d'assister au départ des Soviétiques, à l'arrivée de Massoud et des moudjahidin dans la capitale. En avril 1992, tout était devenu pos-

---

1. Suzy nous avait simplement présentés comme une équipe venue la filmer, elle, dans son travail de journaliste, car nous savions qu'Edward et moi avions été sur une liste, communiquée par Hekmatyar à tous ses commandants, de journalistes suppôts de Satan, à abattre !

sible. Mais en juillet 1993, la marge de manœuvre pour Massoud s'était réduite à peu de chose. Il n'avait pas voulu prendre le pouvoir. Il l'avait cédé à Rabbani, le chef du parti politique auquel il appartenait. Mais il avait un tel crédit à l'époque qu'il aurait pu – qu'il aurait dû – gouverner, même en retrait... Les Pachtous s'étaient sentis lésés, et Massoud, l'homme qui avait su tenir tête à l'armée soviétique réputée alors comme la plus puissante du monde, n'avait pas su, en revanche, se doter d'un entourage capable de le conseiller avec justesse. La paix est plus difficile à faire que la guerre... Je revois les images de mon film, *Kaboul au bout du monde*. Je pense aussi à la critique injuste d'un confrère[2], me reprochant de ne pas expliquer la situation. Il n'avait rien compris. Comment expliquer l'inexplicable ? Comment analyser dans un film un conflit d'une complexité incroyable. Je n'avais pas voulu expliquer, j'avais voulu faire partager un chagrin. Et si j'écris aujourd'hui ce livre, alors que j'ai réalisé le film qui porte le même titre, c'est que, justement, j'ai besoin des mots pour ajouter des nuances aux images et aux sons.

Juillet 1997. À voir Massoud vieilli, tendu, occupé à argumenter avec Rabbani, par la radio, dans ce PC où des moudjahidin en uniforme n'arrêtent pas d'aller et de venir, je pense à cette conversation du soir de notre arrivée, dix jours plus tôt. Je pense qu'il va falloir la publier si jamais nous rentrons vivants. Bertrand, surtout, avait posé ses questions :

– En septembre 1996, les taliban avaient apporté la paix à Kaboul. Les habitants, qui vous tiennent en partie pour responsable de la destruction de leur ville lorsque vous participiez au pouvoir, craignent votre éventuel retour. Qu'en pensez-vous ?

– Après le départ des troupes soviétiques, en février 1979, il nous a fallu trois ans avant de pouvoir entrer dans la capitale. Trois années d'efforts pour neutraliser le chefs des milices ouzbeks, le général Dostom, afin d'arriver dans la ville sans effusion de sang. Nous pensions que ce serait suffisant pour éviter les difficultés. En fait, nous avons dû affronter de nombreux problèmes auxquels nous n'étions pas préparés, manquant de cadres et d'aide étrangère.

---

2. Jean-Paul Mari, reporter au *Nouvel Observateur* qui, tout me faisant une leçon de journalisme, avait commis quelques erreurs. Éternelle différence entre l'écrit et l'audiovisuel.

En quelques mois, le crédit acquis pendant quatorze ans de guerre héroïque a été réduit à néant. Les sept partis de la « résistance afghane », plus les chiites, ont voulu se partager le pouvoir alors qu'ils manquaient totalement de maturité et de compétences. Ça, je l'ignorais. J'étais, comme vous le savez, resté en Afghanistan durant toute la guerre. J'avais fait confiance aux leaders politiques en exil à Peshawar, pensant qu'ils avaient travaillé à établir de bonnes relations avec les puissances occidentales, qu'ils s'étaient entourés de conseillers compétents, qu'ils avaient organisé un plan pour établir la paix dans notre pays. De plus, à notre arrivée dans la ville, quelques malfaisants ont ouvert les prisons des droits communs, et quantité d'armes leur ont été distribuées. Le banditisme s'est donc développé comme une traînée de poudre. Ensuite, très vite, les conflits entre partis ont dégénéré à l'arme lourde. Pour ma part, ministre de la Défense d'un gouvernement reconnu comme légitime, j'ai paré au plus pressé face à des menaces chaque jour plus grandes. Le problème majeur était celui de la sécurité. Chaque faction se croyait autorisée à installer des check-points et à rançonner la population. C'était un incroyable désordre. Ce sont ces souvenirs, et ceux des bombardements, qui entraînent aujourd'hui les Kaboulis à redouter mon retour. Je pense toutefois qu'ils supportent de moins en moins l'arrogance des taliban. La solution que nous préconisons aujourd'hui est, de toute façon, la démilitarisation

et la neutralisation de Kaboul. Nous savons que rien ne pourra se reconstruire en Afghanistan sans négociation.

– Le parti auquel vous appartenez, le Jamiat-é-islami-é-Afghanistan, n'a pas été étranger au désastre qui a frappé Kaboul, avait fait remarquer Bertrand.

– C'est vrai, avait répondu Massoud, peu habitué à avoir des interlocuteurs critiques. (Généralement son entourage se contente de lui servir des paroles qui ne risquent pas de l'agacer !) Personnellement, à Kaboul, poursuivait Massoud, j'ai agi comme un militaire. J'ai attendu des impulsions des politiques. Sans doute, au regard de ce qui s'est passé, était-ce une erreur. Je dois vous avouer que j'ai toujours eu des difficultés avec mon propre parti. Pendant la « guerre sainte » contre les Soviétiques, le professeur Rabbani, leader du Jamiat, a souvent envoyé des armes à mes adversaires, à d'autres commandants qui ne partageaient pas mes conceptions politiques. J'ai eu, vous l'avez constaté par vous-même, j'ai toujours eu du mal à obtenir des munitions, y compris les missiles sol-air Stinger qui ont été donnés par les Américains à partir de 1986[3]. Tout cela n'est pas apparu au grand jour pendant la guerre, car nous ne voulions pas compliquer les choses en révélant nos problèmes internes.

– Cela veut dire que vous mettez en cause le président Rabbani qui a dirigé l'Afghanistan jusqu'à l'arrivée des taliban ?

– Oui, le président Rabbani est la cause de beaucoup de difficultés. Nos différences de conception remontent à 1978, avant même l'invasion soviétique. Nous étions alors réfugiés au Pakistan et nous voulions lutter contre le régime communiste. À cette époque il y avait trois conceptions de la lutte :

« *Un :* pour Rabbani, il s'agissait avant tout de mener une grande campagne d'information afin de mobiliser la population contre le pouvoir. Il pensait qu'un tel mouvement permettrait de sensibiliser les hommes qui entouraient ceux qui gouvernaient. Il n'imaginait pas qu'il serait lui-même, un jour, au centre du pouvoir. Après 1992, une fois dans le fauteuil de président, il n'a jamais voulu le quitter.

« *Deux :* Hekmatyar, lui, préconisait l'usage de la force ou du coup d'État. C'était un amoureux du coup d'État. Il en rêvait. Il disait alors qu'il fallait faire tomber le régime du président Daoud[4] afin d'instaurer un État islamique, une constitution islamique.

« *Trois :* ma conception était différente. Je considérais qu'il était important d'être au plus près des gens. Il m'a toujours semblé indispensable d'obtenir leur confiance. Ensuite, mais à cette seule condition, en s'appuyant sur la population, on pourrait créer un véri-

---

3. Selon les révélations de la CIA, 1 000 Stingers auraient été livrés. La moitié a été détournée par l'armée parkistanaise. Hekmatyar en a reçu l'autre partie moins quelques dizaines données à d'autres groupes dont Massoud. Aujourd'hui, inquiets de l'usage que certains peuvent faire de ces missiles (aussi efficaces contre un avion de chasse que contre un avion de ligne) ils les rachètent à 100 000 dollars l'unité.
4. Se reporter à la chronologie, p. 257 *sq.*

table et solide mouvement populaire incontournable, capable d'entraîner le pouvoir dans la bonne direction. Et puis, je désirais retourner en Afghanistan pour mener la guerre chez moi, dans le Panjshir. Rabbani, lui, pensait qu'il valait mieux rester à Peshawar, au Pakistan, pour organiser l'opposition en exil, tout en cherchant les soutiens internationaux. Rabbani est, certes, le drapeau de notre parti... mais seulement au sens où le drapeau suit le vent. Il y a ceux qui veulent dominer les événements et les autres, qui suivent le mouvement en espérant avoir du pouvoir. Rabbani est de ceux-là. En 1995, à la Choura de Hérat, qui devait permettre à des hommes nouveaux de prendre la direction du pays pour faire taire enfin les armes, Rabbani a refusé de passer la main à quelqu'un d'autre, alors qu'il l'avait promis. Ce refus nous a coûté très cher. Il a rejailli sur le Jamiat dans son ensemble, sur l'ethnie tadjik et, bien entendu, sur moi. Du coup, les institutions que nous cherchions à mettre en place ont été totalement dévalorisées. Comment, après un tel comportement, pouvions-nous espérer que les Afghans nous respectent ? »

Je me souviendrai toujours de cet entretien, nous qui étions revenus dans le Panjshir très critiques vis-à-vis de Massoud. C'était le soir, derrière sa maison. La conversation avait duré longtemps. Massoud nous avait reconquis à sa cause, à son honnêteté. Il ne nous semble pas être le fondamentaliste dont certains parlent. Sa faiblesse est justement d'être trop pur et mal entouré. Mais les hommes capables, en Afghanistan, sont, je le répète, presque tous morts, partis ailleurs ou occupés à travailler la terre.

Nous décidons de trouver une maison dans la ville pour y passer la nuit. Être prêt pour le lendemain. Pour le grand jour !

XVI

Lettre à Massoud

La nuit est longue lorsque la mort n'est pas loin. Les obus tombent, par-ci, par-là. Trop proches ! Vivre, survivre en ces lieux de dangers donne de l'insomnie, sauf aux inconscients, ce qui n'est pas le cas pour nous. Entendre les obus des taliban exploser dans la plaine, même s'ils sont peu nombreux, suffit à nous faire passer l'envie de dormir. Allongés sur des matelas de fortune, sur le toit plat d'une maison vide, nous guettons chaque bruit. Parfois, dans la rue, en contrebas, un char roule ses chenilles avec ce son si particulier de grincements, allant, par à-coups, jusqu'au-delà de la ville. Parfois c'est un camion. Vers une heure du matin, c'est une bagarre entre un groupe d'hommes. Une histoire d'addition contestée dans le petit restaurant resté ouvert tard dans la nuit. On a redouté des tirs… mais rien. Finalement, tout est devenu très calme. Presque silencieux s'il n'y avait pas les moustiques. Bertrand, lui, s'en moque. Les moustiques l'évitent, ils sont toujours pour moi !

Le jour, enfin, est venu. Nous sommes prêts. Pas les hommes du ravitaillement qui rencontrent des problèmes difficiles à résoudre pour acheminer les obus, les roquettes et les balles de Kalachnikov. Dans la matinée on apprend que l'offensive est encore reportée. Pas demain. Sans doute après-demain.

Quel jour sommes-nous ? Le 13 juillet ! Massoud n'est pas disponible. Le filmer passant des heures à la radio ou au téléphone-satellite ne présente plus aucun intérêt. Je me répète que je ne suis pas revenu en Afghanistan pour faire le film de l'homme de guerre, du commandant, du général Massoud, dans ses œuvres…

Aussi regagnons-nous le village de Malaspa où se trouvent nos affaires, dans la maison de Naïm, absent, bien sûr, trop occupé à faire monter jusqu'à lui le maximum de renseignements sur les taliban. Il doit tout savoir – le renseignement, c'est une partie de la victoire –, tout savoir de l'ennemi : l'état de son moral, la situation de ses réserves, la nature de son armement, ce qui lui parvient de Kaboul… Tout, c'est-à-dire les concevoir comme s'ils étaient son camp. Naïm, l'homme doux, qui traîne dans ses poches un nombre hallucinant de petits papiers. Ce sont les messages apportés par ses agents, parfois écrits en miniature sur des morceaux de tissu, des fragments d'un burka de femme, sur le bas d'un pantalon. Des messages codés, parfois des plans. Oui, des plans de positions ennemies.

Entre eux, Massoud et ses commandants ne disent pas « taliban ». Ils parlent de « l'ennemi ». C'est devenu une affaire strictement militaire. Pour la politique, Massoud cloisonne. C'est lui qui pousse Rabbani à laisser se constituer un gouvernement où – comme le lui a précisé Quanouny, l'ex-ministre de l'Intérieur –, ne doivent pas se retrouver les membres des anciens partis discrédités. Palabres, plans tordus pour éloigner les uns et les autres, ces hommes qui s'agrippent au pouvoir au mépris de l'intérêt général, de petits destructeurs à courte vue, des ignares. M. Ghaffourzaï, Premier ministre, est la nouvelle et fragile chance. Moins stupide que la plupart des vieux profiteurs, il sait, car c'est un homme d'expérience, que les dernières cartes d'un jeu sont généralement décisives. Du moins doivent-elles l'être. Il tente de convaincre des Afghans qui vivent à l'étranger de rentrer pour servir leur patrie, si tant est qu'ils en gardent encore l'espoir après tout ce qui s'est passé. Venez, venez. Mais c'est sans assurance, et c'est toujours dangereux. Les jalousies manient l'explosif. La mort ou la vie ne valent pas grand-chose. Quant aux paroles, elles sont aussi volatiles que des bulles de savon. Ghaffourzaï est un atout précieux. Et puis c'est un Pachtoun. Il peut dialoguer avec ceux de son ethnie, même s'il est du côté de l'Alliance anti-taliban. Ghaffourzaï, c'est la chance de demain. Son intention de faire entrer deux femmes dans le nouveau gouvernement est encourageante… Nouvelle phase du feuilleton afghan.

D'une manière cynique, en fin de compte, si tout fonctionne, c'est-à-dire s'ils ne restent pas trop longtemps maîtres de Kaboul, les taliban, dans l'histoire de l'Afghanistan, auront peut-être eu l'effet bénéfique dont nous a parlé Is'Haq : détourner les Afghans des tentations d'un islam révolutionnaire qui n'apportera que drames et intolérance. Comprendre, enfin, ce que de nombreux musulmans ont compris depuis bien longtemps, qu'ils doivent protéger leur religion d'un mariage trop dangereux avec le politique. Ne pas rêver changer le monde. Préserver la richesse du spirituel. Allah ne peut cautionner tant de crimes ! Allah ne peut accepter les attentats où périssent tant de victimes. L'Algérie a le drapeau vert des islamistes trempé du sang de trop d'innocents. Ils sont devenus fous. Pas les Afghans. Qu'ils se souviennent, ces Afghans, d'avoir tenu tête à

tous les envahisseurs, aux armées de Gengis Khan, aux Anglais jamais vaincus de l'armée des Indes, aux Soviétiques si redoutés, mais qu'ils se souviennent aussi que leur force ne doit pas tomber plus longtemps dans le piège de l'autodestruction ! Ce serait un gâchis de plus. Et côté gâchis, ils ont montré au monde qu'ils pouvaient en faire. Reste maintenant à prouver qu'ils savent aussi tirer des enseignements de ce qui leur est arrivé. Gagner. En finir avec la guerre. Gagner enfin la paix. Les Afghans méritent mieux que d'être déclarés incapables de faire autre chose que se battre. Qu'ils chassent tous ceux qui viennent encore s'ingérer dans leurs affaires, qu'ils accueillent ceux qui les respectent et veulent les aider.

L'attente donne à la pensée de la vitesse. C'est là que je me sens amoureux de ce pays. Je pense encore aux explications de Massoud sur les raisons des guerres incessantes de Kaboul, lorsque nous lui avions demandé pourquoi, malgré sa prise de conscience des défauts du président Rabbani, il était demeuré à ses côtés :

— Entre les partis, avait-il révélé, cela a vite tourné au chacun pour soi. Les tentatives pour élaborer une plate-forme commune ont toutes échoué, faute de volonté des leaders. Devant la rapidité de la dégradation, j'ai démissionné de mon poste de ministre de la Défense, mais je suis resté pour défendre Kaboul menacée de toutes parts. Si j'étais parti, j'apparaîtrais aujourd'hui comme un sauveur. Mais à cette époque je n'ai pas jugé qu'il fallait m'en aller, malgré mon envie. Au contraire, j'ai cru qu'il était de mon devoir de rester pour défendre le président.

Je suis français. Je crois en l'honnêteté de Massoud. Ceux qui ne l'ont jamais rencontré peuvent le critiquer, il leur manque l'essentiel, ce à côté de quoi passent tant d'hommes dans le petit espace qui sépare leur naissance de leur mort. Massoud est religieux…

Le destin d'un homme est, je le pense, lié à ses doutes tout autant qu'à sa volonté. L'existence racontée dans les biographies, écrites à l'heure de la mort d'un homme, fait souvent rire tant elle semble linéaire. Massoud s'était mis ensuite à nous expliquer qui était, selon lui, le principal responsable de la destruction de Kaboul.

– Chaque faction s'est acharnée sur la ville : les Hazaras chiites au sein du parti Wahdat de M. Mazari, les hommes de Hekmatyar au sein du Hezb-é-islami, les gens du parti Harakat… Tous cherchaient le pouvoir, mettant en avant des revendications ethniques ou agissant pour le compte de puissances étrangères s'ingérant dans les affaires afghanes. Dostom, c'était l'URSS puis l'Ouzbékistan. Le Wahdat, c'était les Hazaras soutenus par les Iraniens. Sayyaf, l'homme des Saoudiens… Le pire a été Hekmatyar, soutenu par les Pakistanais et par les Américains. Peu actifs pendant la guerre sainte contre les Soviétiques, ses hommes ont utilisé leurs armes contre nous après leur départ ; ce sont surtout eux qui ont bombardé Kaboul. Ils tenaient la route menant au Pakistan et n'ont eu de cesse d'affamer la ville. Nous avons fini par être obligés d'associer Hekmatyar au gouvernement. J'étais opposé au fait qu'il soit Premier ministre. Mais, paradoxalement, cette fonction l'a rendu inutile aux yeux des Pakistanais.

– Et vos hommes du Panjshir ? On dit qu'ils ont tant profité de la guerre, qu'ils ont fini par se faire détester de la population…

– Les hommes que j'avais autour de moi n'étaient nullement préparés, encore moins formés, pour diriger un pays. La plupart avaient interrompu leurs études du fait de la guerre. Il n'y avait personne pour contrôler le travail des administrations. Chaque parti estimait que le pouvoir devait lui rapporter. La police ne disposait d'aucun moyen pour faire respecter les lois à des hommes armés. Moi-même, totalement absorbé par la guerre, je n'ai pu prêter suffisamment attention à ce qui se passait dans mon entourage. On me reproche même, aujourd'hui, de n'avoir favorisé en rien le Panjshir, ce qui est vrai.

Bertrand, intrigué, lui avait alors demandé comment s'expliquaient les succès des taliban. La nuit nous enveloppait et avait effacé mes regrets de ne pas avoir filmé tout l'entretien de ce premier jour.

– Les succès des taliban, avait répondu Massoud, sont plus politiques que militaires. Dans un premier temps, les taliban ont amené la paix en neutralisant les petits commandants qui rançonnaient les paysans. Ensuite, essentiellement dans les zones non pachtous, ils ont confisqué les armes. Chez eux, ils ne ramassaient que les armes lourdes. Sachez que les taliban ont reçu beaucoup d'argent de l'étranger : des Pakistanais, des Américains, des Saoudiens. Ainsi ont-ils pu acheter tous ceux qui, maintenant, ne pensent qu'à l'argent. Voilà comment ils se sont rendus maîtres de Hérat, la grande ville de l'Ouest, en soudoyant les proches d'Ismaël Khan, mon allié. Mais sur le plan militaire, malgré toutes les armes et les munitions qu'ils

reçoivent du Pakistan, les taliban n'ont pas la supériorité. Ils n'ont pu entrer dans Kaboul que parce que nous avions évacué la ville car nous voulions éviter un nouveau bain de sang. Si nous avions voulu combattre, nous y serions sans doute encore... et le gâchis aurait continué ! La seule victoire militaire des taliban a eu lieu après la prise de Kaboul, dans la plaine de Chamali. Leur tactique nous a surpris et nous a fait reculer jusqu'au Panjshir. Elle consistait à attaquer en masse, rapidement, avec leurs Pick-up. Aujourd'hui pourtant, nous avons trouvé la parade. Les taliban reculent donc ou sont obligés de mener une guerre de position.

– Pourquoi le Pakistan nourrit-il une telle hostilité à votre égard ?

– Je leur semble trop indépendant. Les Pakistanais savent que jamais ils ne pourront me dicter ma conduite. Mais tous les contacts ne sont pas rompus. Il y a une semaine, nous avons rencontré une délégation pakistanaise. Ils voulaient que je fasse libérer Mollah Ghauss, le ministre des Affaires étrangères des taliban, qui a été capturé dans l'opération de Mazar, actuellement détenu par le général Malek. Nous avons bien sûr refusé et leur avons demandé des comptes sur leur soutien aux taliban. Dans leur délégation, se trouvait un représentant des services secrets de l'armée pakistanaise, l'ISI. Celui-ci nous a juré sur le Coran que le Pakistan ne se mêlait pas des affaires afghanes ! Ce n'est pas sérieux. Nous estimons que 20 pour 100 des forces taliban sont pakistanaises. Vous pourrez d'ailleurs rencontrer les prisonniers pakistanais que nous détenons...

À y penser, ce soir-là, Massoud nous avait confié pas mal de choses. J'en inscris l'essentiel dans le petit carnet où je note des informations, glanées çà et là, en désordre. C'est sur ce carnet aussi que je consigne tout ce qui me vient à l'esprit pour le film. Idées de plans, idées de séquences, idées de montage, parfois. Et pendant que je continue d'enrichir mes notes de l'entretien avec « le chef », Merab, lui, récupère de la nuit passée sur le toit. Plus loin, dans le salon de Naïm, Bertrand lit un livre plutôt partisan mais terriblement bien documenté sur l'histoire de la guerre d'Afghanistan mais très anti-Massoud [1]. Moi aussi je suis partisan. Je crois en la valeur et en l'honnêteté de Massoud. À Kaboul, j'ai pensé que je m'étais trompé, mais aujourd'hui, en le retrouvant dans son Panjshir, résistant, lucide sur les événements, je me suis réconcilié avec ce qu'il est. Encore suis-je explicite sur cet attachement à Massoud. Mon travail est celui de mon regard, personnel, « subjectif » comme on dit, rien que cela... un petit témoignage. Je n'ai pas envie que ce soit plus.

Dans les notes concernant les déclarations de Massoud, se trouvent quelques éclaircissements pour ceux qui cherchent la vérité. Lorsque nous lui avions demandé de nous parler du rôle joué en Afghanistan par les Américains, voilà ce que Massoud avait répondu :

---

1. Un ouvrage paru chez Balland, signé Assem Akram. Ça fait rire Bertrand car il sait qu'Assem Akram aurait pu mieux comprendre Massoud s'il avait été mieux traité par Daoud Mir, son « représentant » à Paris. Ça n'est pas gênant qu'il soit partisan, sinon pour le lecteur non averti. Car jamais, dans son livre, il n'affiche la vraie couleur !

– Chacun sait qu'ils soutiennent les taliban. J'avais reçu Mme Raphael lorsqu'elle était en charge du dossier afghan au Département d'État. Elle semblait sincèrement convaincue que le mouvement taleb était bon pour les Afghans, ce qui en dit long sur l'ignorance des Américains sur notre pays. En réalité, depuis 1979, les États-Unis ont sous-traité la question afghane aux Pakistanais et, plus précisément, aux services secrets de l'ISI. C'est l'ISI qui a intoxiqué le gouvernement d'Islamabad sur la marche à suivre à notre égard pendant toute la Jihad antisoviétique. Depuis, Hekmatyar ayant échoué dans sa prise de pouvoir, l'ISI a réussi à convaincre les Américains d'une victoire possible des taliban, et de la possibilité, pour ce groupe extrémiste pachtou, de gouverner durablement en Afghanistan ! J'attends des États-Unis qu'ils prennent conscience de leurs erreurs et adoptent une vision plus juste des réalités de notre pays. Car les taliban représentent une conception arriérée de l'islam – celle des paysans et des nomades du Sud – qui n'a rien à voir avec celle de la majorité des Afghans. Ceux-ci sont très croyants. Ils n'ont nul besoin des leçons de jeunes fanatiques qui interdisent tout et fouettent les femmes. Nous pensons d'ailleurs que l'interdiction qu'ils font aux femmes d'aller à l'école, à l'université et d'exercer des responsabilités dans la société n'a aucun fondement religieux. Ce qui est encore plus grave, c'est de constater que le discours des taliban sur l'islam laisse de plus en plus de place à un discours ethnique. Maintenant, on ne parle plus du Coran et de la paix, mais de la lutte des Pachtouns contre les autres eth-

nies. À Chamali, les taliban ont commencé à chasser les paysans pour les remplacer par des gens du Sud, des Pachtouns venus de Kandahar. Ils devraient comprendre qu'aucune ethnie ne peut gouverner seule l'Afghanistan. Les Pachtouns, qui ne représentent que 38 pour 100 de la population, doivent participer à un gouvernement d'union nationale. Nous voulons un État moderne et multiethnique où les femmes auront leurs droits et leurs places et dont la religion sera l'islam. La France n'est-elle pas un pays où vivent des millions de musulmans ?

Ainsi nous avait parlé Massoud, l'Afghan. Il n'est jamais sorti des frontières de son Afghanistan, sinon pour aller en Iran, au Tadjikistan, au Pakistan. Il ne connaît de l'Occident que ce qu'il entend, ce qu'il a lu, et ce que les hommes et femmes qui viennent de si loin pour le voir lui rapportent. On entend souvent répéter, je l'ai dit déja, qu'il est « l'homme des Français » ! Ses ennemis le prétendent. C'est ce qu'il nous rappelle lui-même, comme un reproche, nous certifiant que l'aide apportée par l'État français a été comme un grain de sable du lit d'une rivière. Mais il y en a tout de même eu !

Sans doute, avec mes films, ai-je ma part de responsabilité dans cette légende d'un Massoud, homme des Français ! Pour l'aide qu'il a reçue, c'est payer cher ! Même les ONG humanitaires françaises sont absentes du Panjshir depuis le retrait des taliban. Mais, en juillet 1997, elles sont nombreuses à Kaboul, chez ces mêmes taliban…

Malgré ma nuit blanche, je n'ai toujours pas envie de dormir. L'heure du déjeuner approche, Bertrand a imité Merab. Tous deux voyagent au pays des rêves. L'idée me vient d'écrire une lettre à Massoud. Puisqu'il est si occupé, Merab trouvera bien le moyen de la lui donner en main propre.

Cher commandant Massoud,
La première fois que je vous ai rencontré, et filmé, c'était il y a seize ans, à Astana. Tout de suite, j'ai apprécié l'homme que vous étiez. J'ai aimé les Afghans et admiré ce courage et votre résistance à tous contre un ennemi à la réputation alors impressionnante. En France, pendant la Seconde Guerre mondiale contre les Allemands, ceux qui ont résisté ont été peu nombreux…

Je lui rappelle mes voyages, mes films, et lui demande de témoigner une fois au moins de ce qu'il éprouve à propos de cette histoire dont il est l'acteur. Pourquoi vouloir revenir à Kaboul où tout s'est brisé ? Comment peut-on faire la guerre pendant dix-neuf ans sans se perdre ? Pourquoi s'être allié avec des hommes aussi peu recommandables que Dostom ? Qu'il m'explique aussi pourquoi il s'est allié à Sayyaf, le tueur de Hazaras. Qu'il parle de la mort de ses compagnons, de ses rêves de paix, de sa famille, de son fils et de ses trois filles. Qu'il se confie devant ma caméra. Sinon je ne vais faire qu'un film de plus sur sa légende de chef de guerre.

Une heure plus tard, Merab, à moitié réveillé, approuve l'idée de la lettre. Il va chercher un homme dont il connaît la belle écriture. Passées les présentations, celui-ci prend le thé avec nous, dans la maison de Naïm. C'est un professeur de l'université de Kaboul, au chômage pour cause de guerre et de présence taleb. Il s'abstient de faire des commentaires sur la situation. Merab lui traduit la lettre. L'homme s'applique, traçant la version persane de ma prose sur un papier à en-tête d'Interscoop, notre petite agence bien discrète qui nous a permis de produire et réaliser plus de soixante documentaires de 52 et 90 minutes, en toute indépendance. Nous avons une définition d'Interscoop : « Si le paysage audiovisuel donnait sur la mer, Interscoop serait une petite crique tranquille à l'abri des tempêtes. » C'est peut-être une conception bien naïve car, à dire vrai, nous n'avons pas été épargnés par certaines tempêtes, comme celle qui a mis fin à une émission que nous avions sur France 3, « Du côté de Zanzibar ». Mais notre passion est restée vivace car les personnes que nous rencontrons de tournage en tournage sont riches d'une humanité qui fait du bien et nous réconcilie avec notre espèce.

C'est loin, Paris, lorsqu'on est dans la vallée du Panjshir. C'est loin, la France, avec toutes ses richesses. Pays si beau avec la liberté dont on jouit encore. Je suis français, pas afghan.

XVII

Les morts
et le fou rire

Dans la vallée du Panjshir, le 14 juillet n'évoque rien à personne. À l'exception des dates du ramadan, les Afghans, on l'a compris, ne se préoccupent pas de comptabiliser le temps. Quel Afghan se souvient encore, ici, des dates des batailles de Nahrine, de Kalafgan ou de Koran et Mudjan ? C'était l'époque des Soviétiques. Elles appartiennent à une période globalement signalée comme étant passée, venue rejoindre celle de la guerre, et se confondre avec les victoires contre les Anglais en 1841 ct 1878... C'est donc un hasard si Jan Momad Khan (prononcé « Jan Mad Khan » dans le langage des Panjshiris) a choisi la date de notre jour de fête nationale pour nous inviter à déjeuner. L'offensive étant toujours reportée, nous avons accepté.

Jan Momad Khan est une vieille connaissance, pas vraiment un ami, mais un homme original et intéressant rencontré plusieurs fois lors de mes précédents tournages. Pendant la guerre contre les Soviétiques, il avait la responsabilité des convoyages clandestins. Il habitait Chitral, cette petite bourgade pakistanaise bien connue des caravaniers afghans, qui se trouve proche de la frontière nord-est, au-dessus de la bourgade de Dir. Un village de montagne coupé du monde pendant l'hiver, relié, le reste du temps, aux grandes villes du pays par une route sinueuse et dangereuse et une liaison aérienne qui ne fonctionne, l'été, que les jours de beau temps. Sa grande rue est occupée, jour et nuit, par un bazar approvisionné de tout ce dont avaient besoin les moudjahidin. Quiconque a marché dans cette rue ne peut en oublier la beauté. Si on la prend dans le sens de la descente, on voit, au loin, la masse prodigieuse du Trich Mir, imposante montagne de 6 680 mètres, toujours coiffée de neige, à faire rêver les alpinistes. Jan Momad a vécu là une dizaine d'années. Il y organisait le départ des caravanes vers « l'intérieur », véritable noria de convois chargés de l'indispensable ravitaillement pour les fronts du Nord : argent, armes, munitions, médicaments, denrées alimentaires durant certaines périodes particulièrement difficiles, chaussures, uniformes… C'est aussi lui qui « réceptionnait » tous ceux qui venaient de « l'intérieur » : les blessés, qu'il fallait acheminer au plus vite vers des hôpitaux de la Croix-Rouge internationale, les marchands de lapis-lazuli et d'émeraudes, les messagers porteurs de nouvelles importantes, souvent secrètes… C'est dire qu'il était passé maître en marchandage, car avec les sbires de la police des frontières pakistanaises, avides de bakchichs en tout genre, ça ne pouvait être une tâche de grand repos. J'en sais quelque chose pour avoir été plusieurs fois racketté par ces flics. Que de péripéties lors de ces passages ! Sans vouloir en rajouter, chacun de nos voyages clandestins contient de quoi écrire un vrai livre d'aventures. Trop long à raconter pour ce 14 juillet où nous devons jouer les acrobates…

Acrobates, car pour atteindre la maison de ce diable de Jan Momad Khan, il faut franchir le Panjshir. Facile à écrire, pas si aisé à réussir. À un endroit où la rive ressemble à une plage de sable et de galets, les Afghans ont placé à la verticale, sur chacun des bords du fleuve, des châssis de camion, rouillés mais solides, reliés par deux câbles sur lesquels roule, tant bien que mal, une poulie improvisée avec je ne sais quelle pièce mécanique à laquelle a été suspendue une nacelle faite de vieux morceaux de balcons, eux aussi tout à fait bricolés, le tout au-dessus des eaux rapides et tourbillonnantes. C'est ce qu'on appelle entre nous, le « système D » afghan. Ingénieux moyen de transport qui nous vaut de belles rigolades et de nous retrouver de l'autre côté du fleuve, les mains enduites de graisse. Mais secs ! Quoique l'aventure n'ait pas toujours réussi à ceux qui osent s'y risquer. Quelques semaines plus tôt, un photographe anglais, lui aussi invité chez Jan Momad, s'était retrouvé à l'eau où il avait failli se noyer. Tous ses films avaient été détruits, dont une série de rares clichés. En effet, il avait photographié Massoud sortant de la salle radio de son bureau de Parende. Un Afghan nous a décrit la scène, plan par plan, photo par photo. Premier cliché : sur le toit, un serpent est en train de s'attaquer à un nid d'oiseaux où les oisillons s'égosillent d'effroi. Deuxième cliché : Massoud saisit la Kalachnikov d'un de ses hommes. Troisième cliché : Massoud vise. Puis fait feu. Une fois seulement : quatrième cliché. Le cinquième cliché montre le serpent, tête arrachée par la balle, tombant aux pieds de Massoud... Des images qui auraient encore alimenté la légende, perdues à jamais dans les eaux bouillonnantes d'un fleuve qui a emporté bien d'autre morceaux de vies.

Dans la maison, belle, spacieuse, aux sols richement recouverts de beaux tapis, charpentée de poutres qui doivent venir de loin – Jan Momad Khan a manipulé des sommes d'argent considérables ! – note hôte nous accueille en riant, car c'est un homme qui aime la vie et les plaisanteries.

Pendant l'installation des moudjahidin dans la capitale, Jan Momad Khan était le responsable des maisons d'hôtes de marque pour Kaboul. En riant, il nous explique comment il a réussi à faire des économies afin de pouvoir reconstruire sa maison détruite pendant la guerre contre les Soviétiques.

– Ne vous fiez pas aux apparences ! Je n'ai pas détourné d'argent public. Je vais vous expliquer comment je suis parvenu à faire mes économies : lorsqu'on m'annonçait la venue de trente invités pour dix jours, je recevais, pour les prendre en charge, assurer leur logement, leurs déplacements et leur nourriture, une certaine somme calculée en fonction du nombre. Parfois, sur les trente invités prévus, seuls vingt-huit arrivaient. Il me restait donc de l'argent en trop. Bien sûr, parfois, c'était l'inverse : moins d'argent et plus d'invités. Mais d'une manière générale j'étais gagnant. Comme nous étions en guerre et qu'il n'y avait pas de banque, si j'avais donné la somme en trop à un fonctionnaire, il l'aurait mise aussitôt dans sa poche. Alors je me suis dit qu'il valait mieux la garder. J'en ai déjà parlé avec le chef à plusieurs reprises...

Sa femme et sa belle-fille nous ont préparé un festin, mais on ne les verra pas. Tradition oblige. Dans cette vallée où tant d'hommes et de femmes n'ont plus rien à manger d'autre que le pain et le riz que des voisins veulent bien partager avec eux, ce repas est à la hauteur du plaisir qu'il veut nous offrir, mais plutôt gênant. Il sait, lui, Jan Momad Khan, que nous ne sommes pas de ces étrangers venus leur voler leurs histoires. Il sait que nous sommes fidèles, des amis, et que nous avons assez payé pour ne pas avoir à le prouver encore. Comme Jan Momad Khan est connu pour ses talents de conteur, j'aimerais qu'il me raconte, lui aussi, comment, lorsque les taliban ont été sur le point d'encercler le Panjshir, Massoud a rassemblé ceux qui n'avaient pas fui pour leur annoncer qu'il se battrait avec eux… jusqu'à la mort ! Beaucoup avaient pleuré. Personne encore n'avait vraiment su raconter cela devant la caméra, sinon les essais peu convaincants de Naïm et d'Odji. Jan Momad Khan ne fera pas mieux. Alors qu'il sait être un extraordinaire conteur, avec sa voix profonde, son sens des silences et du rythme, devant la caméra il est devenu aussi ennuyeux que les autres. Pendant le repas, il n'a pourtant cessé de nous faire rire, avec ses anecdotes. Pendant « la sale période de Kaboul », en charge des hôtes importants, il s'occupait aussi du traitement de l'ex-président communiste Nadjibullah, gardé en vie avec son frère, dans une maison placée sous protection de l'ONU. Nadjibullah, de parole de Jan Momad Khan, était devenu une sorte de vieux sage ermite par la force des choses. Et Jan Momad d'imiter les fous rires qui secouaient l'ex-président lorsqu'il apprenait qui, dans la ville, tirait sur qui.

— Les taliban, eux, n'ont pas eu autant de respect que nous. À leur entrée dans Kaboul, ils ont assassiné les deux frères et l'ONU a laissé faire ! On n'a pas condamné les taliban pour ces crimes, s'indigne Jan Momad.

Et de préciser que Massoud, juste avant le retrait de Kaboul, avait envoyé quelqu'un à deux reprises pour proposer à Nadjib de l'accompagner.

— Il a préféré rester en croyant à la *Pchtounwali* [1] des taliban !

Après le repas, Jan Momad Khan nous présente un voisin musicien qu'il a fait venir en notre honneur. Plutôt que de parler de sa tristesse de la guerre devant ma caméra, il nous offre à entendre les sons tristes

---

1. Le pardon.

du robab, instrument dont l'homme s'excuse de ne plus savoir vraiment manier les cordes. La tristesse s'invite alors sur la mélodie…

Avant de nous quitter, je convaincs Jan Momad Khan de faire une autre tentative d'être filmé. Dans le salon, on met en scène son entrée. Il est allé chercher une photo-souvenir qui date de dix-huit années. Un beau tirage noir et blanc qu'il a encadré et mis sous verre. On répète la scène afin qu'il la pose sur le tapis, dans l'axe de la caméra. Il commente ensuite le cliché qui montre le groupe de moudjahidin photographiés dans les ruines d'une des maisons de la vallée. Je filme son doigt qui désigne les personnes figurant sur la photo.

– Lui, c'est le commandant Amroddin : martyr. Lui, c'est Ayatullah, et lui, c'était l'artilleur : tués aussi. Lui, c'est Azmudin : toujours en vie. Lui a été tué, lui est encore en vie. Lui, c'est le commandant Agha Shirine de Gulbahar : tué. Commandant Gulam Mohamad, aujourd'hui sur la ligne de front. Lui aussi a été tué. Là, c'est Orogoul…

Le doigt de Jan Momad Khan continue de glisser sur le verre qui protège le cliché, montrant les autres : lui a été tué, lui aussi, lui aussi… Lui aussi, lui aussi… Lui, c'est le commandant Ahmadi, toujours en vie.

– Sur cette photo, à part quelques-uns, tous ont été tués, finit-il par dire, dans un soupir.

Cette fois, la caméra ne le gêne plus. Les souvenirs attachés aux images de ses amis installent la présence de ces hommes qu'il a connus et dont la plupart ont payé de leur vie cette résistance.

Je souffle à Merab une question, qu'il traduit aussitôt, pendant que je cadre en gros plan le visage de Jan Momad Khan.

– Après tant d'années de guerre, tant d'amis tués, tant de martyrs, que penses-tu ? Que ressens-tu aujourd'hui ?

Jan Momad Khan soupire, une fois encore, prend son temps et, de sa voix grave et belle, sans me regarder, les yeux perdus quelque part, répond :

— Pour moi, comme dit le dicton, après l'obscurité vient toujours la lumière. Après la guerre viendra sûrement la paix.

Il jette un regard vers Merab qui trouve son ton trop théâtral et en sourit.

— Ne te moque pas de moi !

Il continue, reprenant son souffle, pathétique

— Pour l'instant, c'est encore la guerre, alors, que dire ? (Il hésite.) Depuis que l'Afghanistan est en guerre, chacun en rajoute. Aujourd'hui ce sont les taliban...

Là, j'entends Merabudine qui part d'un fou rire. Jan Momad se lève comme s'il voulait fuir la caméra. Je la tourne vers Merab qui, allongé sur les coussins, se tord de rire.

— Arrête, arrête ! fait Jan Momad, debout, face à notre interprète qui n'en peut plus. Je ne dirai plus rien ! Pourquoi rigoles-tu ?

— Tu as l'air complètement coincé devant la caméra ! Tu mélanges tout : taleb, moudjahidin... Ça ne veut plus rien dire !

Je filme la scène. Moi qui voulais montrer comment les Afghans savent rire de tout, je suis servi ! J'aime ces instants où tout dérape, où rien de ce qui semble avoir été prévu ne se passe, où l'improvisation devient cette poésie de l'existence, si riche, si précieuse, ce que ne comprennent jamais les propagandistes patentés, les organisateurs de discours officiels qui figent les cérémonies dans des déroulements programmés, les rendant inutiles.

J'aime cette dérision qui amène à rire de tous les drames comme pour mieux s'ancrer dans la cervelle le goût qu'on a de la vie. L'humour est une richesse qui ne coûte que des fous rires. J'ai toujours infiniment de respect et de reconnaissance pour les comiques. Un proverbe afghan dit : « Le rire, c'est le sel de la vie. Sans le sel, la vie n'a pas de goût, comme dans la cuisine. »

On dit que cela est bon pour la santé. Je veux bien le croire. N'est-ce pas, Merab ?

XVIII

Le fil fragile
qui nous lie

Naïm est revenu tard dans la nuit. Visiblement, il n'a pas dormi depuis longtemps. Il a les yeux rouges et troubles de quelqu'un qui ne regarde plus. Seule sa voix montre qu'il est encore éveillé, juste pour nous dire que l'attaque est à nouveau reportée :

– Pas avant deux ou trois jours…

Encore des complications avec des groupes du Nord et toujours des difficultés pour acheminer le matériel nécessaire. Sans doute aussi la situation du front n'est-elle pas favorable. « Car, précise-t-il, les taliban ont attaqué du côté de Bagram. » Sur ces précisions, il s'excuse. Sans doute va-t-il s'endormir d'un coup, profondément. Pour nous trois, ce sera l'insomnie.

Le lendemain, comme souvent durant les périodes de tournage, je fais le bilan de ce qui a été filmé. Un peu comme après un marché où on vérifie ce qui se trouve dans le panier. A-t-on tout pris pour le repas ? A-t-on filmé de quoi faire un film ? Et quel film ? C'est ce qui me plaît le plus dans ce « genre de cinéma ». On part filmer une réalité, toujours très difficile à capter avec une caméra. On part donc avec des intentions, mais l'important reste pourtant de saisir au vol ce que réserve la situation où l'on va occuper sa place de témoin (ce qui n'empêche pas d'être victime). Ainsi, un film de reportage peut être, devrait être, toujours, quelque chose d'inattendu. Cette aventure-là me grise. Il faut toutefois des séquences, une cohérence dans l'agencement des images enregistrées. Dans ces moments, personnellement, j'ai la mémoire si courte que l'impression de n'avoir rien saisi de la réalité est ce qui me gâche le moral. J'ai l'impression d'avoir été si mauvais en filmant, si maladroit avec la caméra, que le film me semble alors toujours irréalisable. À ce moment, le moral à zéro, j'ai besoin d'aller faire un tour du côté de mes motivations, de mes vraies raisons d'être venu là. Tout y passe. Cet Afghanistan qui me fait vivre là comme une palpitation. Ce mélange d'aventure, d'intensité, de lutte pour une paix lointaine, si hypothétique qu'elle en devient irréelle. Cette conscience de ne faire qu'un petit bout de programme déjà condamné à se trouver noyé dans un tourbillon d'autres images. Encore avais-je là le plaisir de travailler pour Arte. Le plaisir d'avoir des interlocuteurs, Thierry Garrel et Pierrette Ominetti, respectivement responsable des programmes documentaires et administratrice de ce secteur de la chaîne franco-allemande. Deux personnes qui, de par leurs exigences, mais aussi leurs attentions, placent toujours le réalisateur, l'auteur d'un film, dans une situation qui l'amène à donner ce qu'il a de meilleur en lui. Précieuse et rare alliance qu'une coproduction dans de telles conditions ! On est loin d'interlocuteurs aussi dépourvus de respect comme je l'ai si gravement ressenti avec des hommes comme le « fossoyeur » de notre belle collection *Zanzi bar*[1]. Passée entre les mains des politiques et des marchands, la belle invention télévision s'éloigne trop souvent de ce qui devrait pouvoir faire sa valeur et sa raison d'être au sein d'une société d'êtres humains.

Pour moi – dois-je le répéter ? – un film sera toujours comme un fil, fragile, ténu, qui nous lie les uns les autres. Dans le vertige des images et des sons du monde d'aujourd'hui, c'est du moins ce qui me fait poursuivre cette action, croire encore que tout est possible.

Mais je m'éloigne ! Ici, dans le Panjshir, tout à ma gamberge, j'ai l'impression qu'il me manque l'essentiel : pourquoi je filme Massoud ? N'est-ce pas Massoud qui reste trop secret ? Comment le montrer tel que je le ressens ? Comment montrer l'homme de paix par-delà l'homme de guerre ? Rien dans ce que j'ai déjà filmé ne permettra de faire partager l'intuition que j'ai de lui avec ceux à qui je présenterai le film. On verra Massoud organiser ses groupes, parler de guerre à ses hommes, la raconter et la faire, la guerre. Mais la paix ? Non, je me trompe, j'ai filmé la scène où il lit un poème à ses

---

1. Jean-Pierre Cottet, alors directeur d'antenne et des programmes de France 3.

commandants. Mais ce n'est pas suffisant et j'ai l'impression de l'avoir mal filmée. La conversation que nous avions eue le premier soir n'a pas été enregistrée. C'est nul ! J'aurais peut-être dû me forcer, même si je redoute toujours l'interview filmée. Les journalistes russes ont bien obtenu des réponses à toutes leurs questions. Mais est-ce Massoud ? Pour répondre aux critiques que tous ceux qui le contestent formulent à l'envi, je me dois d'affiner mon exigence, le montrer tel qu'il est. Massoud-le-pudique. Mais j'ai sans cesse l'impression de souffrir de ne pouvoir le montrer tel que je pense qu'il est. La caméra est un objet si gênant ! Filmer un paysage, des objets comme ces verres qui sont posés sur le bord d'une fenêtre,

c'est sans difficulté. L'image restitue leur réalité qui changera juste en fonction de la lumière, c'est tout. Un verre restera un verre. Un homme filmé est rarement l'homme hors champ de caméra. Avec des êtres humains qui, pour la plupart, se mettent à intégrer dans leur conscience le fait qu'ils sont regardés, se mettant à la place de celui qui filme, la réalité se déforme.

D'après les derniers renseignements glanés par Merab, Massoud est toujours dans les préparatifs de l'opération. Il dispose de peu de moyens, le contexte politique a la fragilité d'un château de cartes. On ne pourra rien filmer d'autre que ce qui l'a déjà été. Au fait, combien d'heures ai-je enregistrées ? Huit ! C'est peu et beaucoup à la fois. Je note dans mon petit carnet le contenu de mes images. Pour me redonner espoir dans ce film je visionne dans le viseur la scène du fou rire de Merab avec Jan Momad Khan. Je la montre à Merab et j'en ris à nouveau, car l'effet sur lui est instantané : fou rire garanti. On se fait du bien. Après tout, ce n'est qu'un film. La vie, c'est là, d'être présent, de sentir ce qui se passe autour de nous…

– Je propose d'occuper le temps de cette insupportable attente et d'aller filmer les mines d'émeraudes. Cela permettra de montrer une autre source de revenus de la vallée du Panjshir que la planche à billets possédée par les Russes[2], ou le trafic de drogue des gens du Sud ou du Badakhshan.

— Ici, chez Massoud, ce n'est pas la drogue qui finance la guerre ! souligne Bertrand.

Il en sait quelque chose. Du temps où il était député PS de l'Eure-et-Loir, il a dirigé une commission antidrogue à l'Assemblée. Selon des documents, auxquels il avait légitimement accès, notamment quelques enquêtes américaines de la DEA, il était clairement démontré que la plupart des zones de production de la drogue se trouvent dans les régions sous contrôle taleb, ex-région de Hekmatyar, comme par hasard ! Sur trois mille tonnes de drogue produites chaque année, 90 pour 100 proviennent du Sud, dont 85 dans le Helmand et Jallalabad. L'Afghanistan est devenu l'un des plus importants pays exportateurs d'héroïne ! À qui profite ce trafic ?

— Ça, tu ne pourras jamais le montrer avec une caméra ! Ou bien ce sera du pipeau… ou tu prendras une balle dans la tête.

Une heure plus tard nous sommes dans notre jeep louée, occupés à manger de la poussière, remontant la vallée en direction du village de Khench, haut lieu des émeraudes du Pansjhir. Tout au long de la route, des carcasses de blindés soviétiques font office de monuments. Tout au long de la route, on voit quantité d'automobiles posées sur des pierres, abritées sous des bâches. Il faut une heure trente pour atteindre Khench en venant d'Astana. Là, notre recommandation, le commandant de la vallée en personne, Mahmoud Khan, nous reçoit. Sa maison est confortable. On sent l'homme riche. Son hospitalité nous vaut un déjeuner copieux dans le jardin clos qui occupe le devant de sa propriété. Malheureusement, pour aller filmer les mines… « C'est, dit-il, trop tard. » Il va falloir marcher dans la montagne, mais le soleil est maintenant trop chaud. Trop tard, trop chaud… Il nous invite à passer la nuit chez lui et partir tôt le matin. Pourquoi pas ! J'en profite pour lui faire raconter, à lui aussi, la fameuse réunion suite à la chute de Mazar. Il parle bien. C'est un lettré. Il se souvient des dates, chose rare en Afghanistan, et se vante sans cesse de sa mémoire dont il semble être le premier

---

2. En effet, les Russes possèdent une planche à billets afghans. Lorsque les moudjahidins étaient à Kaboul, les coupures neuves arrivaient par avion… de Moscou.

admirateur. Mais c'est aussi un responsable politique qui a trop l'habitude de réfléchir à ses mots. Il brode, fait le maniéré. Je sais déjà, en le filmant, que son discours qui prend de plus en plus, à chaque phrase ajoutée, une allure de roman-fleuve, n'aura jamais sa place dans mon montage. Impossible. Avec l'audiovisuel il faut faire court. C'est la règle intangible. Je continue à le filmer, par courtoisie. Plus je réalise de films, plus j'observe les hommes, plus je deviens allergique aux discours policés. C'est ce qui perd la classe politique française. Du moins pour le moment.

Dans le petit village de Khench, le plus riche de la vallée, alimentée en électricité par de petites turbines plongées dans le fleuve, le chef du Panjshir n'en finit pas de peser ses mots, alourdissant son propos, en décalage avec ses propres états d'âme et sa pensée véritable. Lorsqu'il finit de croire que son témoignage a contribué à raconter l'histoire de Massoud, il nous propose d'aller filmer les marchands d'émeraudes dans le village.

Pour certains habitants de Khench, la guerre a du bon : les émeraudes se vendent. Le seul problème rencontré par les propriétaires des mines est le manque de main-d'œuvre, surtout en période d'opération militaire comme celle qui n'en finit pas de se préparer. La plupart des hommes en bonne santé, capables de tenir une Kalachnikov, sont d'ailleurs sur le point de partir vers le bas de la vallée, vers la plaine de Chamali. Les autres se tiennent en réserve. Qui sait, pour aller sur Kaboul ! rêvent certains… Dans une boutique, un marchand nous montre ses trésors. Je filme enfin les fameuses émeraudes du Panjshir ! Celles dont on dit qu'elles sont aussi belles qu'en Colombie. Des centaines de morceaux verts, étalés sur des tissus qui permettent de les transporter en ballots. Dans la boutique, on est devenu l'attraction du village. Une foule de curieux se presse au point que Merab doit élever la voix pour demander le silence – comme sur un plateau de cinéma –, lorsque j'interroge le marchand sur le fonctionnement du marché. Contrairement au chef politique, lui, carrément, ne trouve pas ses mots. Et lorsqu'il y parvient, il parle si bas qu'on entend mieux les mouches voler dans sa boutique que ses explications. Surprenant endroit où, en plus de la vente d'émeraudes, surtout destinées à l'exportation, le marchand fait droguerie. On trouve aussi bien du papier de toilettes, qui sert plutôt de mouchoir, les paysans afghans lui préférant les cailloux ronds. On trouve aussi des lampes à huile, des savons, des cahiers…

Le soir vient alors. « Ainsi va le soleil, m'a dit un vieil Afghan. Alors ne t'en fais pas, rien d'autre n'a vraiment d'importance. Il va, il va, et nous on s'en ira un jour… »

XIX

Le jour le plus long, version afghane

Ce matin-là, 16 juillet, rien ne laissait présager une journée aussi riche en événements. Certains jours semblent plus longs que d'autres. Nous nous sommes levés tôt, prenant l'étroite vallée perpendiculaire, emboîtant les pas d'un homme de confiance du commandant du Panjshir. Trois heures plus tard, nous atteignons une grotte où nous trouvons un chercheur d'émeraudes en train de préparer le riz pour ses compagnons occupés à creuser la paroi. Ils ont une manière plutôt brutale de chercher les filons de pierres précieuses et nous en font démonstration. Un peu d'explosif, une mèche, tout le monde se met à l'abri et voilà qu'un pan de paroi vole en éclats. Méthode afghane ! On ne fait pas dans la dentelle. Moi qui m'attendais à voir des tunnels se perdant au cœur de la montagne, je suis déçu. « Pour en trouver, dit notre guide, car ils existent, il faut aller plus loin, plus haut… » Mais nous n'avons pas le temps. Nous ne voulons pas être absents trop longtemps. Ce sera pour une autre fois. Séquence ratée ! La caméra a failli y passer lors de l'explosion : un morceau de rocher l'a frôlée. Chance !

Quelque chose nous presse. On revient dans le village de Khench pour midi. Le temps d'un plat de riz, d'un thé, d'une grappe de raisins, nous prenons la route. À nouveau la poussière dans les yeux, le nez, la bouche qu'on protège avec nos foulards. Au passage, on se renseigne sur l'offensive. C'est pour bientôt. Il semble bien que ce jour fatidique, tant attendu par les uns et les autres, approche, car les réservistes ont reçu l'ordre de se préparer à partir. Des camions sont arrivés ; les munitions ont réussi à franchir le col de Salang. La tension monte.

Près d'Astana, nous croisons des groupes d'hommes occupés à travailler à la route, d'autres qui transportent des obus, d'autres encore qui se baignent dans le fleuve.

– Des prisonniers, commente Merab. Par ici, il y a une prison. Vous voyez, chez nous, leur traitement n'est pas une torture !

Par expérience, je sais qu'il faut filmer tout ce qui, *a priori,* retient l'attention. Ne pas remettre à plus tard, car on ne le fait plus, ou l'occasion ne se représente jamais. On décide donc de prendre une heure pour aller filmer des Pakistanais. C'est important. Filmer les preuves de leur présence, de cette ingérence qui transforme les données du jeu, tout en étant très lucide sur le désintérêt de l'Occident pour ce conflit « régional ».

Dans la maison qui fait office de prison, nous retrouvons Youssof, le photographe, avec Fahim et Daoud, un jeune Afghan venu de Los Angeles. Ils travaillent à l'identification des derniers captifs recensés. Je filme la scène, sans un mot aux prisonniers, sinon pour leur demander de faire comme si nous n'étions pas là. Ils n'ont pas le choix.

Huit hommes, pakistanais, taliban, capturés quelques semaines plus tôt, attendent, debout, près d'une petite table où un Afghan les interroge tranquillement. Les questions, posées en langue persane, sont traduites en ourdou par un interprète. C'est sommaire : nom de famille, date et lieu de naissance, nom du père, de la mère, date et lieu de capture... Ces hommes, jeunes, répondent sans rechigner. L'un est originaire de Dir, ville pakistanaise proche de la frontière afghane. Il a été capturé à Salang. Un autre vient du Pendjab, un de Peshawar. Un de Quetta, ville du sud-ouest du Pakistan. Ce ne sont pas des Afghans. Contrairement aux Afghans, ils connaissent la date de leur naissance. Ils parlent ourdou, pas persan. Il n'y en a qu'un qui baragouine quelques mots de pachtou. Les échanges sont courtois, brefs, sans hostilité. L'interrogateur afghan remplit les fiches (du même type que celles montrées aux diplomates, à Mazar, au début du voyage), leur fait signer leurs déclarations et apposer l'empreinte de leurs doigts en bas de chaque document. Le prisonnier, une fois interrogé, est photographié. De face, un papier indiquant nom, date et lieu de naissance, tenu sous le visage. Clic-clac. De profil. Petite preuve désuète d'ingérence pakistanaise – désuète car tout le monde s'en fout à l'étranger – qui atterrira sur je ne sais quel bureau de fonctionnaire de l'ONU pour aller flotter dans les dérives en eaux troubles d'une procédure incertaine… Les responsables du double jeu pakistanais peuvent dormir tranquilles. L'hypocrisie politique est de mise : d'un côté les autorités pakistanaises se disent toujours prêtes à aider les Afghans à vivre en paix. N'ont-elles pas accueilli sur leur territoire, et pendant dix années, les partis politiques de la « résistance afghane » ? N'ont-elles pas accepté près de quatre millions de refugiés afghans ?… avec, bien sûr, de confortables compensations puisqu'on estime qu'un tiers de l'aide internationale s'est retrouvée dans les poches de quelques familles

richissimes. Sans commentaire ! Officiellement donc, les Pakistanais veulent le bien du peuple afghan. Leurs diplomates répètent sans discontinuer un discours sur la paix et l'harmonie entre les peuples pendant que leurs services secrets militaires mènent une guerre sans pitié chez leurs voisins afghans. Ils ont leur logique, leur point de vue, leur obsession de la guerre avec l'Inde, le grand voisin menaçant.

En Afghanistan, ils soutiennent ceux qu'ils pensent pouvoir contrôler et ne veulent pas de Massoud. Ils veulent un Afghanistan à leur botte. Massoud a été jugé trop indépendant. D'ailleurs, lorsqu'il était ministre de la Défense à Kaboul, il a réclamé aux Pakistanais les territoires des zones tribales nées du tracé de la frontière par les Anglais… une autre histoire ! Et puis, il est tadjik, décidément trop éloigné des intérêts du Sud. Les Pakistanais cherchent à tout prix à assurer leurs arrières en cas de guerre ouverte avec l'Inde. Ils se servent de l'Afghanistan comme base arrière.

Selon des confidences recueillies auprès des prisonniers, les officiers pakistanais disent à leurs recrues qu'ils les envoient en Afghanistan pour entraînement, avant d'être expédiées sur le front dans la province du Kashmir, face à l'Inde où, sans cesse, ont lieu des accrochages, peu couverts par la presse. Une zone difficile d'accès.

Un conflit régional. Ils ne sont pas fous, les Pakistanais. Ils mènent leur politique avec cynisme… ou réalisme. Les leçons, ils les ont reçues des Américains qui ont formé quelques-uns de leurs meilleurs agents secrets. Pour les médias qu'ils méprisent, ils racontent une belle fable, inventée avec soin. Sur le terrain, ils exécutent leur plan, quoi qu'il arrive, même si ce plan est sauvage pour quantité d'innocents. Bagatelle ! C'est un monde pourri. Trafic d'influence, trafic de drogue… Quelle saloperie. S'il n'y avait pas de drogue ici, il y a longtemps que les sales coups se seraient arrêtés… par manque de financement.

Je filme ces prisonniers. Ces hommes de vingt ans, plutôt paumés. Les vieux Afghans qui nous en ont parlé ont raison de s'indigner en posant leurs questions : que viennent-ils foutre ici ? Apparemment, ils sont en bonne santé. Maigres, mais gaillards. Les Panjshiris, qui ont déjà du mal à se nourrir eux-mêmes, leur donnent de quoi rester dignement vivants. Merab nous confie que les délégués de la Croix-Rouge qui les visitent ne peuvent pas dire le contraire ; ils ont demandé pourtant à ce que leur ordinaire soit amélioré. La première équipe arrivée dans la vallée, il y a cinq mois, a fait monter les prix de location de voitures. Mais ça, ils ne s'en étaient pas aperçus. Un jeune délégué suisse allemand dont c'est la première mission nous a dit que les Afghans n'étaient que des bons à rien. Qui connaissait-il ? Combien d'Afghans ? On n'a pas la même perception. On n'a pas non plus la même expérience. Chez bon nombre de paysans de la vallée, la nourriture n'est pas plus riche. Nos repas chez Jan Momad Khan et le commandant du Panjshir constituent des exceptions.

— Il faut y aller, dit Merab. Je viens d'apprendre que Massoud se trouve près des gorges, dans le bureau de Naïm.

Deux heures de jeep en direction du bas de la vallée. (Quelle heure est-il lorsque nous arrivons près des gorges ? Seize heures trente !) Le hasard nous fait croiser la voiture de Massoud qui roule en sens inverse. Il s'arrête à notre hauteur. Merab échange quelques mots avec le chauffeur et Massoud. On n'entend pas leurs propos. C'est bref, Merab rentre la tête, demande à notre conducteur de faire demi-tour. Il a une mine à la fois réjouie et mystérieuse.

— Le chef nous invite à venir avec lui. L'offensive va être lancée.

Où nous emmène-t-il ? Merab lui-même l'ignore. On rebrousse chemin, on roule pendant dix minutes, puis les voitures s'arrêtent.

Quelques hommes accompagnent Massoud : son radio, le commandant Jan Dad Khan, commandant d'une des vallées de la Kunar, et deux moudjahidin de sa garde, dont l'un tient à bout de bras le téléphone-satellite. Il y a aussi un chef pachtou que Massoud emmène avec lui pour lui montrer sa manière de mener les affaires militaires.

On traverse le fleuve, empruntant un pont constitué de rondins d'arbres recouverts de pierres, trop étroit pour les véhicules. Merab dit qu'une voiture attend plus loin, sur l'autre rive, pour nous mener plus haut, quelque part dans le PC secret de Massoud d'où il a tenu tête aux taliban en octobre 1996, et d'où, bientôt, c'est maintenant une évidence, il va lancer l'ordre d'attaquer.

Dans la plaine de Chamali, cachés dans les maisons, dans les jardins, derrière les murs, dans des tranchées, ils sont des milliers de combattants à guetter cet ordre. Voilà trois jours qu'ils sont en nombre suffisant pour s'élancer à l'assaut des lignes taliban. Des milliers à craindre que tout soit annulé pour une mauvaise raison. Trois jours,  c'est long. Trois fois vingt-quatre heures à reporter sans cesse l'instant fatidique où l'excitation succédera enfin à la peur : l'action, enfin, qui efface les affres de la pensée.

Sur la rive opposée, nous retrouvons le petit groupe avec Massoud et un problème inattendu : la voiture prévue n'est pas au rendez-vous ! Il y a bien trois moudjahidin, mais ils ne sont au courant de rien. Comme des gamins surpris à ne rien faire, ils remettent de l'ordre dans leur tenue, impressionnés par cette soudaine présence du grand chef. Pas de voiture ! C'est l'Afghanistan !

Pendant qu'un message est envoyé à la qararga voisine, un camion va tenter de traverser le fleuve pour ramener une voiture. Le temps passe. Le ciel se colore d'ocres rouges. Massoud cherche un endroit pour la prière. Je le vois s'éloigner. Je remplace la bande dans le Caméscope. Bertrand est parti avec Massoud, plus loin. Je les vois. Je regarde la scène de la prière, puis Massoud qui prend place sur un rocher. Merab me dit qu'il va venir là où nous sommes, car un vieil homme a apporté un plateau avec des verres, du sucre et du thé brûlant. Encore des verres Duralex *made in France,* comme souvent en Afghanistan. J'en profite pour nettoyer le camé-scope couvert de poussière. Merab s'en va aux nouvelles. Cinq minutes plus tard, il revient avec Bertrand, très excité.

– Tu aurais dû venir, j'ai fait des signes, mais tu ne regardais pas. Il y a eu une scène plutôt étonnante. Un vieux paysan est venu voir Massoud avec son fils pour lui demander conseil : le fils ne veut pas écouter son père qui avait choisi une femme alors qu'il veut en épouser une autre. Qu'il aime. Le paysan a demandé à Massoud de l'aider à faire entendre raison à son fils. Massoud a souri et a répondu que chacun devait suivre la voie que lui indiquait son cœur !

Oui, j'aurais dû être là pour filmer. Comme quoi un film est aussi fait de beaucoup de ratages. Massoud, pour beaucoup de moudjahi-din, n'est pas seulement un supérieur hiérarchique, un chef qu'on craint et à qui on obéit. Il est aussi perçu comme un grand frère. Pour certains, il est l'ami intime.

J'aurais aimé filmer cette scène, en effet. Mais je n'ai pas le temps de le regretter : Massoud approche, prend place devant nous. Je vois alors Merab sortir ma lettre de sa poche. J'ai juste le temps de faire remarquer que ce n'est sans doute pas le meilleur moment, Merab la tend à Massoud, qui s'en empare, intrigué. Merab explique qu'étant toujours occupé nous n'avons pu le déranger, aussi ai-je consigné quelques questions sur ses alliances contes-tables avec des criminels comme Dostom et Sayyaf. Massoud lit. Autour de nous ses hommes s'impatientent. Ils voudraient bien commencer à travailler avec lui. Plus loin on voit le camion qui revient, transportant une voiture sur son plateau, avançant lente-ment dans le courant du fleuve. La scène est dans le rectangle de mon viseur. Je reviens sur Massoud qui tourne les pages. Je filme plus serré ses mains tenant la lettre, puis monte jusqu'à son visage qui sourit enfin. Il a lu le post-scriptum où je signale que j'aimerais, un jour, quand la paix sera là, venir ici avec mes enfants. Il reprend ma phrase en guise de réponse. Merab, gêné, parce que le radio lui pose une question, traduit en deux temps. Oui, ce n'est vraiment pas le moment. D'ailleurs, les pneus du camion viennent d'accrocher la berge. Massoud boit son thé, se souvient de l'endroit qui lui rappelle une anecdote au temps de la guérilla contre les Soviétiques, à une époque, en 1983, où il avait signé une trêve avec eux. Ils avaient demandé, en gage de sa bonne foi, l'installation d'une garnison de trois cents soldats, ici même, sur l'autre rive du fleuve, à Anaba.

– Un compagnon a dit : « Là-bas, il y a une source », raconte Massoud, un doigt tendu pour désigner l'endroit. Nous avons traversé la rivière et avons commencé à gravir la montagne. Après une heure de marche, ce compagnon a dit : « C'est plus haut. » Deux heures plus tard, j'ai demandé : « Mais où est cette eau dont tu nous parles ? » « Encore plus haut ! » En fait, il n'y en avait plus. La source s'était tarie. Au sommet, nous avions la gorge en feu. Ce n'est qu'au lever du jour que nous avons trouvé une source…

La voiture vient d'être descendue de la plate-forme du camion. Non sans mal, car il n'y a pas de grue. Méthode afghane : le chauffeur s'est servi d'une rampe naturelle, de pierres et de terre. Le tout a failli basculer sous le poids du véhicule. Finalement, nous voilà tous à bord, les gardes sur le plateau, nous sur la banquette arrière. Massoud devant, à droite du chauffeur. Silencieux. On monte par une route qui serpente, route spécialement tracée lors de l'attaque des taliban contre le Panjshir. Cette route, nous explique Merab, a servi pour monter canons et tanks sur la ligne de crête.

La nuit tombe parée de couleurs mauves. Je pense à ma lettre, à mes questions, à cette offensive imminente. Qu'importe ma lettre ! Personnellement, je ne parviens toujours pas à comprendre pourquoi Massoud ne reçoit pas le soutien de l'Occident.

XX

Les dés sont jetés

Debout, face à la plaine de Chamali, au-delà de laquelle sommeille Kaboul, Massoud se tait. Nous sommes à près de trois mille mètres d'altitude. Il regarde la nuit éclairée par la pleine lune. 16 juillet 1997, il est 23 heures. L'endroit de la ligne de crête où nous nous trouvons a été aménagé en bastion. Quelques tanks enterrés, basculés vers le vide, pointent leurs canons en direction de l'aéroport de Bagram et de la ville de Charikar. En bas, la plaine est occupée par les défenseurs de l'islam « purifié », par ceux qui disaient rétablir la paix en Afghanistan jusqu'à ce que leur comportement fanatique attise la haine des habitants des lieux. D'en haut pourtant, tout a l'air encore si calme…

Lorsque nous atteignons le bout de la route qui ne mène qu'à cet endroit réservé, Massoud entre dans une cabane de berger en pierres, construite en contrebas de la montagne, sur le versant opposé à celui qui descend vers la plaine. Nous sommes à l'abri d'éventuelles rispostes de l'artillerie ennemie. C'est l'heure du dîner, mais aussi des communications radio et téléphoniques. Assis autour d'une nappe en toile cirée posée sur les tapis, dans le seul éclairage d'une lampe à gaz à pression, les plats préparés par un cuisinier venu d'on ne sait où se composent de ragoût de mouton, de yaourt, de riz, apportés du village d'à côté. Il y a aussi des fruits, du thé et du pain. À notre intention, deux jus de mangue dans des berlingots de carton. Massoud n'a cessé de parler au téléphone avec des interlocuteurs aussi variés que ceux qui lui fournissaient des armes, se plaignant d'en manquer, parlant longuement aussi à ceux qu'il fallait convaincre de se rallier à la cause anti-taliban, leur dernière chance de se racheter de leurs traîtrises ou de leur lâcheté. Jouer des opportunismes. Il s'était aussi entretenu avec ceux qui travaillaient à la constitution du gouvernement, clef maîtresse indispensable pour l'avenir... et la prise de Kaboul. Car il ne suffisait pas d'y entrer, il fallait y demeurer avec un programme, tout restant une fois de plus à prouver !

À un moment, Merab profite d'un de ces silences que les communications à distance concèdent au temps. Il nous traduit une conversation plutôt stupéfiante avec un acteur historique que nous pensions éliminé depuis les événements de Kaboul. C'était sans tenir compte, une fois de plus, de ces mystérieuses afghaneries :

— Hekmatyar, chuchote Merab, menace Massoud de donner l'ordre à ses commandants de passer dans les rangs des taliban si on ne lui apporte pas la garantie qu'il aura un poste de Premier ministre dans le futur gouvernement.

Je m'en indigne. Massoud ne commente pas. Il sait que, dans la réalité, les hommes d'Hekmatyar sont déjà dans les rangs des taliban.

— Ainsi donc ce criminel continue à faire la guerre !

Merab traduit à Massoud, qui a compris, mais ne commente pas.

— Et ça, dis-je en filmant Merab, en Occident, personne ne le comprend...

Pauvre Afghanistan !

Le dîner se poursuit. Merab nous informe qu'il n'y a pas de médecin. Une offensive va être lancée, il y aura des morts et des blessés... mais pas de médecins pour tenter de réduire le nombre des premiers. Depuis l'échec des moudjahidin à Kaboul, les ONG travaillent surtout dans les zones sous contrôle taleb. On compte ainsi cent quatre-vingts ONG à Jallalabad, autant à Kandahar, aucune à Parwan Kapissaf deux ou trois à Bamyan.

J'emprunte le téléphone-satellite de Massoud pour appeler Médecins sans frontières. Je les connais bien pour avoir réalisé avec Frédéric Laffont un film sur ce qu'ils étaient, il y a neuf ans : *À cœur, à corps, à cris*. Un film qui occupe une place qui m'est chère même si je n'apprécie plus guère la manière dont les « humanitaires » se comportent avec les journalistes, autres acteurs des drames. On les prend trop systématiquement pour des « vautours ». J'en connais d'infiniment estimables, attentifs à respecter ce qu'ils sont et ceux dont ils témoignent, parfois malmenés dans des rédactions difficiles à gérer. Mais voilà, l'amalgame s'est fait dans l'esprit de la plupart des « humanitaires » qui rejettent les journalistes considérés comme des incapables, toujours pressés (là ils n'ont pas vraiment tort), souvent trop prompts à chercher le spectaculaire au détriment de l'essentiel. Les « humanitaires » les considèrent tout juste bons à utiliser lorsqu'on veut sensibiliser l'opinion publique. Mais de la cabane de Massoud, celle à qui je parle, Brigitte Vasset, fait partie des anciennes pour qui j'ai beaucoup de respect et d'admiration. Elle a compris qu'il y a urgence. Elle a confiance en mes paroles. Je fais ce que je  peux. Plus tard, j'appellerai aussi Aide médicale internationale, les pionniers de l'aide médicale apportée à la population du Panjshir. Ils viendront, plus tard… Plus tard, mais ils viendront.

23 heures 30. En contrebas, la nuit est soudain troublée çà et là par de petites lumières. Ce sont des agents de Massoud qui aident l'artillerie à se caler sur les cibles qu'elle va avoir à détruire dans quelques heures. Il fait presque froid. Pas de vent. Comme si tout, ici, retenait son souffle. Massoud n'a passé qu'un court instant à humer l'atmosphère, prendre l'air frais de la nuit, regarder le trou noir de la plaine. Il vient de regagner la cabane. Il est tendu, seul, une fois encore, avec ses responsabilités, ses doutes, ses calculs, et l'autorité qu'il a sur ses troupes, qu'il va falloir contenir s'il le faut. Se diriger sur Kaboul promet un parcours semé de pièges. Ne pas laisser les hommes en faire à leur guise, confisquer leurs armes lourdes, endiguer la haine de la population à l'égard des taliban. Tout peut arriver, même le pire ! Et Massoud ne le sait que trop bien.

Cet après-midi, les camions venus du Nord ont apporté leurs dernières cargaisons d'obus, de roquettes et de balles. Quantité maintenant suffisante pour trois jours de combats. Ensuite, il faudra compter sur les prises de guerre, les stocks d'armes des taliban… et la grâce de Dieu. *Inch Allah* ! Massoud a-t-il enfin la volonté de gouverner un État afghan multiethnique ? S'il veut imposer la paix… Vaste programme porté actuellement par le Front uni, alliance de Tadjiks, d'Ouzbeks, de Hazaras et de Pashtous ralliés. Massoud compte bien y adjoindre les taliban, après leur défaite. Mais tout reste à faire. Demain, Massoud joue son va-tout. Il va s'exposer en jetant ses ultimes forces dans la bataille comme un boxeur en fin de combat. Il sait aussi, et s'en attriste, qu'il a perdu son crédit aux yeux de la population de Kaboul. On ne l'a vu qu'en homme de guerre alors qu'il ne rêve que de paix. Mais la situation, sans cesse, l'a ramené derrière les canons. Naïm, qui joue parfois le propagandiste, prétend que les Kaboulis disent aujourd'hui : « Le chien de Massoud vaut cent fois mieux que les hommes taliban. » Qu'importe ! à cette heure cela n'a plus d'importance puisque la décision est prise.

Les taliban, eux aussi, ont rapidement perdu l'aura qui a entouré leur « action pacifiste », cette image de moines soldats, s'en allant à travers les provinces du Sud, le Coran à la main, désarmant les fous de guerre, ceux qui ne savent rien faire d'autre que de tenir une Kalachnikov. Encore eût-il fallu qu'ils apportent le respect et la tolérance ! Dans les parties de la plaine de Chamali occupées par les forces taliban depuis six mois, les exactions commises à l'encontre de la population n'ont cessé d'entretenir un vent de révolte : femmes violées, nous a-t-on dit, femmes et hommes battus, disparitions nombreuses, confiscations de biens, arrêtés délirants interdisant la musique et la télévision, même les pantalons blancs et les chaussures blanches pour les femmes, car c'est la couleur du drapeau taleb, ce qui voudrait dire qu'on piétine le drapeau taleb, etc. Tout cela imposé par des gamins illuminés de dix-sept à vingt ans ! Le dernier rapport d'Amnesty International[1] est plus accablant encore pour les taliban que ce qu'a pu nous en dire l'entourage de Massoud : pouce coupé à une femme portant du vernis à ongles, femmes fouettées pour n'avoir pas respecté les codes vestimentaires obscurs et contradictoires des divers mollahs, lapidations pour « adultère », etc. Contrairement à ce que certains annonçaient, il ne s'agit pas là de bavures dues à une minorité fanatique. Le rapport dit

---

1. Londres, juin 1997.

explicitement que ces règles « cruelles, inhumaines et dégradantes, n'ont absolument pas été assouplies à mesure que les taliban consolidaient leurs positions. C'est plutôt le contraire qui s'est produit ».

Avec Bertrand, nous mesurons l'incroyable chance qui nous a permis d'être là, à cet instant de l'histoire où tout peut basculer. Une nuit historique, comme dit Merab. Nous n'en revenons pas encore. Dans ce calme de la nuit, le sommeil n'a pas sa place. C'est le temps de parler aussi :

– Nous ne comprendrons jamais le jeu des Américains, soupire, comme un refrain, le commandant qui regarde les étoiles avec nous. Les Américains sous-traitent l'Afghanistan par le biais des services secrets pakistanais. Nous disons que nous voulons être amis des États-Unis, mais directement, pas en passant par le biais des Pakistanais. D'un côté, en public, ils appellent à la paix et demandent la fin des ingérences étrangères, de l'autre, en secret, leurs agents forment les militaires pakistanais qui encadrent les taliban.

Selon lui, il existerait près de Quetta, au Pakistan, un camp d'entraînement taleb encadré par des mercenaires « privés », vétérans de l'armée américaine. On a déjà vu cela en Croatie ou au Burundi. On se souvient des commentaires de Naïm à ce sujet, l'homme des renseignements qui a connu beaucoup de « coups tordus » et de trahisons. Pour lui, les Américains ont un but : « Prendre en fait la succession des Britanniques dans la zone et faire du business. Ils se moquent totalement du peuple afghan. Ils pensent à leurs intérêts. » C'est le fameux projet de construction de pipe-line qui doit relier le Turkménistan à la côte pakistanaise en traversant les déserts de l'ouest de l'Afghanistan.

– La CIA a formé les cadres de l'ISI aux États-Unis et les considère comme des collègues. Depuis l'arrivée des Soviétiques en Afghanistan, l'ISI n'a cessé de s'ingérer dans le destin de notre pays : ce sont eux qui ont donné 80 pour cent de l'aide militaire américaine à l'extrémiste Gulbuddin Hekmatyar. Cet ennemi de la paix, avide de pouvoir, n'a pas utilisé ses stocks de roquettes contre les Russes. Il les a gardés pour détruire Kaboul en 1992 et 1993, pour la recherche de son seul pouvoir. Voilà pourquoi Massoud a été contraint de faire sans cesse la guerre !

Tout cela, nous le savons déjà. Tout cela sonne comme un refrain monotone.

Selon Moalem Naïm les choses sont pourtant simples :

– Les Afghans sont pacifiques, mais oui ! Le drame des Afghans ce sont les ingérences extérieures : la CIA et l'ISI ont joué Hekmatyar contre les Russes, l'extrémisme islamiste contre le communisme. Ils pensaient que c'était la meilleure carte pour nuire aux Soviétiques, ce que les Pakistanais ne cessaient de leur expliquer. Lorsque nous sommes arrivés à Kaboul, les choses ne se sont pas du tout passées comme ils l'espéraient. Le libérateur, ce n'était pas Hekmatyar, mais Massoud. Et les Pakistanais ne veulent surtout pas de notre Massoud, un des rares chefs que personne ne peut acheter. Hekmatyar est un criminel de guerre. Une grande partie des destructions de Kaboul est son œuvre ! Nous, nous avons lutté contre lui. À cause de lui, la guerre a enflammé Kaboul. À cause de lui, l'opinion publique internationale n'a vu que la guerre, sans rien comprendre au jeu écœurant qui la faisait exister. Les Américains oublient que dans le même temps nous avons lutté contre les chiites du Wahdhat soutenus par Téhéran. Pourquoi les Américains ne nous ont-ils pas aidés dans cette bataille ? Parce que l'ISI a toujours expliqué au Département d'État que Massoud était dangereux. Les Américains, qui ne connaissent rien au pays, leur font aveuglément confiance. Ils se moquent de voir les taliban installer une dictature, au contraire, ils voient même là une manière de discréditer tout l'islam, et comme les taliban ont besoin de leurs dollars et qu'ils acceptent de laisser construire le pipe-line entre le Turkménistan et le Pakistan, tous ces salauds s'entendent.

« Massoud le Chanceux », disait un soldat biélorusse que nous avions filmé en 1989. Ses ennemis n'ont cessé de nuire à son image, nous avait expliqué Yunus Quanony. Peu d'observateurs étrangers ont enregistré le fait qu'il a quitté le gouvernement de Rabbani deux mois après l'entrée des moudjahidin dans Kaboul. Il ne voulait pas le pouvoir. On l'a donc cantonné aux tâches militaires de défense de la ville. Il en paye aujourd'hui le prix. La guerre avec les factions l'a toujours empêché de s'en aller.

Quatre ans de gâchis à Kaboul, c'est le bilan de la présence moudjahid dans la capitale en ruine. Aujourd'hui, les conséquences sont lourdes : « Nous n'avions personne pour nous aider. La population ne connaît plus que la guerre. Les Afghans qui ont fait des études à l'étranger ne sont pas revenus reconstruire le pays à cause des conflits qui n'ont cessé d'empêcher la paix de s'installer. »

Sur cette montagne, je récapitule les données d'un échiquier très incomplet : le rôle des Saoudiens, non plus, n'est pas compréhensible, même pour Quanony qui parle arabe, et qui est déjà allé en Arabie Saoudite. Mais lui a la certitude que le temps est venu pour Massoud de prendre une responsabilité vraiment politique. Massoud le Chanceux deviendra-t-il Massoud le Politique ? Pourra-t-il réussir une seconde entrée en scène ?

Voilà Massoud le chanceux...

XXI

Le canon tonne encore

14 juillet 1997. Deux heures du matin. La lune a disparu derrière les crêtes des montagnes qui dominent Chamali. Seules les étoiles éclairent une curieuse scène : Massoud, entortillé dans des couvertures, dort sur une grande pierre qui ressemble au socle d'une statue. Autour de lui, les hommes sont attentifs à ne pas le réveiller. Lorsqu'ils parlent, c'est en chuchotant. L'objectif est maintenant bien posé. L'objectif, c'est un État d'Afghanistan tolérant, démocratique et indépendant. Le contraire de cette folie taleb dont maintenant, pensent-ils, plus personne ne veut, sinon les étrangers, ennemis du pays.

Quatre heures du matin. Tous ceux qui dormaient encore sont réveillés en sursaut par le canon. Massoud continue de se reposer. Tel Bonaparte dormant avant la bataille. Est-ce la dernière guerre pour la paix qui commence avec ces premiers rayons du soleil ? J'aimerais tant qu'ils réussissent.

Les tirs s'intensifient en direction des positions taliban. On n'entend même pas les impacts des obus qui s'en vont exploser au loin en sifflant.

– C'est parti !

On a beau regarder à la jumelle, on ne voit rien.

Quatre heures trente. Massoud est assis sur la grande pierre. Son aide de camp a rangé les couvertures et lui a apporté une carte. Un radio fait le pointage des progressions des groupes. La ligne des taliban s'étend de l'aéroport de Bagram jusqu'à la ville de Charikar.

À six heures quarante, par la radio, Massoud apprend que la moitié du plan est réalisée. L'aile gauche a libéré Bagram. Un soulagement se lit sur les visages. Il regagne le PC afin de transmettre l'information et réclamer de nouvelles munitions. Des roquettes, des obus, des cartouches. Il faut accentuer la pression au maximum. Profiter de la percée. Il appelle le « président » Rabbani, ce professeur qui a cru faire de la grande politique en parcourant les capitales. Il lui ordonne, car il s'agit d'urgence, d'envoyer six cents combattants du Badakhshan. Je filme la conversation. Il ne me voit pas, il est dans son combat. Il échange le combiné du téléphone-satellite contre le micro de l'émetteur radio, passe à l'activité de la ligne de front du côté de Kunduz, au nord, où une opération conjointe a été lancée. Je filme.

– Voyez de votre côté, dit-il, que les gars d'appui s'organisent avec Baba et les autres.

On entend la voix nasillarde de l'interlocuteur :

– Bien reçu. Y a-t-il autre chose ?

Massoud : L'ennemi a-t-il eu beaucoup de pertes ?

Interlocuteur : Oui, il en a eu beaucoup.

Massoud : Ici la situation est bonne, pas d'inquiétude à se faire. Par contre, l'autre secteur manque de munitions. J'en ai envoyé pour les Kalachnikov. Pouvez-vous leur fournir des roquettes ?

Réponse : Ce sera fait. Soyez-en sûr.

Massoud : Bravo, félicitations. Devant une si grande volonté, les montagnes fondent. Je t'enverrai de l'argent et des munitions. Je t'en enverrai beaucoup. Prépare deux groupes : un groupe de réserve et un groupe d'attaque…

Fin de la séquence. Massoud se frotte les yeux, la tête baissée, longuement, pour chasser la tension. Je pense à une partie de football que j'avais filmée en 1987. Massoud riait avec ses compagnons. La partie était bon enfant. Le moudjahid qui gardait les buts du camp adverse trichait en réduisant l'espace qu'ils avaient marqué avec leurs vestes. Je ne me souviens plus de son nom. Merab m'a dit qu'il était mort. C'était un immense gaillard qui ne se démontait pas facilement. Un petit faiblard, avec une balle de Kalachnikov, l'avait effacé du théâtre.

Dans l'après-midi nous rejoignons les combattants qui se trouvent dans la plaine de Chamali. La ville de Charikar est tombée entre les mains des moudjahidin. À l'entrée de Gulbahar, c'est le désert. Nous nous dirigeons vers Jabal-us-Saraj, guidés par le son du canon.

Étrange spectacle souvent décrit par les reporters de guerre que ce mélange de vie quotidienne qui continue – un enfant en vélo, une échoppe qui vend du pain et des bonbons – et de bouffées de violence.

Tous les ponts ont été détruits par les moudjahidin lors de leur retraite en septembre dernier. Fin du voyage en jeep. Nous passons à pied le torrent qui traverse la ville de Jabal-us-Saraj. Merab conseille de ne pas quitter les traces d'un sentier, à cause des mines. L'ancien palais d'été du roi Habibullah Khan, le père de Amanullah Khan, petite folie XIXe siècle, à l'occidentale, n'est plus qu'une ruine fumante trônant au milieu – luxe suprême pour l'Afghanistan – d'une petite pinède intacte.

Sur la route rectiligne, des colonnes de moudjahidin marchent allégrement en direction du front. On les dirait partis pour un entraînement facile et ils tiennent à nous faire partager leur enthousiasme : « Kaboul, Kaboul » est sur toutes les lèvres.

Je filme. Quelques scènes rares comme cette vieille femme portant une caisse de munitions sur sa tête. Ou ce mitrailleur qui a décoré son poste en y accrochant des cartouches comme des guirlandes de Noël. On marche sous le soleil lorsqu'une jeep arrive. En descendent des combattants et notre copain Naïm qui revient de loin, fatigué, mais heureux. Il sort de son veston des papiers saoudiens saisis sur des cadavres de taliban morts au combat. Je filme une carte d'identité délivrée par le ministère de l'Intérieur d'Arabie Saoudite. Contre qui et au nom de quoi croyaient combattre ces malheureux, morts dans la poussière, si loin de chez eux ? Comment a-t-on pu leur présen-

ter les Afghans pour qu'ils soient venus mourir ici ? Tout cela avec la bénédiction des ambassades américaines de Riyad ou d'Islamabad. Ne parlons pas des comploteurs de l'ISI ou de la CIA. Tout cela serait risible s'il n'y avait pas autant de morts, si jeunes. Je filme un petit instant avec Naïm qui ne ressent plus aucune gêne devant la caméra. Il sort de ses poches d'autres documents, des photos des parents d'un jeune Pakistanais mort quelques heures plus tôt devant Charikar.

– Voilà sa mère, voilà son père.

Quelle tristesse. Je lui demande où en est la progression du front.

– *Inch Allah !* Dans l'après-midi, l'avancée vers Kaboul sera effective.

Il désigne le pick-up dépourvu de plaque d'immatriculation.

– Ça, c'est un véhicule pris à l'ennemi. Il appartenait à Mollah Yard Mohd. Il a été tué. C'était à lui.

Je reste toujours étonné de ces précisions. On a toujours l'impression, en Afghanistan, que tout le monde se connaît. Merab lui demande ce qu'il ressent maintenant. C'est foutu : il retrouve son ton officiel.

– Nous avons libéré notre peuple de l'oppression des taliban. De nombreuses familles regagnent leurs maisons. Quand nous sommes entrés dans Charikar, il n'y avait même pas deux pour cent de la population. Maintenant, les gens reviennent. La joie de notre peuple, c'est aussi notre joie. Ils ont retrouvé la liberté. Nous les avons sauvés des Pakistanais. Oui, c'est pour nous une grande joie.

On se serre les mains. Et puisqu'il nous l'a proposé, nous empruntons le pick-up pour aller vite sur Charikar. On dirait une balade. Il fait beau, le soleil brille. Le paysage défile avec ses carcasses de tanks éventrées, ses hommes en armes qui crient à notre passage pour bénéficier de la voiture mais aussi pour la victoire. Nous faisons d'immenses détours à travers champs et torrents pour contourner les ponts coupés et les champs de mines. En fait, plus tard, nous apprendrons que nous sommes des rescapés : une zone que nous avons traversée était en fait minée ! La chance, c'est aussi important pour un reporter que pour un militaire.

Pour l'heure, nous venons de rejoindre la route goudronnée. Soudain, le silence. Le chauffeur stoppe le moteur. Merab fait signe de descendre. Au bord de la route, des dizaines de cadavres taliban sont encore dans la position où ils ont été tués. Un très jeune homme est mort les bras en croix depuis quelques heures seulement. Dans un garage, des prisonniers gravement blessés souffrent dans la chaleur. Certains ont fui leurs chars que les moudjahidin s'affairent à remettre en marche. Ils en font démarrer un dans un tonnerre de bruit, de fumée noire et de poussière. Je demande à Merab ce qu'ils vont faire des prisonniers blessés puisqu'il n'y a pas de médecin. Le dernier médecin a été tué six mois plus tôt. Et l'équipe de Médecins sans frontières n'est pas près d'arriver. Ils veulent d'abord faire une mission d'évaluation. Ça prendra du temps. Ces hommes blessés n'ont plus qu'à compter sur leurs propres défenses et quelques pansements concédés par un infirmier.

– On va d'abord s'occuper de nos blessés ! Plus tard, lorsque cela sera possible, ils seront emmenés vers le Panjshir, pour rejoindre les autres prisonniers.

La route à nouveau. Puis Charikar, ville libérée. Elle est sous contrôle moudjahid depuis quelques heures. La population a été évacuée par les taliban qui ont commencé le « nettoyage ethnique », prévoyant d'y amener des Pachtouns du Sud. Pour forcer les habitants à partir, ils avaient asséché le grand canal construit par les Chinois et qui irrigue toute la zone. Quelques habitants errent

maintenant dans la rue. Ils fêtent les moudjahidin mais restent inquiets. Déjà des familles surchargées de ballots et d'enfants arrivent lentement des montagnes. D'autres suivront.

Le quartier général a été installé dans une maison du centre-ville. Dans certaines pièces, des moudjahidin dorment à même le sol, épuisés par les combats. Le commandant a installé sa radio dans le salon. Des habitants commencent, à l'orientale, à venir présenter leurs doléances au commandant qui se moque d'eux gentiment, leur demandant comment ils ont pu aussi bien survivre sous les taliban. Il n'y a plus d'eau. Un camion citerne en apporte. Il est pris d'assaut.

Dans la cave on a entassé des prisonniers. On les sort pour nous, sans ménagements. Certains sont blessés mais, pour eux comme pour les moudjahidin, il n'y a rien à faire. Dans cette zone et jusqu'au nord du Panjshir, aucune organisation humanitaire n'est présente, pas même à Charikar. Pas de médecins, pas de médicaments. Les humanitaires sont à Kaboul ou à Mazar. Comme la communauté internationale et les « experts », ils ont fait une croix sur le Panjshir.

Des prisonniers admettent être des Pakistanais. Ils ne comprennent rien au persan, parlent à peine pachtou. Ourdou ! On sent une grande nervosité autour d'eux, mais le commandant nous explique que c'est encore là qu'ils sont le plus en sécurité. Un peu partout ailleurs, les habitants de Chamali, excédés par les brimades qu'ils ont dû subir de ces jeunes idéologues imbéciles se vengent en les pourchassant et en les tuant. Une véritable chasse à l'homme s'est engagée vers la montagne, à l'ouest, où beaucoup se sont enfuis. Nous passons la journée à filmer dans ce PC puis dans les rues traversées par des camions bondés de combattants, qui se mettent à crier victoire et gloire à Dieu lorsqu'ils me voient les filmer. Nous voyons un homme ensanglanté, les bras attachés dans le dos, qu'un groupe excité conduit vers le quartier général. Un taleb qui a été lynché, sauvé *in extremis*.

La nuit tombe sur cette ville encore fantôme. Puis l'air se charge d'électricité. Massoud arrive avec sa garde rapprochée dans son étonnante jeep américaine, du modèle de celles que l'on voyait pendant la guerre du Golfe. Elle a été achetée à Dubaï, justement après la guerre du Golfe. Elle est conduite par Mohammed Gul, le chauffeur-garde du corps de Massoud. C'est un géant que la nature a pourvu d'énormes pieds, aussi les habitants du Panjshir ont-ils surnommé le véhicule : « La sandale de Mad Gul. » Ne manque qu'un autocollant « Rambo »…

Mais l'heure n'est pourtant pas à la plaisanterie. La première mesure de Massoud est de demander que tous les prisonniers soient envoyés dans le Panjshir, la nuit, pour les mettre à l'abri. Ils serviront de monnaie d'échange. Il convoque ensuite tous les commandants pour un conseil. On se rend à la préfecture abandonnée. En une demi-heure, tout le monde est là. Après une prière, les moudjahidin, à la demande de Massoud, font le bilan de la journée. Je filme, mais la lumière est si faible que j'ai un doute quant à l'utilisation de cette « séquence ». Chacun raconte sa bataille. Dans leur précipitation, les taliban ont abandonné leur drapeau, que nous déployons. Massoud reste silencieux. Il n'a pas envie de commenter. Lorsqu'il prend la parole, c'est à voix basse, lasse, comme s'il était important pour lui de ne pas exciter ses hommes, comme s'il racontait une histoire à ses enfants avant de les laisser dormir.

« Si vous me le permettez, mes frères, je vous félicite pour tous vos succès. Je remercie, et nous devons tous le faire, le Tout-Puissant qui, une fois de plus, nous a accordé sa grâce et sa bienveillance. Il nous a donné une nouvelle chance de servir notre peuple et sauver notre patrie. Il n'existe pas de meilleure mission que de sauver son peuple de tels oppresseurs, d'hommes si intolérants et si éloignés de Dieu. Nous nous battons pour la liberté. Pour moi, la pire des choses serait de vivre esclave. On peut tout avoir : à manger, à boire, de quoi se vêtir, un toit où se loger ; si on n'a pas la liberté, si on n'a pas la fierté, si on n'est pas indépendant, cela n'a ni goût, ni valeur. »

En fin de réunion, il fait le pointage des armes saisies et exige qu'elles soient données aux commandants. Seuls les pick-up reviennent à ceux qui s'en sont emparés. À charge pour eux de trouver de l'essence, denrée très rare !

La suite se passe dans une maison en construction au nord de Charikar, à la lueur de la lune et sous la protection des blindés. Là, un comité très restreint est seul autorisé. Et nous, bien sûr. Mais la lumière empêche tout tournage. L'unique lampe à huile traditionnelle qui pend à un mur donne au lieu un aspect étrange, mystérieux, fantasmagorique. Nous observons, c'est tout. Un bien étrange moment ! C'est le conseil de défense. Ils parlent pour décider l'heure de l'attaque vers Kaboul, distante seulement d'une trentaine de kilomètres du front. Les commandants sont partagés entre le désir de pousser l'avantage pour en finir et une immense fatigue. Finalement les lacunes en matière de munitions tranchent la question : l'attaque n'aura pas lieu avant la nuit du lendemain alors que trois cents roquettes ont seulement été tirées pour reprendre cinquante kilomètres de terrain…

XXII

La victoire
mais pas la paix

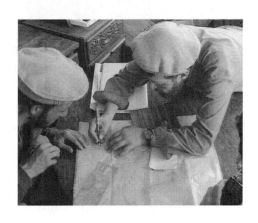

Avec Bertrand, nous prenons la décision de ne pas rejoindre la ligne de front. Les journalistes des *News* ne vont pas tarder à arriver, nous leur laissons la place… Il nous semble plus important de rentrer expliquer ce qui sous-tend cette offensive. Expliquer mille fois, s'il le faut, que Massoud est l'homme à défendre ! Nous informons Merab de notre décision. Il s'en trouve soulagé, lui aussi. Les risques semblent inutiles, pour des images qui n'auront que peu de place dans les télévisions occidentales. Chacun pense à ses enfants.

Vers une heure du matin, Massoud quitte Charikar en direction de la vallée du Panjshir : « Demain je dois m'occuper de questions politiques avec le Front uni de Mazar. » Nous parvenons à nous glisser dans une des jeeps de ses gardes du corps. On traverse la ville, puis la plaine où rien ne bouge, et que je ne peux filmer à cause de la nuit. Au passage d'un torrent, on se fait emporter par le courant. Dans la lumière de nos phares, les deux voitures qui nous précèdent dans les remous manquent de se retourner en montant sur les berges. Plus loin, on voit s'arrêter la voiture de Massoud à hauteur d'un groupe de moudjahidin. Nos phares éclairent la scène. On imagine Massoud en train de leur parler. On voit le groupe lever les armes. On entend leur clameur. Incroyable d'être là ! Bertrand et Merab se taisent aussi.

Trente minutes plus tard, nous buvons du thé à Gulbahar, dans le jardin du quartier général de la ville, abandonné aux bruits des grillons, dans le parfum des rhododendrons. Massoud nous explique ses principes stratégiques à la lueur d'une lampe à pétrole.

L'idée directrice est simple et géniale : deux routes parallèles mènent à Kaboul, l'une passant par Charikar, l'autre par la base aérienne de Bagram. Le front taleb joint ces deux villes en coupant la riche plaine oasis de Chamali. L'évidence eût été de descendre sur l'une ou l'autre route pour forcer les poches de résistance que représentent les villes. Massoud avait un autre plan : faire descendre ses hommes par les jardins entrecoupés de canaux et de murets entre les deux routes. Ce qu'il avait prévu s'est exactement passé : au contact de forces impossibles à évaluer, les taliban se sont instinctivement repliés vers les zones sûres que sont Charikar et Bagram, libérant le passage au centre. C'est ainsi que les moudjahidin et les habitants de Chamali armés ont contourné, par le sud, les deux villes coupant la fuite des taliban. Les renforts sont ensuite arrivés par la route, assiégeant puis réduisant les deux poches.

– Chez Clausewitz, fait remarquer Bertrand, redevenu prof d'histoire, cela s'appelle la recherche du centre de gravité sur lequel il faut concentrer l'attaque afin de rompre la coalition de deux armées aux logiques différentes.

Massoud est imbattable : il met des semaines à préparer une offensive, à disposer les hommes presque un par un. Chaque unité de base, près de trente soldats, connaît très précisément son objectif. Multipliée par cinquante ou cent, cela donne une armée motivée d'une extraordinaire précision.

Il est trois heures du matin. Massoud nous a quittés. Nous partons à la recherche du frère d'Asham resté près de la voiture louée. Nous ne le trouvons pas et nous installons sur l'herbe, plus bas, près du fleuve. Nos sacs de couchage enveloppent notre extrême fatigue.

XXIII

La vérité virtuelle

Comble de chance, non seulement nous sommes encore en vie, mais nous nous sommes endormis à cent mètres de la jeep où nous attendait depuis deux jours Orogoul le frère d'Asham. Puisque la route qui part de la plaine de Chamali jusqu'au col du Salang est libérée, nous n'attendons pas de pouvoir bénéficier d'un vol retour dans l'hélicoptère. D'abord, on minimise les risques. Ensuite, puisque nous disposons d'une voiture, Mazar-è-Sharif est à sept heures de route. Les groupes armés qui peuvent nous poser des problèmes doivent être au courant de la tournure des événements, et les jeux sont peut-être en train de changer.

La jeep ne nous emmène pas bien loin sur la route de Salang. Il y a six mois, les moudjahidin ont fait sauter un pont pas encore réparé. Tout le monde est mobilisé sur le front. Il faut traverser le fleuve en sautant d'une poutrelle à l'autre. Sur l'autre rive, on doit marcher sur environ un kilomètre de macadam. Ça monte raide. Des enfants ont fabriqué de petits chariots avec ce qu'ils ont trouvé de morceaux de bois. Ainsi offrent-ils leurs services pour porter bagages et marchandises jusqu'à un parking où se trouvent les cars, les camions et les rares voitures en partance pour Mazar. Ce matin-là, dans le sens où nous allons, ils n'ont pour ainsi dire pas de travail. La bataille victorieuse ne fait pas que des heureux. Une vingtaine de chariots attendent le client. Mais le client, pour le moment, retient son souffle les yeux tounés dans l'autre direction : Kaboul. On nous regarde comme des zombies. On nous demande des nouvelles. Une heure plus tard, nous retrouvons l'un des frères de Merabudine chargé du ravitaillement des hommes de Massoud. Il nous offre du thé et le célèbre fromage de Salang, et, c'est notre jour de chance, la voiture que prend Massoud lorsqu'il se rend à Pul-i-Khumri ou à Mazar. Grand luxe. On embarque nos sacs à dos et nos carcasses. Comme le chauffeur a l'air de bien conduire, nous commençons par somnoler, puis à nous endormir malgré la chaleur. L'air est brûlant. La steppe est une fournaise. Un bien étrange sommeil… un rêve obsédé par ce qui vient d'arriver, où l'esprit en roue libre fait le brouillon d'articles pour des magazines, où se trame l'idée du film que j'ai envie de réussir pour défendre Massoud contre ces fous.

Six heures de route plus tard, nous atteignons Mazar. Toujours très calme. Dans la maison du Jamiat, nous nous mettons à écrire un article pour raconter ce qui nous semble important de transmettre : « Debout, face à la plaine de Chamali, au-delà de laquelle sommeille Kaboul, Massoud se tait. Il regarde la nuit éclairée par la pleine lune. Nuit laiteuse, défaite, drame, alliances et mésalliances, victoire prochaine… »

Bertrand travaille à d'autres passages, comme : « Les taliban savent-ils se battre ? Ils ne manquent certes pas de courage et la manière avec laquelle, même dans des situations désespérées, ils multiplient les assauts, le prouve. Cela dit, ils se sont rarement vraiment battus et semblent mal dirigés. Leur extraordinaire progression dans l'Afghanistan déchiré depuis 1994 est d'abord due à un travail de police : ils ont mis au pas les innombrables commandants, véritables petits seigneurs de la guerre, qui avaient pris l'habitude de vivre sur le dos des paysans en les rackettant et en les humiliant. Après avoir mis de l'ordre, les taliban ont récupéré les armes, limitant d'autant les terribles vendettas afghanes. Une de leurs méthodes, efficace, consistait à kidnapper les enfants et à ne les rendre qu'en échange de Kalachnikov. Ce qui scandalise dans un pays où l'enfant est sacré. Il semble qu'aujourd'hui seuls les non-Pachtouns restent désarmés. L'autre raison de leur succès est l'argent. Financés par les Pakistanais et les Saoudiens, ils payent des fortunes les trahisons et gagnent de nombreuses batailles sans combattre, soudoyant les commandants ou leur entourage. C'est ainsi qu'est tombée Hérat, qu'Ismaël Khan, trahi par les siens, a dû s'enfuir en Iran, avant de revenir à Mazar pour être de nouveau trahi, par Malek cette fois, et livré aux taliban. D'abord une information invérifiable, la prise d'Hérat aurait coûté trente millions de dollars aux Saoudiens…

Pour le reste, que penser du mouvement taleb ? Pachtoun d'origine, prétendant dominer le pays comme les Pachtouns l'ont toujours fait, il représente un curieux mélange de nationalisme ethnique, évoquant les Serbes, et de secte militaro-religieuse d'origine rurale voulant « purifier » les villes corrompues, un peu à la manière des Khmers rouges. Les Américains et les Pakistanais, dans leur ignorance pour les uns, dans leur mépris pour les autres, ont

estimé que cet obscurantisme était bon pour les Afghans. Ceux-ci ne l'entendent pas de cette oreille et n'en reviennent pas qu'à l'étranger on puisse les croire aussi arriérés.

Le risque d'une guerre ethnique est plus que jamais présent. Les taliban, acculés, n'hésitent plus à transformer la guerre en croisade pachtoun contre les autres composantes ethniques de l'Afghanistan. À Kaboul, devant l'avancée de Massoud, on a raflé les Hazaras et les Tadjiks pour les mettre dans la sinistre prison de Puli Charkhi, qui était vide, transformée en camp de concentration pour des milliers de Kaboulis coupables de n'être pas des Pachtouns. Massoud est on ne peut plus conscient du risque. Il multiplie les contacts avec les Pachtouns modérés de l'Est mais aussi du Sud. Massoud n'est pas pressé de reprendre la ville. Il veut d'abord faire la démonstration aux Pakistanais et aux Américains – est-ce de l'angélisme ? – que non seulement les taliban vont perdre, mais qu'il n'y a pas de solution militaire « monoethnique » aux problèmes du pays. De manière peut-être plus réaliste, il pense que, dès que les taliban seront vraiment en péril, la lourde machine onusienne activée par Washington parlera de cessez-le-feu et de paix alors qu'elle se garde bien d'intervenir lors des succès taliban.

On en est là. L'aventure folle des taliban a de fortes chances de finir en un petit parti des Pachtouns du Sud représentant les intérêts d'Islamabad. Pour les Pakistanais, qui pensaient tenir avec eux la grande percée diplomatique dont ils rêvent et leur fameuse et obsédante profondeur stratégique recherchée, en cas de conflit avec l'Inde, tout est à refaire. Il serait temps que les uns et les autres fassent le bilan du désastre. Que le Congrès américain demande des comptes aux apprentis sorciers de la CIA. Qu'Islamabad fasse le ménage dans cet État dans l'État qu'est l'ISI et qui s'est toujours trompé. Quant au Département d'État, qu'il cesse ses leçons de morale au monde sur la drogue et sur le terrorisme. C'est en Afghanistan, chez les taliban, et au Pakistan dans les provinces pachtouns du Nord-Ouest, que se trouve la plus grande production mondiale d'héroïne. En ce qui concerne le terrorisme, le prince saoudien Oussama ben Laden, soi-disant « le plus grand financier des poseurs de bombes », qui a fait la guerre avec les moudjahidin au temps de la présence soviétique, est installé à Kandahar, capitale des taliban et ne rêve que d'en découdre avec l'Occident qu'il hait [1]. Ne parlons pas des camps où viennent s'entraîner des centaines d'Arabes anti-occidentaux, « anti-infidèles » qui nous diabolisent sans cesse.

Une telle inconséquence pour une histoire de gazoduc pourrait paraître grotesque si elle n'était tragique. À quelques kilomètres de Kaboul nous étions plutôt tristes. Ces jeunes, taliban ou non, Afghans ou non, prisonniers, mutilés, morts, dans un pays en guerre depuis dix-neuf ans représentent un immense gâchis.

L'Afghanistan est un pays magnifique, mélange de crasse et de sublime. Les Afghans ne comprennent pas pourquoi, après les Russes, les Américains s'acharnent sur eux. Mais ils sont toujours prêts à défendre leur liberté. Moqueurs, menteurs, hospitaliers, courageux jusqu'à l'inconscience, insupportables et attachants, ils méritent mieux que la place que leur allouent les géopoliticiens des capitales occidentales ou moyen-orientales. Vienne ce jour béni dont rêvent Massoud et les Afghans, où enfin, après tant d'années de guerre, les étrangers laisseront ce pays en paix…

Les jours d'attente de l'avion du CICR ne nous pèsent pas. Nous écrivons de quoi alerter l'opinion sur ce qui se passe ici, sur cette

---

1. Plus tard, il poussera même la provocation jusqu'à donner une conférence de presse dans la base de Jawar (province de Paktia), pour annoncer que la *Jihad* contre les infidèles n'est pas terminée…

dernière chance pour Massoud de faire entendre sa voix pacifique. Pour nous, ce n'est pas qu'un homme de guerre.

Le retour en France s'effectue sans problème : par Peshawar, où aucun policier pakistanais ne s'inquiète de nos films. La prudence a été d'emporter un Caméscope amateur. Une petite caméra numérique, merveille de la technologie. Toute la défense de Massoud et de mon métier se trouve ainsi dans l'une de mes poches !

Nous retrouvons Paris et sans perdre de temps proposons notre témoignage aux journaux. Bruno Philip, du journal *Le Monde,* nous interviewe. De nombreuses années correspondant dans la région, il sait de quoi on parle. *L'Express* est intéressé par un portrait de Massoud et le publie. *L'Événement du jeudi*, par l'interview que nous avions faite, de manière informelle, le soir de notre arrivée dans le Panjshir. Nous racontons les débuts de l'offensive de Massoud dans un long document que *Match* refuse. Sans tarder, pour que tout le monde découvre que Massoud n'est pas une affaire classée. Je réalise une courte sélection de mes images et les propose aux télévisions. TF1, peu intéressée par l'étranger, décline la proposition.

France 2 en diffuse un montage pour le journal mais la journaliste n'a visiblement pas le temps de me contacter pour en savoir plus. Elle a déjà « couvert » Kaboul. Elle sait de quoi elle parle, me dit le rédacteur en chef lorsque je m'en indigne car les informations auraient pu être plus précises avec un seul coup de téléphone. Peut-être a-t-elle une bonne connaissance de ce qui se passe à Kaboul, mais côté Massoud, je reste, avec Bertrand, le seul témoin des coulisses de cette offensive... Peine perdue ! Les images ont été diffusées, entrant dans le tourbillon des informations inutiles... Le pire c'est qu'elle sont reprises par d'autres chaînes. Le premier commentaire étant imprécis, je m'applique à communiquer mes coordonnées personnelles afin d'aider aux montages des sujets. ARTE diffuse quelques extraits dans son « 8 1/2 », version tout en images du journal télévisé. ARTE, ma chaîne préférée ! Le sujet est truffé d'erreurs. On y entend que Massoud peut compter sur l'aide de l'Iran et des États-Unis. Pas à ce moment-là ! C'est décourageant. Je faxe une réaction, à chaud, dans la colère :

Les Américains font, en Afghanistan, et jusqu'à présent, le jeu des taliban. Ce sont les esprits fumeux de la CIA qui, par l'intermédiaire des services secrets pakistanais (ISI), ont créé cette nouvelle composante de la scène du drame afghan. Quant à l'aide de l'Iran, Massoud a jusqu'à présent combattu l'ingérence iranienne lorsqu'elle soutenait les partis chiites… Je termine en écrivant : « Nous sommes tous vulnérables et susceptibles de faire des erreurs mais, confraternellement, je tenais à vous exprimer le fond de ma pensée. Si cela peut faire améliorer le traitement que vous faites des images venues d'ailleurs, cette lettre n'aura pas été inutile… »

Le lendemain, le journaliste responsable du commentaire me téléphone. Il s'en excuse, précise qu'il n'a pas eu le temps de m'appeler. Pas le temps… Trop vite. C'est le drame de l'information d'aujourd'hui. Plus personne ne sait attendre. Pas le temps ! Pas le temps de préparer un tournage. Pas le temps de vérifier des informations. Pas le temps de filmer correctement. Pas le temps de montrer, mais le temps, oui, de raconter ce qui n'est donc pas filmé… faute de temps. Pas le temps de vivre ! Les journalistes d'actualités sont stressés, fatigués, ont souvent des familles explosées, des solitudes…

Le vertige me prend et ne me lâche plus… Il y a seize ans, quand j'ai commencé mon film sur Massoud, je ne me posais pas la question de savoir si tenir une caméra avait un sens. Je pensais que s'appliquer à filmer ce qui était à portée de regard suffisait à rendre utile le témoignage. Mais dans la presse d'aujourd'hui, le commentateur qui reste les fesses posées sur son fauteuil est l'oracle ! C'est la célébrité, le héros des jours bidons. Pendant ce temps, je n'en reviens pas de toutes les imprécisions qui truffent la prétendue narration de l'histoire immédiate du monde. Je n'en reviens pas de voir à quel point on a pu laisser naître en Afghanistan un creuset du terrorisme islamiste, comment d'illuminés conseillers de la CIA ont pu jouer avec le feu de l'enfer : soutenir Hekmatyar, croire les Pakistanais qui désignaient Massoud comme un extrémiste islamiste, participer à la mainmise pakistano-taleb sur un Afghanistan qui ne ressemble en rien à celui que j'ai connu, que j'ai aimé, que d'autres m'ont fait découvrir, car eux aussi ont su l'aimer.

Lorsque Massoud est entré dans Kaboul, en avril 1992, il fallait l'aider, l'assister, batailler pour faire comprendre aux spécialistes de la CIA que le pion Hekmatyar n'allait faire que semer la tempête. Est-ce les mêmes « spécialistes » qui ont servi sur un plateau la révolution iranienne ? J'ai le vertige. Nous vivons dans un monde d'une complexité extrême où des cinglés se retrouvent à des postes sensibles… L'interdépendance des systèmes est telle qu'on ne sait plus comment agir pour les réformer. À quand le sondage pour savoir combien d'Occidentaux préfèrent se retrouver à l'époque des guerres de croisades, versions inversées : les islamistes dans nos belles et riches villes, dans nos banlieues, dans leur collimateur, ou de jouer les autruches, la tête enfouie dans notre terreau d'opulence ?

XXIV

La neige et le vide

Décembre 1997. La neige recouvre la route. Assad, coiffé d'une casquette en cuir, achetée en Ouzbékistan, conduit le pick-up depuis déjà cinq heures. Il ne se défait pas de sa concentration et se moque bien des dangers que nous venons de frôler. Maintenant nous approchons du col de Salang, longeant les précipices, avec nos pneus sans chaînes, au culot, à l'adresse, au « feeling ». Le tunnel sera bientôt devant nos yeux peu habitués à cet Afghanistan d'hiver. Nous nous sentons pourtant en sécurité, en bonne compagnie. Avec un type de la trempe d'Assad on irait n'importe où. Question de confiance. Au temps de l'occupation soviétique il était le messager particulier de Massoud. Je n'ai jamais voyagé avec lui pendant cette période, mais quelques-uns de mes amis m'avaient dit n'avoir jamais rencontré un homme aussi rapide à la marche, aussi prêt à aider les autres, aussi courageux que désintéressé. Un homme en or ! J'ai connu Assad plus tard, lorsqu'il était employé par une organisation indépendante américaine dont la mission était d'implanter des hôpitaux à travers tout l'Afghanistan. Une des responsables du programme n'était autre que Laurence Laumonier, devenue Laurence Ickx. « Doctor Laurence » et son mari Paul, qui avait séjourné six mois en clandestin, à Mazar, dans les années quatre-vingt, vivaient à Peshawar, avec leurs enfants. Ils font partie, pour moi, d'une famille rassemblée autour de l'amour d'un pays et d'un peuple. Assad supervisait les acheminements clandestins de matériel. Assad la perle. Depuis l'entrée des moudjahidin dans la capitale et leur incapacité à installer la paix, le programme a été abandonné. Assad est revenu auprès de Massoud, d'une manière plus marginale, car il supporte mal la présence de courtisans dont la malhonnêteté le choque. Assad, lui, est toujours pauvre. Il n'a jamais voulu profiter des butins de la prise de Kaboul. Pas son genre ! Il est trop conscient de son devoir, de sa responsabilité envers la communauté de son pays. Un honnête homme qui pourra toujours se regarder en face sans avoir à se mentir. Pas un de ces innombrables salopards qui n'ont aucune conscience des autres.

Du Pakistan d'où nous sommes à nouveau partis, Merabudine l'avait contacté *via* le téléphone-satellite de Massoud. Il avait répondu à l'appel sans discuter, avait traversé le nord-est de l'Afghanistan en voiture pour venir nous chercher à Mazar.

J'ai tenu ma promesse de retour. Mais ce n'est pas la paix. On en est loin. Kaboul n'est pas tombée entre les mains des hommes de Massoud. Le Premier ministre de l'Alliance du Nord, M. Ghaffourzaï, n'est pas parvenu à constituer le gouvernement idéal à placer au pouvoir dans la capitale qui aurait dû être libérée. Et il n'y parviendra jamais plus. Le destin, la malchance, Allah, ou la maladresse d'un pilote, ont provoqué l'accident d'un avion dans lequel M. Ghaffourzaï n'a pas attaché sa ceinture. Le train d'atterrissage a cassé en touchant le sol. Ghaffourzaï et quelques autres sont morts, la tête fracassée. L'espoir de tant d'efforts pour apporter une nouvelle alternative politique au destin de l'Afghanistan a péri là, brutalement. Quel deuil ! Quel contrecoup !

Massoud et ses hommes ont encaissé la nouvelle.

– Regardez Kaboul autant que vous voulez, avait déclaré Massoud à ses hommes lorsqu'ils furent à une vingtaine de kilomètres de la capitale. Mais le temps d'y entrer à nouveau n'est pas encore venu.

Dans la voiture qui traverse un brouillard où commence à tomber la neige, je pense à cette nouvelle rencontre avec Massoud. Je suis revenu avec une copie de ma lettre, afin qu'il y réponde, qu'il se confie enfin. Michel, l'ami qui m'accompagne – Bertrand étant trop occupé par sa mission de conseiller au ministère de l'Éducation nationale –, découvre l'Afghanistan pour la première fois. Un ami précieux, ancien gendarme au GIGN durant dix-sept ans. Blessé, retourné dans le civil, il m'avait accompagné lors de mon précédent tournage sur la vie à bord du porte-hélicoptère *Jeanne-d'Arc*. Nous avions été écœurés par l'état d'esprit qui régnait à bord.

En Afghanistan, je rencontre de vrais soldats, pas des pantins d'opérette, pas des officiers d'état-major, de cocktails et de cérémonies amidonnées, pas des carriéristes… quoique ! Dans l'entourage de Massoud on compte encore quelques résidus de lèche-bottes, de petits calculateurs imbéciles. Les hommes constituent une petite espèce fragile atteinte d'un défaut, originel sans doute, dans le cerveau, où se côtoient tant de forces opposées, je pense.

Comme en juillet, l'avion du CICR nous a déposé dans le Nord-Est. Mais pas à Mazar où la sécurité n'est plus assurée : à quatre-vingts kilomètres de la ville, sur la base de Dostom appelée Shebergan. Tout ces kilomètres à faire en convoi, sous la protection du drapeau blanc à croix rouge, pour regagner Mazar. Avec les trahisons, les départs et les retours inattendus, dont celui de Dostom, Mazar est devenu une pétaudière. Les hommes de Malek sentent la menace des fidèles de Dostom, qui, lui, ne rêve que de revanche. Les Hazaras, quant à eux, revendiquent leur part dans toute construction de gouvernement de l'opposition anti-taliban car ils ont été les vrais vainqueurs dans la libération de Mazar en mai 1997. Ça sent la violence. Bien que le froid ait remplacé la chaleur torride de juillet, règne ici une atmosphère d'orage. Beaucoup trop d'hommes armés dans les rues, nerveux, peu de civils, presque plus de femmes. D'immenses fosses communes dont on a exhumé des milliers de cadavres. Ce sont les prisonniers taliban assassinés par les hommes de Malek ou par les Hazaras qui n'ont pas eu envie de s'occuper de les nourrir, qui se moquent des droits de la guerre, qui ne connaissent qu'une règle : celle de détruire l'ennemi. Pour combien de temps encore ? La guerre civile d'Afghanistan me répugne.

À Mazar, Assad était là. Précis. Il a préparé la voiture et le programme : on va dormir dans la maison du Jamiat dans laquelle le mobilier avait disparu. On partira le lendemain, à l'aube. C'est un peu dangereux, à cause des groupes armés qui infestent la région jusqu'à Pul-é-Khumri, à mi-chemin entre Mazar et le Panjshir, mais… *Inch Allah !* Il n'existait aucun autre moyen, disait-il. L'hélicoptère était trop occupé à remplir des missions prioritaires. L'Alliance anti-taliban est alors d'une extrême fragilité. On voit mal d'ailleurs comment elle pourra un jour déboucher sur une véritable proposition de gouvernement capable de restaurer la paix. Je n'y crois pas. Tout, en elle, n'est que compromis, trahisons, calculs… Massoud me semble bien différent de la plupart des hommes qui la composent. Pourquoi se fourvoie-t-il avec eux ?

Pour Michel, la violence latente est perceptible, intuitivement. Nos compagnons de voyage de la Croix-Rouge nous ont expliqué qu'il vaut mieux ne pas sortir dans la rue après 18 heures. Assad, lui, n'a pas la même notion du danger. Après un appel téléphonique (le téléphone fonctionne encore) il nous transmet l'invitation d'Asham, le fils d'Odji, le représentant de Massoud rencontré en juillet. Invitation mystérieuse : pourquoi ne veut-il pas nous rendre visite dans notre maison ? Dehors, des tirs déchirent la nuit. Quelle heure est-il ? 21 heures ! Les délégués de la Croix-Rouge ne nous plaindront pas s'il nous arrive malheur : ils nous ont prévenus ! À 21 heures, donc, nous voilà dans la voiture d'Assad, à traverser Mazar. Ça fait un peu train fantôme. À chaque coin de rue on ne sait trop ce qui va se passer… jusqu'au moment où une immense villa apparaît, éclairée comme le monument d'un spectacle son et lumière. Ce n'est pas non plus une illumination magique sorti de la lampe d'Aladin, mais la propriété d'un riche commerçant de Mazar. Merab, toujours prompt à glaner ses renseignements, nous explique que c'est en fait le lieu où le président Rabbani vient dormir lorsqu'il se trouve à Mazar, son « palais présidentiel ». Le propriétaire est un marchand, un des financiers du Jamiat, depuis longtemps. Nous sommes ses invités pour la nuit.

L'entrée donne le ton du lieu et de son mauvais goût. Immense, ronde, et si haute qu'on a l'impression que la moindre parole va se perdre. Au sol, de vastes tapis rouges. Accroché à la voûte, un lustre rococo, comme sorti du faubourg Saint-Antoine. Un escalier en spirale monte vers les pièces sur trois étages. Du stuc mêlé à des flambeaux en plastique, quelques tables basses recouvertes de nappes de dentelles. Des gardes armés de fusils d'assaut, occupés à boire du thé en regardant des dessins animés sur une télé en noir et blanc. On nous introduit au salon, vaste pièce en L, meublée de canapés en cuir, de coussins, de tapis et de tables à nappes de dentelles identiques à celles de l'entrée. Le maître des lieux, dont je n'ai pas noté le nom, nous accueille d'un sourire affable, tendant une main grasse et molle, nous proposant du thé. Asham est là, avec son attaché-case à serrure à code, dans un costume qui lui donne l'air du diplomate qu'il est censé être. Le propriétaire de la maison est le plus important commerçant de coton et de clous de girofle de la région. Il a fait sa fortune en devenant le principal fournisseur de l'armée gouvernementale. Encore un opportuniste savant dans l'exercice de l'équilibre. Après ses affaires du temps des Soviétiques il finance aujourd'hui Rabbani et son gouvernement. L'intérêt pour ce que nous représentons, nous les Occidentaux, les étrangers, semble être le dernier de ses soucis. Il n'a besoin de personne, se suffit à lui-même, et peut faire éclairer son pâté de palais alors qu'autour la nuit de Mazar est emplie de bruits de guerre. Il s'excuse d'une panne de chaudière qui prive les lieux de son chauffage central. Nous nous foutons de son confort insolent. On échange des bana-

lités. Notre hôte manifeste une fatigue par des bâillements et nous abandonne devant nos thés et petits bonbons. Assad ne dit rien. Asham est content de nous avoir fait inviter dans cette demeure. Sur son travail de diplomate à propos duquel je lui pose quelques questions il demeure évasif. Ouvrant son attaché-case pour me donner un Bic afin que je puisse noter le nom du maître des lieux, j'ai la surprise de découvrir qu'il est vide ! Vide ! Mais ses chaussures sont en cuir, bien cirées, son costume correctement coupé, et son embonpoint témoigne qu'il est bien nourri. À quoi sert-il ?

On nous montre nos chambres. Version palais des *Mille et Une Nuits* revue et corrigée par un *designer* chochotte expert en mauvais goût. On dirait des bonbonnières. Les lits sont recouverts d'étoffes précieuses, en couches si nombreuses qu'ils paraissent plus épais que longs. On croirait les lits des sept nains de Blanche-Neige version orientale. Le pire : ils sont placés devant les fenêtres. « Pas très recommandé avec ce qui se passe dehors ! » lance Michel qui n'en peut plus de rire. Dehors on entend des tirs, par rafales, çà et là.

Le lendemain, au petit déjeuner, c'est l'aventure et le spectacle : plusieurs invités du maître des lieux ont pris place autour d'une table de dix mètres de longueur, recouverte de mets. Au hasard, on y trouve de la graisse de mouton, des tripes du même animal, sucrées, du beurre, du petit-lait, du thé, du pain... À ma gauche, un vieillard vêtu d'un *chapan* doublé de peaux de loup a le visage du sultan Iznogood de la bande dessinée. Près de lui, un géant, qui ressemble à Yul Brunner, se tartine de la graisse de mouton sur d'énormes morceaux de pain tout en conversant avec le propriétaire d'une affaire qui semble d'importance. On parle argent et arrangement. Assad le silencieux regarde ces hommes et cette abondance de nourriture avec une froide distance. Il déclare soudain qu'il est l'heure de partir...

Le tunnel du col de Salang a une entrée en arc de cercle. On dirait le début d'une attraction de foire foraine. Sans lumière depuis que les Soviétiques ont abandonné le terrain, il s'enfonce mystérieusement dans la montagne, saisissant le voyageur d'une obscurité inquiétante. Un minibus rouge roule devant nous. Au volant, Assad ne manifeste aucune fatigue. Il conduit vite mais bien, allume des cigarettes, change les cassettes de musique tadjik qu'il a rapportées pour sa famille. La route, pour venir de Mazar, n'est pas été dangereuse que nous l'attendions puisque nous sommes encore en vie pour le penser. Assad a sa technique : il fonce sur les barrages ! Méthode comme une autre... À un barrage, à une heure de Mazar, un homme nous a mis en joue avec sa Kalachnikov, mais il n'a pas tiré. Sans doute a-t-il hésité, ne sachant qui était dans le pick-up. Peut-être les vitres teintées nous ont-elles sauvés. L'homme a dû croire qu'il s'agissait d'un commandant ! Assad a accéléré. Michel, lui, dormait.

Arrivés à Pul-é-Khumri, dans la province de Baghlan, nous achetons du nougat afghan. Pul-é-Khumri, la ville des Ismaéliens, un des derniers endroits où les femmes et les jeunes filles afghanes ont le visage découvert. Mais pas le temps de faire une réserve d'images, Assad nous presse. La route. La route encore...

Dans la soirée, nous atteignons Bozorak, le grand village du centre de la vallée du Panjshir. Il n'y a presque personne dans la rue principale. Il fait froid. Quelqu'un nous informe que Massoud n'est pas chez lui. On nous dit qu'il sera là demain. On nous installe provisoirement au-dessus du restaurant de Bozorak, dans une pièce glaciale. Par la fenêtre, je regarde la rue où la neige commence à couvrir la boue. Assad nous salue et s'en va chez sa famille, s'excusant de ne pouvoir nous inviter : ils vivent à cinq dans deux petites pièces !

La première nuit est passée. Nous sommes sur place, dans la vallée. Paris-Dubaï-Peshawar-Mazar par les airs, puis la route de Salang : le tout en quatre jours. Dans deux, trois semaines, la route sera impraticable à cause de la neige. *Inch Allah !* On aborde les problèmes les uns après les autres. Michel se marre : plus les situations sont compliquées, plus il se sent heureux, question d'entraînement.

C'est de Bozorak que part la vallée de Parende, perpendiculaire à celle du Panjshir. Nous montons à pied vers le bureau de Massoud. Peu de monde. Ce qui veut dire peu d'activité militaire, sans parler du politique. Depuis la mort de Ghaffourzaï, l'Alliance anti-taliban, ou Front uni, n'a de sens que dans son appellation. Elle ne trompe pas ceux qui connaissent ses membres : le président Rabbani, qui n'a d'autre pouvoir que celui d'être encore chef d'un État sans assise. Tout juste bon à compliquer les relations des uns avec les autres, avec ses préférences, ses courtisans, ses  félons. Le général Dostom revenu sur la scène, avide de mettre un terme à l'existence du général Malek qui lui a fait subir l'humiliation de fuir devant les taliban, en mai 1996. Comment s'entendre avec Sayyaf encore dans la partie ? Comment partager les mêmes objectifs avec le chef chiite du Hezb-é-Whadat, Karim Khalili, soutenu par les Iraniens, installé à Mazar autant qu'à

Bamyan[1]? Ajoutez à ce cocktail de personnages difficiles à mettre ensemble, la capacité de nuisance d'un Hekmatyar[2] toujours en vie, et vous aurez *grosso modo* le schéma de la situation, avec un Massoud un peu en marge, mais partie prenante de cette réalité. Plus explosif panier de crabes serait difficile à concevoir. Massoud, dans le sanctuaire de la vallée du Panjshir, avait bien raison de se tenir à l'écart. Mais qui dit à l'écart dit laisser la bride sur le coup de ses soi-disant alliés toujours prêts à recomposer l'alliance au mieux de leurs intérêts, pas toujours du sien.

Avec le froid, le décor de la petite vallée de Parende a changé. La végétation a troqué ses couleurs vertes pour des teintes marron et beiges qui se dégagent sur le fond blanc de la neige. Le torrent, bruyant en été, n'est plus qu'un filet d'eau. Les paysans croisés sur la petite route qui monte vers le bureau du chef sont tous emmitouflés dans leurs patous. À proximité du bureau, une bâche recouvre la Mercedes blindée de Massoud, du temps où il était ministre de la Défense à Kaboul. Elle attend une heure que bien peu espèrent encore voir venir. L'euphorie de l'été dernier s'est volatilisée… Tout ici sent l'abandon, le vide, l'inutile. Nous entrons dans le bureau. Massoud est à la radio. Il termine sa communication et se lève pour nous serrer les mains, avec le sourire, en toute simplicité. On fait partie du décor. Un de ses commandants plaisante à notre sujet : « Soyez les bienvenus. À chaque fois que vous venez, ça nous réussit, il se passe quelque chose. » Tout le monde rigole. Tout le monde, c'est-à-dire huit personnes, assises dans les fauteuils et canapés toujours alignés contre les murs. Rien n'a changé ici depuis juillet, sinon le silence dû au sommeil du torrent. Rien, sinon la radio qui a été amenée dans le bureau, à côté du téléphone-satellite. Massoud est habillé de vêtements militaires, toujours avec élégance. Mais toujours happé par les communications avec tant d'interlocuteurs différents qu'on s'y perd. Pour une fois, j'ai laissé la caméra à Michel. Il m'a proposé de filmer notre rencontre.

– Ça te fera un souvenir !

---

1. Ville du centre du Hazaradjat.
2. Réfugié en Iran, Hekmatyar clamait son appartenance à cette alliance, impatient de prendre une revanche sur ses anciens alliés, les Pakistanais, qui l'avaient lâché au profit des taliban.

C'est vrai, à part ceux que je promène dans ma mémoire et quelques photos, j'en ai peu puisque je tiens la caméra. Et par principe, je n'aime pas les journalistes qui se font filmer. Il me semble qu'il est plus important d'utiliser l'espace-temps d'un film pour montrer les autres.

Le « plateau » de mes confrères, copie conforme de la télévision américaine, est souvent gênant car un peu comique. Le spectateur découvre le ou la journaliste débiter son texte qui commente généralement ce qu'on ne montre pas, figé(e) devant la caméra, comme s'adressant au téléspectateur en le regardant dans les yeux, avec un ton, toujours le même, qui vise à apporter le sérieux que la scène, en fait, ne possède pas. On sent l'exercice comme une traversée de ravin sur un fil, à la limite de l'asphyxie pour certains. Chez les Américains, le ton est toujours très appuyé, le rythme rapide. Pas de place pour le doute, ni pour la fantaisie. Alors qu'on s'est déplacé pour venir filmer les autres, c'est un peu triste de voir ce genre de pantomime ! Autant rester en studio…

Dans les mains de Michel, le Caméscope fait petite chose dérisoire. Il s'est calé dans un fauteuil et me filme, offrant à Massoud les cadeaux que je lui ai apportés : la boule de neige, généralement réservée aux touristes, montrant Notre-Dame et le Sacré-Cœur, sous une pluie de paillettes argentées.

– Je vous offre ces cadeaux parce que vous ne voulez pas venir à l'étranger, alors qu'on ne cesse de vous dire que vous avez tort. Aussi voilà un peu de l'étranger qui vient à vous !

Massoud rit franchement.

– C'est aussi pour vos enfants, dis-je ajoutant une petite tour Eiffel en métal dont il me demande aussitôt la taille.

J'ai aussi apporté un livre magnifique [3] dont le texte a été écrit par Mike Barry, persanophone, poète, spécialiste en art islamique.

---

3. *Faïence d'azur,* Imprimerie nationale, 1995. Prix d'histoire de l'art de l'Académie française, 1997.

Les photos ont été prises par les Michaud, ceux qui m'ont fait rêver des caravanes d'Asie centrale. Le livre passe entre les mains de Massoud, amusé et heureux, qui lit la dédicace soigneusement calligraphiée par l'auteur. Je me souviens alors, en un flash, d'une soirée passée à Kaboul, en juillet 1993, lorsque Mike Barry avait montré à Massoud le diaporama de la grande exposition qu'il prévoyait sur les splendeurs de la ville de Hérat. C'était surréaliste. Nous étions dans une des maisons appartenant au Jamiat, dans la salle à manger. Mike commentait ses photos en persan à un Massoud qui découvrait des richesses culturelles que la guerre l'avait empêché de goûter. On ne pouvait alors trouver meilleure façon de le reposer de ses soucis. Le lendemain, je me souviens, des roquettes étaient tombées sur le quartier, cadeaux empoisonnés lancés par les sbires de Hekmatyar…

Dans le bureau, l'activité de résistance aux taliban a repris le terrain, car le téléphone-satellite dont le secrétaire de Massoud a tendu le combiné ramène mon interlocuteur à sa réalité quotidienne. Il écoute son interlocuteur, jouant avec la tour Eiffel et la boule de neige : une histoire de commandant passé du côté des taliban contre quelques millions d'afghanis. Une routine dans cette guerre pourrie, tronquée, avec cette stratégie de l'ingérence à têtes multiples : l'Amérique soutenant les moines-soldats hystériques, laissant libres les Pakistanais en train de préparer leur plan de conquête intégrale de cet Afghanistan qui les obsède. Et cette milice arabe, la « légion islamique », nœud du terrorisme musulman à visée internationale, déjà bien implantée depuis le retrait soviétique, entraînant ses combattants à la guérilla urbaine, pendant quatre ans dans Kaboul, puis à la guerre totale depuis trois ans. Et ce prince Oussama ben Laden, pourtant désigné par les Américains comme commanditaire des attentats de Riyad et de Dahran, qui vit à Kandahar, près du quartier général des taliban où se cache le fameux Omar, chef taleb que personne ne voit jamais ! Ben Laden est un révolté, condamnant la compromission des princes de son pays d'origine avec l'Amérique qu'il hait encore plus depuis l'opération « Tempête du désert » au cours de laquelle les infidèles ont profané la Terre sainte du Prophète. Incompréhensible politique étrangère américaine. Incompréhensible ? Peut-être pas ! Les prudes protestants américains ne sont pas gênés par les prudes mollahs taliban. Les deux aiment l'ordre et sont coincés avec la sexualité. Et puis les taliban sont la plus belle griffure imposée à l'Iran dont la frontière borde l'Afghanistan sur toute sa partie ouest. Les hérétiques, ennemis pour toujours. Sunnites contre chiites. Quelle belle arme pour nuire à la nation d'Iran qui a, elle aussi, échappé au contrôle machiavélique des cyniques du Pentagone ! N'ont-ils pas, là aussi, fait des erreurs de calcul ? De monstrueuses erreurs dont un peuple souffre tant aujourd'hui. Mais les peuples, les individus, n'intéressent pas ces gens qui font de la politique avec des données abstraites, des analyses démunies de toute poésie. Ces universitaires trop

longuement exposés à la théorie, trop rarement confrontés à la sensualité des rencontres entre humains. Les Afghans n'ont qu'à se déchirer, ils auront un jour leur gazoduc pour acheminer du Turkménistan la manne qui s'ajoutera à leurs richesses jusqu'aux ports pakistanais !

Massoud, dans tout ce méli-mélo, fait figure d'idéaliste trop pur, comme nous. Un politique malhabile car trop honnête pour être valable, une petite carte tout juste bonne à compter pour quelques journalistes dont je suis. Il suffit d'ailleurs de lire la presse américaine pour comprendre qu'il est absent, mentionné comme « la figure charismatique préférée des médias français ». Qui regrettera Massoud lorsqu'il sera acculé, lorsqu'un obus ou une balle mettra fin à son aventure ? Ses amis, sa famille, quelques rares personnes qui l'ont vraiment connu... Le monde s'en moque. Les grands hommes ne sont plus faits de rêves, de rigueur, de courage, d'obstination.

Massoud, happé par ses problèmes à régler, nous donne rendez-vous pour le lendemain. On convient de la fin d'après-midi.

– Pas trop tard, car j'ai besoin de lumière pour vous filmer !

Nous le laissons à ses communications. Une erreur de ma part. Chaque jour, nous allons attendre ce rendez-vous sans cesse reporté.

En attendant Massoud, je filme les paysages dans leur immobilité d'hiver, un combat de coqs presque trop symbolique, des hommes et des femmes qui marchent sur la route quasi déserte. Je filme la cordelette tendue devant la guérite de l'entrée du chemin qui mène à la maison de Massoud. Je filme cette absence et ce vide, le froid qui ralentit la vie, la fige parfois, ce bout du monde, ce bout du bout du monde. Les jours, ainsi, passent.

Quatre ont suivi notre visite à son bureau. Quatre jours passés dans le silence et une certaine impatience, dans la maison de Naïm que nous avons retrouvée intacte, avec juste un poêle de plus dans le salon et une odeur de bois brûlé.

Que Massoud ne comprenne pas qu'il a avec nous la possibilité de transmettre ce qu'il est, ce qu'il pense, me semble peu raisonnable. Mais je ne suis pas afghan, encore moins Massoud. J'en suis là dans mes pensées lorsque la porte s'ouvre et fait entrer du froid. C'est le chauffeur aux grands pieds.

– Le chef vient, annonce-t-il, essoufflé.

Merab range précipitamment ses affaires. Toujours, lorsqu'il se trouve en présence de Massoud, Merab se tend, intimidé. La tâche qu'il doit assurer – faire une traduction simultanée dans les deux langues, du français au persan, du persan au français – lui demande un effort de concentration d'autant plus important que le « chef » est toujours prêt à corriger les erreurs… car s'il ne maîtrise plus aussi bien la langue française qu'en 1981, il sait suivre les conversations.

Massoud entre, nous présente ses excuses pour l'attente qu'il est conscient de nous avoir fait subir, dit qu'il peut compter sur notre compréhension, car il sait que nous connaissons le poids de ses soucis. Je le sens nerveux, pressé, peu disponible pour des confidences. Nous commençons à parler de la situation. Puis je lui rappelle ma lettre et quelques questions qu'elle contient et qui m'obsèdent, comme de pouvoir comprendre pourquoi il a fait des alliances aussi compromettantes avec Dostom et Sayyaf. Sans doute n'est-ce pas le bon moyen de le détendre. Il se lance dans une explication sur la réalité de la guerre qui amène parfois à devoir pactiser avec ses ennemis : Dostom, c'était pour entrer dans Kaboul sans effusion de sang ; Sayyaf, pour avoir le soutien de certains milieux pachtouns et arabes.

– Et les massacres de Hazaras ?

Il me lance un regard noir, me répond que les Occidentaux, décidément, ne comprennent rien à l'Afghanistan.

– Les hommes de Sayyaf étaient hors contrôle. Je déplore ce qui s'est passé à Kaboul. J'avais envoyé des hommes pour s'interposer...

Il parle ensuite de l'arrêt de l'offensive sur Kaboul, confirme qu'il ne sert à rien d'entrer à nouveau dans la ville si un gouvernement possédant un projet n'est pas constitué.

– Quand ?

– Vous savez bien que tout prend du temps en Afghanistan !

Comme il est tard, que la lumière du jour a disparu et que je l'ai énervé, nous nous entendons pour qu'il revienne demain, cette fois pour être filmé. Le serviteur qui a en charge la maison de Naïm a apporté du thé. Nous parlons encore de la guerre, mais ce qui l'intéresse encore plus c'est de questionner mon compagnon sur l'armée française. Prudent, Michel reste sur la réserve. Il sait combien j'attends ce moment, que Massoud se livre, parle de ses compagnons, de ses sentiments...

Le lendemain passe en attente. Je regarde le soleil, mon indispensable projecteur de cinéaste. Je le vois monter au zénith, inonder de sa clarté le flanc des montagnes qui nous entourent, nous
offrir un peu de sa chaleur, puis
entamer sa descente vers son
crépuscule. Massoud n'arrive
pas. La lumière rougit puis
baisse. Vient la nuit.

– Il fait chier, Massoud !

Il m'arrive d'être grossier. Je
m'en veux aussitôt. Massoud a
d'autres choses plus urgentes
que de parler à une caméra pour des télévisions qui ne servent finalement qu'à divertir les Occidentaux... qui ne comprennent rien à l'Afghanistan !

Il m'arrive parfois de vouloir me séparer de cette caméra. Aller à l'aventure, les mains libres. La nuit me rapporte mes gamberges comme une marée noire depuis l'océan, en bordure de plage. Je pense à mon métier. Métier ? Quel métier ? Je filme. Je rencontre. J'aime les gens. La vie est belle mais les hommes sont abominables… Il y en a de magnifiques. Des justes. Des purs. Des poètes de l'instant. Tout pourrait être si simple. Une fête. Je me tourne, me retourne dans mon sac de couchage trop chaud. Dehors, la nuit. Dehors, le silence. Il fait très froid et, au loin, c'est la guerre. Toujours. Encore. Saloperie. Non, je n'aime pas la guerre. J'aime l'intensité, mais pas la guerre. Pas cette monstruosité qui donne au faible le pouvoir de tuer s'il possède l'arme adéquate. Je suis nul de n'avoir pas dénoncé les vendeurs d'armes, les vendeurs de drogue… Je m'endors avec le matin qui vient et mon obsession de Massoud qui ne vient pas.

Matin, petit déjeuner. À croire qu'on nous soigne bien pour apaiser notre énervement, mais je sais que ce n'est même pas le cas, tout juste lié à ce que l'homme qui tient la maison n'a rien à faire d'autre que de s'occuper de nous. Petite marche sur la route, mais pas loin, car il n'est pas question de manquer l'arrivée de Massoud. Pour la visite du Panjshir, ce sera pour une autre fois. Je maugrée, Michel se marre. Merab, lui, est embêté. Il aimerait faire comprendre à Massoud que le monde extérieur a changé, que les médias sont une force, qu'il peut nous utiliser.

Finalement, Massoud viendra le sixième jour de notre séjour dans la vallée, à 17 heures. Tendu. J'ai installé la caméra sur le pied et râle à cause de la lumière qui est limite. Elle baisse vite en hiver ! En décrochant les rideaux de la fenêtre, un paquet de poussière est tombé sur la caméra. Mauvais présage. Je râle encore.

– Allez, t'en fais pas ! rigole Michel.

Massoud a demandé quelques instants pour marcher et se concentrer. Il est parti seul, sur la route, en direction du village voisin, Malaspa.

17 heures 30. Que fait-il ? Merab ne sait pas. Le garde vient. Il ne sait pas non plus où est Massoud. Il a demandé de ne pas être dérangé. Il est parti marcher en solitaire. Les instants sont plus longs qu'avant. Je suis de plus en plus tendu. Michel, lui, tourne la perche dans ses mains. On est comme des couillons à attendre le poisson. Il y a une bonne dose de dérisoire dans tout ça. Finalement on a tous un fou rire en imaginant nos têtes.

Ce n'est qu'à 18 heures que Massoud fait son entrée dans la pièce où nous sommes devenus zen. Il s'assied, face à la caméra, sur un coussin rouge que nous avions disposé dans l'axe et que j'avais filmé vide, on ne sait jamais, pour le montage. Il demande un thé. Je fais remarquer que la lumière manque déjà, qu'il faut faire vite. Il sait. Il est nerveux. Il demande qu'on branche le générateur. Le thé arrive en même temps qu'une lumière rougeâtre. Tans pis, il aura le visage rouge. Massoud commence à parler. Dans un premier temps, Merab traduit toutes les cinq minutes. Mais c'est une mauvaise méthode. Je n'avais pas prévu qu'il se lancerait dans de longues déclarations. Je dis d'abandonner la traduction. Il fait presque nuit. Je sais déjà que c'est foutu. Pas seulement à cause de l'obscurité, mais parce que Massoud nous fait

un développement historique et politique : l'Afghanistan, l'ennemi, le géant qui fait peur, qu'ils titillent pourtant sur les problèmes du Kashmir où l'on se bat depuis des années… Ça, on le sait ! La ligne Durand, du nom d'un officier anglais qui, en 1893, avait eu l'idée de tracer à la règle, sur la chaîne de montagnes, une bande délimi-

tant un espace tampon, dit « zone tribale », qui marque encore aujourd'hui la séparation entre l'Afghanistan et le Pakistan. Ce territoire a été attribué au Pakistan pour une durée de cent ans…

Il parle d'une voix monocorde. Il est précis mais peu personnel. Précis mais n'abordant à aucun moment ce qui le touche. Je l'interromps pour lui rappeler ma demande de le voir se confier. Il dit qu'il va y venir. Mais le temps passe et la nuit s'est installée. Je laisse tourner la caméra pour le son. Je sais qu'au montage jamais je ne pourrai utiliser une telle déclaration, si longue, si lente… De lui, il ne dira rien…

XXV

Massoud
le pudique

À l'heure où j'écris ces lignes, je suis en France, pays en paix, pays que j'aime. Plus pour sa capacité à donner des individus truculents, des poètes, des écrivains, des chanteurs, des savants... que pour sa capacité à nous fabriquer des technocrates de plus en plus cyniques, des journalistes de plus en plus dénués d'humanité et de simplicité, adeptes du culte du sondage pour parler d'un pays qu'heureusement on ne peut pas encore mettre en fiches, en schémas, riche d'une diversité qui reste sa plus belle carte sur l'avenir... Dans la morosité ambiante, petite éclaircie pourtant avec cette coupe du monde de football si méritée, si belle, qui a créé une liesse qu'on espère durable. Les Français seraient-ils soudain devenus conscients qu'il est plus facile de vivre ensemble qu'ils ne le pensent ? Seraient-ils prêts à plus de lucidité, de tolérance, de générosité et de solidarité ? On peut toujours rêver avec ces mots ! Que les salopards qui, par leur égoïsme, nuisent à l'ensemble de la communauté, se mettent en veilleuse, j'en doute ! Ils sont trop bien installés. Mais pour le moment je jouis d'être français, européen, citoyen d'un monde d'hommes encore et toujours libres.

Nous sommes en août 1998, les nouvelles qui parviennent d'Afghanistan sont à nouveau mauvaises, comme un cycle infernal, l'été favorisant les grandes manœuvres. Pendant que les hommes politiques occidentaux prennent leurs vacances, les taliban se sont emparés de Mazar, achetant des commandants ouzbeks pour qu'ils trahissent leur camp. En quelques jours, ils ont progressé vers Haïratan, au seuil de l'Ouzbékistan, infligeant une lourde défaite aux hommes de Dostom, se sont emparés de Taloqan, où séjournait le président Rabbani qui a fui. Pul-é-Kumri enfin leur est tombée entre les mains, abandonnée par les forces de Massoud qui ont reçu l'ordre de ne pas combattre mais de se replier sur les montagnes.

Sur le terrain, les taliban disposent d'une puissance de feu jamais vue auparavant. Qui la leur a fournie ? Ce n'est pas Allah qui livre les bombes, le carburant pour les avions, les Mig sans cocarde ni numéro. Ce n'est pas Allah le plus grand qui fournit les armes et la chair à canon. Tout vient du Pakistan, et on ne le dénoncera jamais assez fort, même si les taliban sont en majorité des Afghans, même si, parmi eux, se trouvent de braves gars qui voudraient bien que cesse la guerre et croient se battre pour la paix. Quelle jolie paix ! Truffée d'interdits, rejetant le monde occidental, distillant la haine…

Comme à leur habitude, les Pakistanais continuent à nier toute implication dans les affaires internes de l'Afghanistan. Ils se moquent de l'opinion publique internationale. Ils l'ont d'ailleurs prouvé avec leurs derniers essais nucléaires. Une fois de plus, une fois de trop, la complexité de la scène afghane joue, comme d'habitude, en la défaveur d'une lucidité nécessaire. Massoud reste le seul adversaire de ces illuminés, aveuglés par d'irresponsables cyniques. Mais en Occident personne ne lui vient en aide. Les Américains sont devenus fous, ou leur cynisme pragmatique de plus en plus criminel. Ils devraient réviser leurs leçons sur l'histoire et la psychologie humaine. Les deux terribles attentats, au Kenya et en Tanzanie, ont fait plus de victimes innocentes que de victimes ciblées : les Américains apparaissent comme des victimes alors que leurs spécialistes en « realpolitik » ont mis le feu aux poudres. Comprendront-ils enfin, ceux-là, que l'Afghanistan est la poudrière d'un terrorisme implacable dont ils feront, eux aussi, les frais. Le comble : Oussama ben Laden, abrité par les taliban. Il n'est peut-être pas à l'origine de ces monstrueuses actions terroristes mais il en rêve… dans son QG, à Kandahar, centre des taliban, pions des Pakistanais soutenus par l'Amérique. Pas cette Amérique que les touristes aiment. Pas cette Amérique du cinéma, des grands espaces, des gens souriant. Pas cette Amérique du libéralisme et du fast-food mondialement goûté par les peuples de la planète. Non, celle qui est coupable est celle des technocrates qui jouent avec le monde comme avec un jeu d'échecs. Chaque jour, Merabudine, réfugié à

Paris, me transmet des nouvelles de Massoud. D'une cabine téléphonique, il parle avec le docteur Abdullah, parfois avec Massoud, souvent avec Aref, un autre proche collaborateur du « chef ». Massoud a demandé à tous ses hommes de se replier sur Chamali et dans le Pansjhir. De prendre position dans les hauteurs. Ils connaissent ! Inutile de tenter de faire face à l'armada talibano-pakistanaise, avec ses moyens de communications, de commandement et de contrôle régis par les agents de l'ISI.

J'espère que la bonne étoile de Massoud restera longtemps à briller au-dessus de lui. J'espère qu'au moment où le film sera diffusé, Massoud ne sera pas mort et ce qu'il représente à jamais perdu pour l'Afghanistan.

J'ai eu du mal à trouver la conclusion du film. Mais j'y suis enfin parvenu, avec Tatiana Andrews, monteuse passionnée, investie de la gravité contenue dans les images et les sons, consciente de ne pas fabriquer un produit, mais un cri du cœur, du sien, de ceux des Afghans, du mien autant que de ceux de tous les hommes de bonne volonté. Nous avons utilisé des images fixes de l'interview de Massoud, tournée en décembre. Des photos, puisque ses propos étaient trop mesurés, ces démonstrations impossibles à synthétiser. Voilà comment s'achève le film : sur une dernière séquence montrant quelques images de la route de Salang enneigée, du tunnel, d'un paysage du Panjshir immobile, puis des photos de Massoud et de moi-même pris en flagrant délit d'ironie et de provocation : on me voit lui offrir la boule de neige montrant Notre-Dame et le Sacré-Cœur, puis la tour Eiffel. Il ne veut pas venir à l'étranger, c'est sa plus grande erreur. Mais ce n'est pas à moi, le Français, de le prendre par la main pour lui montrer la direction du Congrès américain ou de l'Arabie Saoudite et du Parlement européen. Dans le film, on le voit sourire.

Le texte de mon « commentaire » est simple. Impossible d'entrer dans les détails, de parler de la mort de Ghaffoudzaï, d'Assad venu nous chercher...

Voilà donc les mots simples que j'ai écrits puis dits sur mes images de fin du film : « Six mois ont passé. Je suis revenu. Comme promis. En décembre 1997, l'offensive de juillet était à peine un souvenir. L'entrée de la vallée du Panjshir avait été libérée, mais les taliban étaient restés maîtres de Kaboul. Massoud avait renoncé à l'attaque puisque aucun gouvernement de moudjahidin n'avait pu être constitué. Quelques journalistes étaient venus, puis étaient repartis. Il faisait froid, ce n'était donc pas un hasard si tout semblait figé et calme, mais ce n'était pas la paix !

« J'ai retrouvé Massoud dans son bureau, toujours harcelé par mille demandes des uns et des autres. Michel, l'ami qui m'accompagnait, a pris ces photos pendant que je lui offrais de petits cadeaux, oh, très symboliques : une boule de neige avec Notre-Dame et une tour Eiffel. Nous avons parlé. J'ai filmé. Mais de même qu'il n'avait pas su répondre à ma lettre, Massoud-le-pudique a gardé pour lui ses états d'âme. Devant la caméra, d'un ton monocorde, il a tenu un discours politique. Rien sur ses sentiments. J'ai posé la caméra. "N'auriez-vous pas dû venir à l'étranger ? lui ai-je demandé. Devant le Congrès américain on vous aurait applaudi. Aujourd'hui le monde est comme ça ! On vend de la politique comme on vend des lessives. N'auriez-vous pas dû apprendre l'anglais ? Vous seriez passé dans toutes les télévisions et, qui sait, peut-être auriez-vous changé le cours de l'histoire."

« La nuit est tombée. Massoud l'Afghan a souri, puis il est parti.

« On voit la voiture qui entre dans le tunnel. Et comme ce tunnel est long on en voit le bout, très loin, et le rectangle du jour vers lequel on s'en va ressemble à un écran de télévision… dans la nuit. »

Postface

Fragments d'une guerre

Bref retour sur l'histoire... Peut-être se souvient-on qu'il y a vingt ans, en 1978, un coup d'État porta au pouvoir en Afghanistan un régime communiste dans un pays où le socialisme manquait singulièrement de bases sociales.

La guerre civile qui se poursuit aujourd'hui commençait alors et allait connaître son temps fort du point de vue international, avec l'intervention soviétique (1979-1989).

Ces événements intervenaient peu après la chute du shah d'Iran (1979), dans un contexte de guerre froide marqué par les échecs américains au Viêt Nam (chute de Saigon : 1975), en Angola (1976), en Éthiopie (1977).

Pendant la décennie quatre-vingt, les Soviétiques repoussèrent vers le Pakistan ou l'Iran près du tiers de la population d'un pays surtout rural, sans conscience nationale, mais marqué fortement, au contraire, par des clivages ethniques ou religieux et des solidarités tribales génératrices d'alliances tactiques fluctuantes. L'unique lien de la résistance afghane était le rejet d'une occupation étrangère et d'un régime qui en était l'allié.

L'Afghanistan, durant ces années, reçut une aide considérable des États-Unis et de divers pays musulmans, dont le Pakistan et l'Arabie Saoudite ne furent pas les moindres. Cette guerre – qui commença comme une guérilla très fruste dans son organisation – fut, contrairement à beaucoup d'autres conflits se déroulant à la même époque en Asie, en Afrique ou en Amérique latine, très largement couverte par les médias. C'est que, cette fois, hors des pays du pacte de Varsovie, l'Union soviétique menait une guerre à caractère colonial.

L'action des Soviétiques durant les années qui précèdent la montée au pouvoir de Gorbatchev (1985) s'est, en matière de contre- insurrection, limitée à des coups de boutoir, à la production de réfugiés, à une politique fondée sur des divisions tribales manipulées par les services spéciaux du régime de Kaboul. Jamais, contrairement aux techniques utilisées par les armées occidentales, la chasse ne fut donnée à la frontière pakistanaise pour tenter du briser la logistique de la résistance qui dépendait du sanctuaire pakistanais. De surcroît, l'Union soviétique commettait l'erreur de faire appel au contingent, comme l'Amérique l'avait fait au Viêt Nam.

De bout en bout, la résistance resta émiettée, reflétant les divisions ethniques (Pachtouns, Tadjiks, Ouzbeks, Hazaras, etc.), religieuses (sunnites/chiites), ou fondées sur des appréciations de l'islam. Dès le début, il n'est pas indifférent de noter que les services américains, relayés par les services pakistanais, accordèrent l'essentiel de leur appui au plus extrême des mouvements islamistes dirigé par Gulbuddin Hekmatyar.

Lorsque les Soviétiques se retirent – la politique gorbatchevienne poursuivant d'autres buts – après avoir perdu quelque 15 000 hommes, le pouvoir qu'ils ont soutenu à Kaboul s'effondre bientôt (1992), comme au Viêt Nam-Sud celui de Saigon, peu après le retrait des forces américaines

La guerre civile ne prend pas fin pour autant. Si Kaboul est investi en avril 1992 par les combattants du commandant Massoud dans le cadre d'alliances aussi complexes que volatiles, le conflit est chronique avec le mouvement de Gulbuddin Hekmatyar toujours soutenu par les services pakistanais.

De 1992 à 1995, la situation est à la fois chaotique et confuse – Hekmatyar est finalement lâché par les Pakistanais qui s'appuient désormais sur les talibans (Pachtouns) qu'ils ont entraînés et armés. Ceux ci s'emparent de Kandahar, de Hérat, puis de Kaboul (1996). Le commandant Massoud et ses Tadjiks se replient sur leur fief de la vallée de Panjshir. En août 1999, les taliban qui, entre-temps (1995-1996), ont liquidé les petits seigneurs de la guerre qui opprimaient et rançonnaient les paysans et instauré un ordre conforme à leur idéologie islamique à Kaboul, parviennent à s'emparer de Mazar-é-Sharif, la dernière ville importante du nord du pays. Les trois quarts du territoire se trouvent sous leur contrôle en cette fin d'année 1998. Seuls ou presque, avec les Hazaras, les Tadjiks de Massoud échappent à un ordre fondé sur l'hégémonie pachtoune qu'appuient les Pakistanais et les services américains.

Le projet pakistanais vise à gagner, comme le rappelle de Ponfilly, une profondeur stratégique face à l'Inde et des bénéfices économiques en utilisant l'Afghanistan pour acheminer le gaz turkmène jusqu'au littoral pakistanais. La compagnie américaine UNOCAL est partie prenante dans ce projet dépendant d'un pipeline de 750 kilomètres. En marge de la guerre civile, tel est l'un des enjeux régionaux.

Ce bref résumé ne donne qu'une idée très schématique de la complexité des données conflictuelles de l'Afghanistan qui fut, au siècle dernier et jusqu'en 1947, un État-tampon entre l'empire britannique et les Russes.

Dans ce cadre, Christophe de Ponfilly a choisi de traiter la guerre à travers la figure du commandant Massoud. Ce dernier, un Tadjik soucieux de n'être pas dominé par la majorité pachtoune, est un chef de guerre de grande qualité. Dès 1981 les structures qu'il institue dans la vallée du Panjshir, du point de vue militaire et social, indique une démarche radicalement différente du reste de la résistance afghane. Il s'agissait en fait, par la constitution de groupes mobiles à temps complet, par la mobilisation de la population, par l'organisation disciplinée d'une vallée, d'une adaptation du modèle maoïste de la guerre de partisans. Joignant à cette technique des dons remarquables de stratège et une force de caractère peu commune, Massoud est parvenu jusqu'à présent à n'être pas vaincu. C'est la chronique de cet itinéraire que Christophe de Ponfilly a retracé à travers sa propre expérience sensible accumulée au fil de nombreuses années.

Le combat de Massoud consiste à récuser l'imposition d'une solution militaire au profit d'un seul groupe ethnique. En cela, sa lutte rejoint celle de nombreux autres mouvements qui, dans des pays non démocratiques, se battent pour avoir d'autres perspectives que de subir la domination du groupe ethnique ou religieux au pouvoir.

Sur un plan plus large, l'Afghanistan est aujourd'hui le terreau des islamistes radicaux de divers pays qui, après formation sur place, ont essaimé en Bosnie, en Égypte, en Algérie, au Soudan ou ailleurs. C'est en Afghanistan que se trouve le prince saoudien Oussama ben Laden désigné par les États-Unis comme étant à l'origine des attentats d'août 1998 contre leurs ambassades en Afrique orientale. En appuyant systématiquement les plus extrémistes des mouvements afghans durant les années quatre-vingt, les services américains ont joué les apprentis sorciers et, bon gré mal gré, ont contribué à transformer ce pays en un carrefour de l'islamisme radical et du trafic d'héroïne.

GÉRARD CHALIAND

Chronologie

Pour comprendre l'évolution de l'histoire de l'Afghanistan, outre la connaissance géographique et sociologique, il importe de s'attacher à suivre la chronologie de quelques faits notoires. Il est également important d'intégrer qu'on se trouve en Asie centrale, que la capacité des Afghans à jouer des jeux doubles et souvent triples, passant d'alliances en trahisons avec, parfois, une vitesse stupéfiante, est une réalité dont il faut tenir compte, même si elle semble difficile à comprendre pour les Occidentaux. Voici quelques repères chronologiques, parfois agrémentés de commentaires auxquels je n'ai pu résister. Je précise toutefois être conscient du poids de ma culture française, c'est-à-dire de mes limites à comprendre un monde qui me sera toujours étranger, même si mes amitiés sont, elles, sincères et fortes.

Au VIIIe siècle avant Jésus-Christ, Zoroastre, fondateur de la religion mazdéenne, naît au nord de ce qui constitue l'Afghanistan actuel, dans la ville de Balkh. De 550 à 545, Cyrus conquiert la région. De 331 à 323, Alexandre y fonde des colonies grecques. Au IIe siècle après Jésus-Christ, ce n'est pas qu'il ne s'est rien passé d'Alexandre à ce temps éloigné, mais mon livre ne peut être exhaustif, aussi rappelons que l'Afghanistan fut alors essentiellement bouddhiste. En 871, c'est devenu un pays islamisé après la conquête de Hérat par les Arabes. En 1220, Gengis Khan franchit l'Oxus et met à feu et à sang la région. En 1364, c'est Tamerlan qui étend son pouvoir. Aux XVIe et XVIIe siècles, l'Afghanistan se trouve partagé entre l'influence perse (Safavide) à l'ouest et l'influence des Moghols à l'est. 1747 voit la création d'un royaume afghan par les Pachtouns Abdali. Dès lors, Russes et Anglais vont lutter pour la maîtrise de ce territoire. De 1793 à 1818, les Britanniques obtiennent des trois fils de Timur, qui se disputent le pouvoir, l'interdiction pour tout étranger non anglais de pénétrer en Afghanistan. En 1839, Chah Chodja, un des fils, prend le pouvoir avec le soutien de l'armée anglaise. Deux ans plus tard, le contingent britannique est exterminé, Chah Chodja assassiné. Dost Mohammad règne et signe un traité de non-ingérence et d'amitié avec la Russie. En 1878, après l'envoi par les Russes d'une mission militaire à Kaboul, les Anglais pénètrent de nouveau en Afghanistan. Deuxième guerre anglo-afghane. Un État afghan moderne se développe alors sous tutelle anglaise, puis le pays parvient à trouver son indépendance (les Anglais reconnaissent l'indépendance complète de l'Afghanistan en 1919). L'Afghanistan s'ouvre vers l'extérieur et entre à la Société des Nations en 1934. Pendant la Seconde Guerre mondiale, l'Afghanistan reste neutre. Après la guerre, l'Afghanistan tentera toujours de ménager son équilibre entre les blocs. La royauté verra ses dernières années…

Maintenant, faisons un bond en avant en détaillant quelques faits de la période contemporaine.

1953

6 septembre. Daoud, cousin et beau-frère du roi, devient Premier ministre à la place de Chah-Mahmoud, un de ses oncles.

1954

27 janvier. L'URSS accorde un premier crédit important à l'Afghanistan. La même année, les Américains refusent d'armer l'Afghanistan contre le Pakistan, pays voisin avec lequel les relations ne sont pas simples.

1955

15-18 décembre. Khrouchtchev, alors chef du PCUS, se rend à Kaboul accompagné du Premier ministre de l'URSS, Boulganine. À l'occasion de cette visite l'Afghanistan reçoit un prêt à long terme de l'URSS. On parle de 500 millions de francs destinés à financer la construction, par des entreprises russes, de routes, d'aéroports et d'usines de réparation de camions.

Mars. Crise avec le Pakistan. La frontière reste fermée jusqu'au mois d'octobre.

1956

25 août. Mohamed Daoud, alors Premier ministre, signe un accord avec l'URSS et la Tchécoslovaquie concernant la livraison d'équipements militaires. L'aviation afghane reçoit des appareils russes. Par ailleurs, les aéroports de Mazar-é-Sharif, de Chindand et de Bagram commencent à être réalisés à l'aide de capitaux prêtés par l'URSS.

Cette année est marquée par un événement-symbole : la reine apparaît en public, le visage dévoilé.

1958

Alors que le roi d'Afghanistan, Zaher-Chah, fait une visite officielle au Pakistan voisin, le Premier ministre, Mohamed Daoud, se rend aux États-Unis.

1959

18-22 mai. Visite officielle du Premier ministre afghan aux maîtres du Kremlin. Démarche diplomatique qui aboutit à la signature d'un nouvel accord de coopération entre l'URSS et l'Afghanistan pour la construction d'un tronçon de route d'environ 700 kilomètres, de Kandahar, la grande ville du sud du pays, jusqu'au nord, à la frontière soviétique, en passant par la ville de Hérat située près de la frontière iranienne.

Décembre. Inquiétude américaine qui voit d'un mauvais œil le développement de la coopération soviéto-afghane. Le président américain Eisenhower fera une visite au roi et au Premier ministre afghans (de quelques heures…).

1960

Mars. Khrouchtchev se rend à Kaboul. La coopération soviéto-afghane s'accroît. Elle devient culturelle. Le soutien des Soviétiques à l'Afghanistan est confirmé. Dans le même temps, on apprend que des réserves de pétrole et de gaz naturel sont présentes dans les provinces du nord de l'Afghanistan.

26 août. À l'occasion de la visite du ministre chinois des Affaires étrangères à Kaboul, un traité d'amitié et de non-agression est signé entre les deux pays.

1961

L'URSS profite d'une nouvelle crise avec le Pakistan pour relancer son influence. La frontière avec le Pakistan étant à nouveau fermée (de septembre 1961 à juin 1963), l'URSS facilite le ravitaillement par ses Républiques musulmanes d'Asie centrale (Turkménistan, Ouzbékistan, Tadjikistan…).

1963

Daoud est contraint de donner sa démission. Il est remplacé par Mohammad Yussof qui n'est ni membre de la famille royale ni même pachtoun.

Le roi se rend en visite officielle en URSS et aux États-Unis.

1964

Les Soviétiques réalisent une route partant de la frontière soviétique pour atteindre Kaboul, la capitale afghane. Ils percent un long tunnel au niveau du col de Salang situé à plus de 4 000 mètres d'altitude. Tunnel de Salang qui deviendra tristement célèbre pendant la guerre soviéto-afghane, puisque c'est sur cette route que seront tendues quantité d'embuscades.
L'Afghanistan adopte une nouvelle constitution qui transforme la royauté en monarchie constitutionnelle.

1965

1er janvier. Le Parti démocratique du peuple afghan (PDPA) est officiellement créé. Lors du congrès où a lieu son acte de naissance, Taraki est élu secrétaire général. C'est la première fois qu'un parti communiste existe en Afghanistan.

Octobre. Aux élections du Parlement, quatre communistes sont élus. Le 24 de ce mois, des manifestations font trois morts. Yussof démissionne. Maywandwâl le remplace comme Premier ministre.

1966

Le PDPA explose à cause de dissensions sérieuses concernant la coopération avec les Soviétiques. On distingue deux tendances : le Khalq dirigé par Taraki et le Parcham dirigé par Karmal.

1967

Pour une période de huit ans, l'URSS s'engage à exploiter le gaz naturel afghan. Un protocole est signé. Un gazoduc est réalisé de la frontière de l'Ouzbékistan soviétique jusqu'à la ville de Shébergan (à 80 kilomètres de Mazar-é-Sharif).

1968

La crise occidentale arrive jusqu'en Afghanistan où des étudiants manifestent à Kaboul pour critiquer le pouvoir du roi, Zaher-Chah.
Naissance de l'Organisation des jeunes musulmans.

13 novembre. Inauguration de la route du Salang qui relie Kaboul à l'URSS en franchissant la chaîne montagneuse de l'Hindou Kouch par un tunnel creusé à 3 500 mètres d'altitude.

1969

L'Université est fermée pour six mois, suite aux manifestations étudiantes.

1970

Agitation dans les milieux religieux contre les marxistes et l'occidentalisation des mœurs.

1971

Abdul Zâher est nommé Premier ministre. L'Université est à nouveau fermée à partir du mois de novembre. Elle le restera jusqu'en avril de l'année suivante.

1972

Augmentant l'état de mécontentement du peuple afghan vis-à-vis de ses gouvernants, une sécheresse entraîne une famine qui fait de nombreuses victimes (environ 100 000 morts), surtout dans le Hazaradjat et la province de Ghor, provinces situées au centre de l'Afghanistan, et dans les provinces du Nord-Est.

1973

À l'université de Kaboul, les mouvements islamiques gagnent les deux tiers des sièges lors des élections. À signaler que Massoud est étudiant à l'École polytechnique et activiste d'un de ces mouvements, le Mouvement de la jeunesse musulmane (qui deviendra Jamiat-e-islami dirigé par Borhanuddine Rabbani, et Hezb-e-islami, dont Gulbudine Hekmatyar assurera la direction).

27 avril. Coup d'État fomenté contre Zaher-Chah par son Premier ministre Mohamed Daoud. Il prendra le pouvoir le 17 juillet avec l'aide d'officiers nationalistes et communistes.

18 juillet. Daoud met en place la République d'Afghanistan. Il devient le président tout en conservant son poste de Premier ministre et de ministre de la Défense.

Septembre. Les agents de la police secrète de Daoud (Zabt Ahwalat : enregistreur de renseignements) arrêtent Hachem Maywandwâl, ancien Premier ministre, accusé de complot avec le soutien des Pakistanais. On le retrouvera mort dans sa cellule après avoir été atrocement torturé. C'est le début d'une longue série d'arrestations. Les prisons se remplissent. Beaucoup d'intellectuels disparaissent.

1974

Les arrestations se poursuivent. Une atmosphère de suspicion se met à régner à Kaboul. Daoud commence à se séparer des ministres parchami.

Juin. Mohamed Daoud est reçu à Moscou. En sa qualité de président, il y rencontre Brejnev.

Novembre. Henry Kissinger, secrétaire d'État aux Affaires étrangères, se rend à Kaboul. Les Américains s'inquiètent sérieusement de la présence soviétique qui semble s'accroître en Afghanistan. On parle du rêve des Russes d'accéder aux mers chaudes.

1975

Avril. Le président Daoud se rend à Téhéran. L'Iran s'engage à apporter une aide économique à la République démocratique d'Afghanistan afin de développer des projets agricoles et pour l'étude d'un chemin de fer reliant l'Iran au Pakistan *via* Kaboul. Cette aide, d'un montant de 70 millions de dollars, dépasse alors l'aide apportée par l'URSS.

22 juillet. Les plus déterminés du Mouvement de la jeunesse musulmane tentent de faire un coup d'État, mais Gulbudine Hekmatyar trahit le plan. Massoud se retrouve seul avec quelques hommes à prendre les armes dans la vallée du Panjshir. Dans d'autres provinces, des fronts s'organisent, mais ils ne disposent pas de soutien suffisant, aussi manquent-ils de moyens pour poser un sérieux problème au régime soutenu par son armée.

27 septembre. Le président Daoud, de la tendance Khalq du Parti, prend la décision d'exclure du gouvernement tous les ministres de la tendance Parcham. Ceux-ci étaient favorables à un plus grand rapprochement avec Moscou. Une réforme agraire est annoncée limitant la propriété de terres irriguées à vingt hectares.

9 décembre. Une délégation soviétique dirigée par M. Podgornyi se rend à Kaboul pour bien montrer l'intérêt que porte son pays à ce voisin des Républiques musulmanes soviétiques. Il se dit soucieux des troubles dus à l'activité des groupes islamistes.

1976

7 juin. Le Pakistanais Ali Bhutto rend visite au président Daoud et propose un rapprochement entre les deux pays.

Quelques semaines plus tard, Naïm-Khan, frère de Mohamed Daoud, homme fort du gouvernement, est reçu aux États-Unis. On parle de coopération. À cette époque de la guerre froide, les États-Unis voient d'un mauvais œil la trop grande attention que porte l'URSS à l'Afghanistan.

20 août. Le président Daoud rend la visite d'Ali Bhutto. Il est reçu à Islamabad.

1977

26 janvier. Le texte d'une proposition de nouvelle constitution afghane est rendu public. Cette Constitution républicaine instaure un parti unique. Quelques semaines plus tard, à l'issue d'une grande assemblée (Loya Djirga), cette nouvelle constitution est adoptée.

15 février. Conformément à la nouvelle constitution, Mohamed Daoud est officiellement élu président de la République afghane, pour une durée de six ans.

15-16 avril. Lors d'une nouvelle visite à Moscou, Daoud se brouille avec Brejnev.

9 juin. Ali Bhutto revient à Kaboul. Un mois plus tard il est renversé par le général Zia-ul-Haq qui, suite à un coup d'État militaire, s'empare du pouvoir.

15 juillet. Les factions ennemies Khalq et Parcham se trouvent rassemblées sous un sigle unique : le PDPA, Parti communiste afghan, qui rassemble non seulement des communistes marxistes, mais aussi quantité de jeunes qui ont envie de faire évoluer leur pays, de s'éloigner des traditions qui parfois leur pèsent. Cette union, toutefois, n'est pas « naturelle », mais elle a été expressément demandée (exigée !) par l'URSS qui aide au financement. Par réaction, Daoud annonce la création de son mouvement gouvernemental : le « Parti de la révolution nationale ».

10 octobre. Le général Zia-ul-Haq se rend en visite officielle à Kaboul.

16 novembre. Le ministre du Plan, Ali-Ahmed Khoram, est assassiné.

1978

17 avril. La violence politique monte d'un cran : l'idéologue du PDPA, Mir-Akbar Khaybar, est à son tour assassiné, à Kaboul. Ses obsèques donnent lieu à une importante manifestation. Dans les jours qui suivent, les principaux chefs du PDPA sont arrêtés et jetés en prison, dans la tristement célèbre prison de Pul-e-Charki, gigantesque ensemble pénitentiaire bâti par les Allemands de l'Est, spécialistes en œuvres de béton. En fait, selon plusieurs sources, sous Daoud, près de 26 000 personnes ont été arrêtées et tuées ; parmi elles de nombreux intellectuels.

27 avril. Les hommes du PDPA, acquis à Moscou, réussissent un coup d'État militaire qu'ils appellent « Inqilab-é-Saour » (la révolution d'avril). Le président Daoud, plusieurs membres de sa famille, quelques ministres et de nombreux soldats de sa garde trouvent la mort dans l'attaque du palais présidentiel par les putschistes.

1er mai. Nour-Mohamed Taraki devient président d'un « Conseil révolution-naire ». Naissance de la République démocratique d'Afghanistan.

15 mai. L'égalité de tous les groupes ethniques d'Afghanistan est proclamée.

Juin. La tendance de Babrak Karmal est mise en minorité au sein du PDPA. Les membres de son groupe sont nommés dans les ambassades, à l'étranger, plus pour les exclure que pour leur valeur représentative. Par exemple : Babrak Karmal est nommé ambassadeur de l'Afghanistan à Prague, Nadjiboullah à Téhéran.

12 juillet. Un décret (*firman* portant le numéro 6) est publié. Il abolit partielle-ment les dettes hypothécaires des paysans. Dans les provinces, les représentants du régime auront les pires difficultés à faire appliquer une loi qui remet en cause des traditions trop sérieusement ancrées dans les mentalités. Dans la province du Nouristan (« le pays de la lumière »), dernier bastion islamisé, situé en bordure de la frontière pakistanaise, la révolte éclate. Même chose dans le Konarhâ. La riposte gouvernementale est sans pitié. L'armée intervient et fait de nombreuses victimes. Pour bon nombre de paysans c'est l'incompréhension. Les islamistes en profitent pour intégrer leurs revendications au mouvement d'opposition clandes-tin qui naît des suites de la réaction communiste.

16 août. Dans le climat de suspicion dans lequel vit la classe politique afghane, le général Qâder et le colonel Rafi, pourtant parchamis, sont arrêtés. Ils sont accu-sés d'avoir fomenté un complot contre le régime de Taraki. Les journaux publient leurs « aveux ».

19 octobre. La jeune république adopte un nouveau drapeau, le rouge remplaçant toutes références à l'islam (couleur verte). La population est choquée. Taraki gouverne par décrets. Une réforme agraire et une réforme du droit de la femme sont proposées mais mal comprises de la population. Le *firman* n° 8, par exemple, limite les propriétés à six hectares de bonne terre.

5 décembre. À Moscou, signature d'un traité d'amitié, de coopération et de bon voisinage entre l'Afghanistan et l'URSS.

1979

6 janvier. Le climat d'insécurité s'accroît. Cent trente membres de la famille Mojaddedi sont arrêtés et exécutés sans autre forme de procès, accusés de com-plot contre le régime et les réformes. La répression se renforce et vise les milieux religieux, mais aussi de nombreux intellectuels.

14 février. L'ambassadeur des États-Unis à Kaboul, Adolphe Dobbs, est séques-tré par un commando. Il est tué d'une balle dans la tête lors de l'intervention de la police (conseillée par un Soviétique). On parle d'assassinat.

15-20 mars. Dans la ville de Hérat, proche de la frontière iranienne, un soulève-ment se déclenche. L'aviation soviétique intervient directement. Les Mig bombardent la ville historique. Il y a plusieurs milliers de morts. On parle de 24 000 tués en une semaine !

23 juin. À Kaboul, les habitants, surtout des Hazaras, du quartier de Chandawal, se révoltent contre le régime. L'armée intervient sans ménagement. Encore des morts, des blessés et des arrestations.

5 août. La garnison du fort militaire de Bala-é-Hissar, situé dans Kaboul, sur un promontoire, se mutine. Échec.

1ᵉʳ septembre. Taraki s'envole pour La Havane afin de participer à la conférence des chefs d'État des pays dits non alignés. Il a besoin de se consolider. À son retour, le 12 septembre, il s'arrête à Moscou où il rencontre Babrak Karmal.

14 septembre. Un désaccord entre Taraki et Hafizoullah Amine se termine par une violente dispute dont on ne sait pas grand-chose sinon qu'une annonce officielle, émanant du palais présidentiel, informe le peuple afghan de la démission de Taraki, prétendument pour « raisons de santé ». C'est Hafizoullah Amine qui le remplace.

10 octobre. Taraki est officiellement décédé.

23 octobre. Des moudjahidin font un coup de main contre l'aéroport de Kaboul. L'armée intervient.

Décembre. Dans la première quinzaine du mois, des bataillons soviétiques arrivent et s'installent à l'aéroport militaire de Bagram, situé à environ soixante kilomètres au nord-est de Kaboul, mais aussi sur la route stratégique de Salang (celle qui relie l'URSS à la capitale afghane en passant par le col dont elle porte le nom).

6 décembre. Le Politburo du PCUS prend une grave décision lourde de conséquences : ses membres décident l'envoi en Afghanistan d'un commando Spetsnatz appartement au GRU (les services spéciaux de l'armée soviétique). Ils sont cinq cents et sont en civil. Un rapport découvert récemment précise qu'ils porteront « des uniformes ne révélant pas leur appartenance aux forces armée de l'URSS ».

12 décembre. Le Politburo, renseigné par ses commandos, inquiet de la tournure prise par les événements à Kaboul et dans plusieurs provinces : révoltes, mutineries, attentats… décide de faire directement intervenir l'armée soviétique en Afghanistan. Qui, du Politburo, donnera l'impulsion ? Pourquoi exactement ? On l'ignore encore. Toujours est-il que de nombreux généraux de l'armée voient d'un mauvais œil cette intervention qu'ils jugent hasardeuse, injustifiée et dangereuse !

25 décembre. Alors que dans le monde occidental on regarde passer le Père Noël, dans la neige de l'hiver afghan, un pont aérien militaire soviétique amène troupes et matériel à Kaboul. Des journalistes arrivent aussi, mais ils seront rapidement priés d'aller voir ailleurs.

27 décembre. Les commandos soviétiques prennent position sur les principaux points stratégiques de Kaboul, notamment sur les hauteurs qui la dominent. Ils s'emparent du Palais présidentiel. Amine est assassiné, Babrak Karmal va lui succéder, placé au pouvoir par les Soviétiques.

1980

4 janvier. Jimmy Carter, alors président des États-Unis, annonce un embargo sur les livraisons de céréales destinées à l'URSS. C'est sa manière de marquer sa désapprobation quant à l'invasion lancée par Brejnev.

14 janvier. Pour la première fois (et ce ne sera pas l'unique fois mais le commencement d'un vœu pieux) l'Assemblée générale des Nations unies, réunie en session extraordinaire, demande « le retrait immédiat et inconditionnel de toutes les troupes étrangères d'Afghanistan ».

19 janvier. La République populaire de Chine suspend ses relations avec l'URSS, notamment les négociations qui concernaient le renouvellement du traité de 1950 avec son voisin.

29 janvier. Dans le concert des condamnations de ce que les médias appellent maintenant « l'invasion soviétique », mais que les Soviétiques justifient comme un service rendu à l'Afghanistan à la demande de ses responsables politiques (qu'ils ont placés aux commandes de l'État), l'Organisation de la conférence islamique adopte une résolution condamnant l'intervention russe et exigeant le retrait immédiat.

4 février. M. Bani-Sadr, président de la République islamique d'Iran, déclare que son pays sera aux côtés de la résistance afghane. L'ayatollah Khomeiny apporte son soutien aux moudjahidin afghans.

12 février. Interdiction est faite aux journalistes « impérialistes » de séjourner en Afghanistan. Dès lors, pour faire un reportage dans ce pays, il faudra être clandestin et risquer d'encourir une condamnation (jusqu'à dix-huit ans de prison !) en étant accusé d'espionnage.

21 février. La population de Kaboul montre son désaccord à la présence soviétique. Spontanément, dans les rues, les bazars et les ruelles, les habitants se mettent à crier : « Allah-o-Akbar ! » (« Allah est le plus grand ! »). Ceux qui sont pris en flagrant délit vont payer cher cette courageuse audace. On appellera cette manifestation : la journée du *Allah-o-Akbar*. Elle sera suivie de plusieurs manifestions antisoviétiques : grève des commerçants, grève des professeurs… La répression fait plusieurs centaines de morts.

19 mars. En réaction à la présence de l'Armée rouge qui commence à se livrer à des opérations militaires ne laissant aucun doute sur ses objectifs et la marge de manœuvre qui lui a été donnée, une « Alliance des moudjahidin » est créée à Peshawar, au Pakistan. Abdul Rassul Sayyaf en est élu président. Le Hezb-é-islami ne fait pas partie de cette première alliance. C'est l'amorce de ce qu'on appellera, de l'extérieur, « la résistance afghane ».

29 avril. Grande manifestation à Kaboul des étudiantes. « La révolte des étudiantes » est rapidement matée par la police et l'armée. Des jeunes filles sont tuées.

8 juin. Plusieurs responsables politiques sont exécutés : des anciens ministres khalqi de H. Amin, ainsi que Majid Kalakani, leader de la résistance « maoïste ».

15 juin. La mission de la Croix-Rouge internationale est expulsée d'Afghanistan. Elle va installer ses hôpitaux à la frontière pakistanaise et à Peshawar. Les organisations humanitaires non gouvernementales se rendent à l'intérieur du pays en toute illégalité.

16 octobre. Visite à Moscou du président afghan Babrak Karmal. Alors que Leonid Brejnev a annoncé son intention de retirer une division de huit cents chars, il annule son exécution et déclare au contraire que « le processus révolutionnaire en Afghanistan est irréversible ». Cette annonce n'était finalement qu'un bluff diplomatique. D'ailleurs, tout au long de sa période d'intervention, l'URSS saura jouer le chaud et le froid et jouer des effets d'annonce, se moquant finalement de la pression internationale. Brejnev dénonce l'activité américaine qu'il accuse de « s'engager dans une nouvelle guerre froide ». Pendant ce temps, les militaires soviétiques tentent d'aider les communistes afghans à réformer la société. Le principal problème est qu'ils utilisent la force pour apporter ce « progrès », bombardant les villages signalés comme abritant des « contre-révolutionnaires ». Au Pakistan, le nombre des réfugiés atteint le chiffre inquiétant d'un million de personnes.

1981

Une année après le début de l'occupation soviétique, le nombre de réfugiés afghans au Pakistan dépasse 1,4 million.

28 janvier. Comme une sorte de leitmotiv, quantité de condamnations de l'intervention soviétique en Afghanistan vont être prononcées, et se répéteront chaque année sans grand effet. Ce 28 janvier c'est l'Organisation de la conférence islamique, réunie en Arabie Saoudite, dans la ville de Taëf, qui ouvre le chœur des protestations réclamant « le retrait immédiat, total et inconditionnel des forces étrangères » d'Afghanistan. L'URSS n'est pas nommée !

13 février. À Delhi, en Inde, la conférence des non-alignés demande à son tour « le retrait des troupes étrangères d'Afghanistan ».

20 février. L'opposition diplomatique internationale n'empêche pas les troupes soviétiques de lancer une vaste offensive qui leur permet de prendre le contrôle de la grande ville du sud-ouest de l'Afghanistan : Kandahar. Le nombre des réfugiés afghans augmente sans cesse, en Iran et au Pakistan.

2 juin. De nombreux partis politiques de la « résistance afghane » se sont installés au Pakistan, les Pakistanais tirant quantité d'avantages de cette présence, notamment une aide américaine substantielle dont ils vont détourner une partie à leur seul profit. Une alliance regroupant trois partis dits « traditionnels et modérés » est officiellement constituée.

11 juin. Sultan Ali Kechtmand devient Premier ministre. Le ministère des Frontières devient celui des Tribus et des Nationalités.

8 septembre. Révolte à Kaboul pour protester contre la mobilisation des réservistes de moins de 35 ans de l'armée afghane dont les Soviétiques ont de plus en plus besoin (ils se servent d'eux en premières lignes lors des opérations qui nécessitent l'intervention de l'infanterie, n'intervenant, eux, que dans dans leurs engins blindés et avec leurs avions). La répression répond à la protestation.

30 septembre. Le Haut-Commissariat aux réfugiés (HCR), qui gère la plupart des camps de réfugiés implantés sur le territoire pakistanais, estime que le nombre des Afghans pouvant être considérés comme réfugiés a atteint un niveau jamais vu auparavant, soit 2,4 millions. En Iran, le chiffre est de 1 million de réfugiés afghans. Ainsi ce conflit génère le triste record de la plus grande population déplacée du monde. De leur côté, les Soviétiques déclarent que ces chiffres ne sont que mensonges, qu'il s'agit en fait du nombre des nomades qui, par définition, se déplacent entre le Pakistan, l'Afghanistan et l'Iran.

20 novembre. Dans la grande salle new-yorkaise, l'Assemblée générale de l'Organisation des Nations unies fait une fois de plus entendre sa voix pour demander le retrait des troupes étrangères d'Afghanistan. Par souci diplomatique, bien entendu, on ne parle pas de troupes soviétiques ! Et comme il se doit dans ce théâtre bien inefficace, le vote n'est pas unanime : 111 voix pour demander ce retrait, 22 pour s'y opposer, 12 abstentions.

30 novembre. La France suspend officiellement ses vols aériens vers Kaboul et dénonce le contrat de maintenance qui la liait avec la compagnie aérienne afghane Ariana.

9 décembre. Accord soviéto-afghan portant sur la fourniture de matériel militaire destiné à moderniser l'armée gouvernementale afghane, soit un montant officiel de 16 millions de roubles.

1982

13 mars. Dans la petite bourgade pakistanaise de Peshawar, située non loin de la la passe de Kayber qui mène à l'Afghanistan, la population des réfugiés a transformé les lieux. Peshawar devient un centre urbain anarchique où fourmille une population composite : une multitude d'ethnies d'Afghanistan viennent s'y ravitailler, les combattants s'y entraîner, les blessés s'y faire soigner. Des organisations humanitaires y établissent leurs bases arrière. Peshawar, dans les coulisses de la guerre d'Afghanistan, verra se côtoyer des trafiquants de drogue, d'armes, des humanitaires, des journalistes, des espions, des politiques… Une alliance regroupant quatre partis politico-religieux ikhwahabis est constituée. Cette fois, elle regroupe le Hezb-é-islami, dirigé par Hekmatyar, Hezb-é-islami-é-Afghanistan, dirigé par Khales, l'Ittaihad-é-islami-é-Moujahedines-é-Afghanistan, dirigé par Sayyaf, enfin, le Jamiat-é-islami-é-Afghanistan, dirigé par Rabbani. Avec l'Alliance des moudjahidin on dénombre sept grands partis, tous acceptés, tolérés par les Pakistanais qui vont gérer, à leur manière, l'aide et le soutien apportés par les Américains. Le but recherché par les agents de la CIA et du Département d'État consiste bien à piéger les Russes, en leur fabriquant un « Viêt-nam » sur mesure ! (À noter que la comparaison de la guerre d'Afghanistan avec celle du Viêt-nam doit se limiter aux méfaits inhérents à toute guerre : à la différence de la guerre du Viêt-nam, la guerre d'Afghanistan est une guerre cachée à la population de l'URSS. Les soldats qui y sont engagés n'ont même pas l'autorisation de mentionner le nom du pays où ils se trouvent (et cela, on l'oubliera souvent lorsqu'il sera temps de réécrire l'histoire !).

23-28 avril. Dans la province de Paktia, les moudjahidin lancent une offensive sur la ville de Khost, mais les troupes soviéto-afghanes les empêchent de prendre le contrôle de la ville dont les défenses vont être renforcées.

12 mai. Un pont qui enjambe le fleuve Amou-Daria (à Termez) marquant la frontière entre l'URSS et l'Afghanistan, au nord-est, est inauguré. Alors que le nombre des victimes des bombardements et des opérations soviétiques ne cesse de s'accroître, ce pont par où vont passer quantité de véhicules militaires est baptisé « pont de l'Amitié ».

Juillet. À Moscou, une délégation de diplomates américains rencontre des diplomates soviétiques pour tenter de mettre une fin au « conflit armé d'Afghanistan ».

27 août-7 septembre. Une importante offensive est lancée par les troupes soviéto-afghanes contre la vallée du Panjshir. Les Soviétiques ne parviennent pourtant pas à prendre pied dans la vallée, sans cesse harcelés par les groupes mobiles de Massoud dont ils commencent à découvrir l'efficacité.

30 octobre. Dans le tunnel de Salang, un attentat (ou un accident ? On ne saura jamais exactement la vérité sur ce qui s'est passé) provoque la mort de sept cents soldats russes qui voyageaient en convoi, ainsi que d'un nombre important de civils afghans pris au piège sur les lieux du drame... Les gardiens du tunnel, croyant à une attaque des moudjahidin, avaient fermé les lourdes portes qui bloquèrent ceux qui voulaient fuir les flammes et les explosions des munitions contenues dans les véhicules.

10 novembre. Brejnev meurt, emportant dans sa tombe, parmi les secrets de sa politique, la vraie raison de l'intervention militaire en Afghanistan. Iouri Andropov, ex-chef du KGB, devient Premier secrétaire du PCUS. Ce dernier s'emploie à donner l'impression de vouloir se désengager en Afghanistan.

18 novembre. L'Assemblée générale de l'ONU fait entendre ses 116 voix pour demander le retrait des « troupes étrangères d'Afghanistan ». 5 de plus en une année ! 23 s'y opposent : les pays du bloc soviétique...

25 novembre. Le gouvernement américain, dans un rapport transmis à l'ONU, affirme détenir des preuves irréfutables de l'utilisation par l'armée soviétique d'armes chimiques et biologiques.

16 décembre. Début de la deuxième session du Tribunal des peuples qui condamne l'URSS pour violation du droit de la guerre en Afghanistan.

1983

Janvier. Massoud signe une trêve avec les généraux soviétiques. Cet accord de cessez-le-feu, d'une durée d'un an, va lui permettre d'étendre son influence dans le nord-est du pays. En contrepoint, elle sera très mal vue des moudjahidin des autres groupes, notamment des Pachtouns qui considèrent ce pacte comme une trahison. Leur propagande anti-Massoud va commencer à distiller un étrange poison : Massoud serait en fait un agent des Russes ! C'est une des grandes faiblesses de la société afghane : dès qu'un homme émerge, il s'attire les jalousies des autres… mais est-ce seulement réservé à l'Afghanistan ?

29 janvier. Arrestation du docteur Augoyard, médecin volontaire de l'Association Aide médicale internationale. Il est condamné à huit ans de prison pour « espionnage » mais sera libéré le 6 juin sous la pression internationale.

Mars. Les ministres des Affaires étrangères de la Conférence islamique demande le retrait des Soviétiques d'Afghanistan. Pendant ce temps, sur le terrain, les Soviétiques demandent à l'État-major des hommes, encore plus d'hommes. L'âge de la conscription passe de 21 ans à 18 ans. À Rome, le pape Jean-Paul II reçoit trois représentants de la Résistance afghane.

11-22 avril. À Genève où ils s'étaient déjà réunis, des représentant afghans et pakistanais mandatés par leurs gouvernements, mais non officiellement, reprennent une série d'entretiens d'où rien ne sort de concret malgré l'esquisse d'un espoir de voir se résoudre le conflit. En juin, ces discussions reprendront.

22 juin. L'ex-roi Zaher Chah souhaite la création d'un front représentatif et uni afin de coordonner les activités de la résistance. Plusieurs Afghans croient en son rôle fédérateur, mais il restera à jamais impraticable.

23 novembre. C'est devenu une sorte de rituel : l'Assemblée générale de l'ONU fait entendre, de la force de 116 voix, sa demande de retrait « immédiat » des troupes étrangères d'Afghanistan dont elle « condamne » la présence. Les Soviétiques doivent être sourds, car sur le terrain les combats se poursuivent avec plus d'intensité : des villages sont bombardés, des opérations punitives ou d'intimidation sont exécutées. Le spectacle du progrès révolutionnaire n'est pas aussi beau que sur les peintures de propagande que des revues spécialisées tentent de faire entrer dans les cervelles. À signaler que le Parti communiste français persiste à trouver normale la présence des Soviétiques en Afghanistan, M. George Marchais ayant définitivement tranché la question afghane en simplifiant le contexte afghan à l'extrême : pour lui, il s'agit de réduire à néant une bande armée de féodaux ! Sans doute aurait-il gagné à partir avec les centaines de jeunes Français qui vont aller aider, clandestinement, ces prétendus féodaux. Pour le spécialiste français Olivier Roy, il s'agit plutôt d'une guerre d'opposition menée par des paysans… musulmans. Il parle aussi de l'« islam modéré ».

1984

16 janvier. Tout comme l'ONU fait acte de bravoure diplomatique en condamnant la présence « étrangère » sur le territoire afghan, le sommet de l'Organisation de la conférence islamique, cette fois rassemblée à Casablanca (où un représentant de la Résistance afghane, le professeur Rabbani, est d'ailleurs admis comme observateur), exige le retrait de toutes les troupes étrangères d'Afghanistan. Demande suivie d'un effet inverse : les offensives conduites durant l'année seront parmi les plus violentes.

9 février. Pendant que des milliers de civils afghans et quelques centaines de militaires trouvent la mort dans l'anonymat, Iouri Andropov s'envole au ciel. Le pays, solidement encadré, lui fait une cérémonie à la hauteur de son poste. Que va-t-il se passer, se demandent les observateurs. À signaler qu'en Occident, la guerre d'Afghanistan a pris place dans les consciences comme une sorte de bruit de fond. Les comités qui soutiennent les Afghans, peu politisés ou vite taxés d'anticommunisme primaire, sont discrets et peu efficaces sur le plan international. Sur le terrain, pourtant, plus d'un millier de médecins, infirmiers et infirmières français, s'engagent dans une aide courageuse pour soutenir la population. Des Allemands, des Danois, des Anglais, des Suédois et quelques Américains indépendants écrivent aussi cette histoire d'abnégation et de courage.

11 février. Konstantin Tchernenko prend la place de Iouri Andropov à la tête du PCUS et décide d'un renforcement des opérations et des effectifs militaires soviétiques en Afghanistan.

1er mars. La durée du service militaire obligatoire passe de trois à quatre ans pour les unités stationnées à Kaboul.

20 avril. La plus importante offensive soviéto-afghane jamais lancée contre le Panjshir détruit cent kilomètres de villages et de cultures. Près de 20 000 hommes ont été engagés dans la bataille. Les espions de Massoud ayant infiltré l'État-major soviéto-afghan ont pu prévenir à temps. Massoud a fait évacuer toute la population, la sauvant ainsi d'un carnage qui aurait sans doute permis de faire parler de son combat sur le plan international, mais aurait détruit pour longtemps cette mentalité de résistants tenaces qu'ont les habitants de cette région. Il n'y aura pas de victimes civiles, mais tout aura été détruit : maisons, canaux d'irrigation, arbres… Ce que les bombes lâchées par les avions n'ont pas anéanti, les commandos dépêchés sur place après quinze jours de frappes venues du ciel achèveront le travail au lance-flammes et à l'explosif.

Août. Le Haut-Commissariat aux réfugiés fait état, dans un rapport que les communistes, bien sûr, contestent, de la présence de 2,9 millions d'Afghans au Pakistan, auxquels il faut ajouter les 1,8 qui se sont installés tant bien que mal en Iran. En toile de fond, à Genève, dans les salles de conférences et dans les restaurants suisses, on converse entre diplomates pour tenter d'explorer une voie aboutissant à la cessation des combats, ce qui, sur le terrain, semble à cette époque de plus en plus inconcevable.

17 septembre. Le journaliste français d'Antenne 2, Jacques Abouchar, est arrêté au cours d'un reportage qu'il effectuait en parallèle de celui que je réalisais avec Bertrand Gallet (pour la même chaîne). Condamné à dix-huit ans de prison, il est libéré en octobre grâce à l'importante mobilisation médiatique internationale.

1985

16 janvier. L'aéroport militaire de Bagram est attaqué par les moudjahidin. Plusieurs hélicoptères de combat MI 24 sont détruits ou endommagés.

18 janvier. Les Américains font état de leur soutien à la résistance afghane ; mais celui qu'ils ont choisi d'aider en priorité est Gulbudine Hekmatyar, leader du

Hezb-é-islami, fondamentaliste, ennemi de Massoud, anti-Occidental notoire. La raison est que les services secrets de l'armée pakistanaise, dont certains membres ont été formés aux États-Unis, misent sur ce Pachtoun qu'ils considèrent être le plus à même de défendre leur politique. Pour les cerveaux de la CIA, le jeu qui consiste à soutenir un « extrémiste islamiste » contre les communistes semble être le plus efficace pour nuire aux Russes.

28 février. Une commission envoyée au Pakistan par les Nations unies pour étudier la situation des droits de l'homme en Afghanistan, fait état de « violations grossières des droits de l'homme » en Afghanistan. Ce n'était une découverte pour personne, mais c'était à présent officialisé !

10 mars. Mikhaïl Gorbatchev succède à Tchernenko décédé dans son lit. Le président afghan Babrak Karmal se rend à Moscou pour assister aux funérailles du « grand frère » allié.

15 mars. Gorbatchev se fait entendre sur la question afghane : dans un communiqué largement diffusé, il demande au Pakistan de cesser son soutien aux moudjahidin afghans, allant jusqu'à menacer d'intervenir directement sur le territoire pakistanais si les Américains continuent à s'ingérer dans les affaires intérieures du Nicaragua et de l'Afghanistan. Comme pour répondre à cette demande relayée par la radio BBC qui diffuse les nouvelles à l'intérieur de l'Afghanistan, aussi bien en langue pachtou qu'en persan, la résistance frappe les positions soviétiques en plusieurs points stratégiques. Les groupes mobiles de Massoud se sont attaqués à des convois de ravitaillement sur la route de Salang. En représailles, les Soviétiques détruisent plusieurs villages qui se trouvent proches de cette voie de communication essentielle pour le soutien de leur corps expéditionnaire qui atteint les 100 000 hommes.

22 avril. Les autorités pakistanaises émettent une protestation auprès des autorités afghanes contre la violation répétée de leur espace aérien par des avions soviétiques aux peintures des forces afghanes.

23 avril. Babrak Karmal réunit une grande assemblée de notables (Loya Jerga) à Kaboul afin de tenter d'améliorer son image et d'obtenir un meilleur soutien populaire.

10 mai. Rasoul Sayyaf s'autodéclare chef de l'Alliance des sept pour une période de quatre ans. Cette annonce entraîne de vives protestations de la plupart des chefs de la résistance. L'harmonie ne règne pas dans cette Alliance. Massoud, lui, toujours dans sa zone du Nord-Est, entretient des relations difficiles avec le leader du parti Jamiat-é-islami auquel il appartient. Il se plaint de recevoir très peu d'armes et de munitions. Dans le sud de l'Afghanistan, de nombreuses opérations menées par les troupes soviéto-afghanes font un nombre important de victimes et de destructions.

17 juin. Rencontre de diplomates russes chez des diplomates américains, à Washington, afin de parler d'Afghanistan. Pendant cette période de juin, les discussions reprennent à Genève entre des représentants du gouvernement de Kaboul et ceux du gouvernement d'Islamabad. Il semblerait qu'un accord se précise mais seul le bruit se fait entendre.

9 juillet. Des roquettes sont tirées par les moudjahidin sur l'ambassade d'URSS à Kaboul. On ignore si elles ont fait des victimes, mais elles ont atteint leur cible.

14 juillet. Deux équipages afghans d'hélicoptères soviétiques rejoignent la résistance en se posant sur le territoire pakistanais.

1986

11 janvier. Comme à leur habitude depuis l'intervention soviétique en Afghanistan, les ministres des Affaires étrangères de l'OCI (Conférence islamique), cette fois réunis au Maroc, votent la résolution exigeant le retrait inconditionnel des troupes étrangères d'Afghanistan. Un porte-parole de l'Alliance islamique des moudjahidin d'Afghanistan assiste et participe aux débats.

Février. Gorbatchev, au 27ᵉ congrès du PCUS, déclare que « l'Afghanistan est une blessure ouverte ». Nul ne sait alors ce qu'il compte prendre comme décision.

4 mai. À Kaboul, Babrak Karmal est remplacé par le général Najiboullah qui occupait jusque-là le poste sensible de chef du Khad, la police secrète. On racontait alors qu'il assistait parfois personnellement aux séances de torture.

Juin-juillet. Les Américains fournissent aux Pakistanais des missiles sol-air d'une efficacité redoutable contre les avions de chasse et les bombardiers soviétiques : les Stingers. Peu encombrants, pouvant être tirés par un seul homme, ces missiles sont distribués au compte-gouttes, et essentiellement au parti de Gulbudine Hekmatyar qui a tendance à les stocker plutôt qu'à les utiliser. Massoud, par exemple, en recevra moins de dix, un an seulement après la livraison. Mais ceux qui sont tirés par les Afghans permettent d'abattre des avions. C'est la fin de la suprématie aérienne absolue des avions soviétiques. Un tournant dans la guerre d'Afghanistan.

28 juillet. Est-ce la conséquence de l'introduction des missiles Stingers dans le conflit afghan, Gorbatchev annonce le retrait de six régiments de ses troupes stationnées en Afghanistan.

8 août. Et voulant aller trop vite pour établir un calendrier de retrait des troupes soviétiques, les discussions de Genève s'enlisent.

19 août. Dans le Logar, une offensive gouvernementale est repoussée par les moudjahidin.

27 août. Un important dépôt d'armes et de munitions de Kaboul (garnison de Qargha) est saboté par les moudjahidin. On verra de loin une colonne de feu et de fumée s'élever dans le ciel, filmée depuis l'ambassade britannique. Plusieurs commandants revendiqueront avec fierté ce coup de main, dont le commandant Abdul Haq.

Octobre. Six régiments évacuent l'Afghanistan. Les observateurs ignorent s'il s'agit d'une relève ou d'une réduction des effectifs, la troupe afghane semblant suffisante pour tenir les positions stratégiques.

31 octobre. Avec une régularité de fonctionnaires, l'Assemblée générale des Nations unies donne le résultat de ses votes concernant leur résolution qu'ils connaissent par cœur demandant le retrait des troupes soviétiques d'Afghanistan : 122 voix pour, 20 contre, 11 abstentions. Quelques jours plus tard, une délégation de l'Alliance islamique des moudjahidin d'Afghanistan donne une conférence de presse à l'ONU sur la situation de leur pays. Cette délégation, dirigée par Rabbani, rencontre le président Reagan et, sur le chemin du retour, est reçue par M. Jacques Chirac, alors Premier ministre français.

19 décembre. Le prix Nobel Andreï Sakharov rentre d'exil, gracié par Gorbatchev. Sakharov avait été personnellement et publiquement hostile à l'intervention des forces soviétiques en Afghanistan qu'il avait dénoncée comme une honte pour le peuple soviétique et un crime contre l'humanité.

1987

3 janvier. Conscient du renforcement de l'« opposition armée » Najiboullah se lance dans une politique dite de « réconciliation nationale ». Les moudjahidin qui veulent rentrer dans la « légalité » seront amnistiés de leurs « crimes ».

Février. Pour la dixième fois depuis le début des hostilités en Afghanistan des diplomates pakistanais et afghans se retrouvent à Genève. Jamais le dialogue, ou ses tentatives, ne sera rompu.

20 juillet. Najiboullah rencontre Gorbatchev.

Novembre. Une nouvelle Constitution est adoptée à Kaboul. Najiboullah, président de la République, poursuit sans grand succès sa politique de « réconciliation nationale ».

1988

8 février. Gorbatchev, maître de la *perestroïka* qui fascine beaucoup les Occidentaux mais fait peur aux populations des Républiques soviétiques, laisse entendre que l'Armée rouge se retirera de l'Afghanistan dans un délai de six mois à compter de la signature d'un accord qui doit se conclure à Genève courant mars de cette même année. Sa parole n'est pas totalement prise au sérieux, les plus sceptiques rappelant que les troupes soviétiques ne se sont jamais retirées d'un territoire revendiqué.

3 avril. Visite à Kaboul du ministre des Affaires étrangères russe, Édouard Chevardnazé. Est-ce pour préparer le terrain de leur retrait ?

14 avril. À Genève, les négociations dites « indirectes » entre représentants des gouvernements afghan et pakistanais aboutissent à la signature d'un texte qui reçoit toute l'attention de Diego Cordovez, représentant spécial du secrétaire général de l'ONU. Ces accords sont signés par le ministre des Affaires étrangères du gouvernement de Najiboullah, M. Abdoul-Wakil, et de M. Zain Noorany, vice-ministre des Affaires étrangères du Pakistan. La Résistance afghane, dans son ensemble, rejette ces accords qui ont été passés sans son assentiment et en son absence. Déjà les Pakistanais voulaient décider du sort des Afghans.

11 mai. Le secrétaire général de l'ONU nomme Sadruddine Aga-Khan à la tête d'un vaste programme (Salam) qui doit organiser le retour et la réinstallation des réfugiés afghans dans leur pays. Il semble que les paroles de Gorbatchev ne soient pas une manœuvre, mais bien une décision sérieuse pour sortir de ce guêpier sans issue valable pour l'URSS, d'autant plus que cette guerre ne peut plus être cachée et qu'elle est terriblement impopulaire. Ainsi, pour la première fois, l'agence de presse soviétique Tass publie des chiffres (sans doute revus à la baisse) : l'effectif des troupes soviétiques présentes sur le terrain début mai évalué à 100 300 hommes ; 13 310 tués, 35 478 blessés. Concernant les pertes afghanes on les estime à plus d'un million de morts. Toujours selon l'agence Tass, 311 soldats soviétiques seraient détenus prisonniers par les moudjahidin.

19 juin. Dans la perspective la plus optimiste d'une chute ou d'une démission du gouvernement de Najiboullah, les partis politiques de la Résistance afghane en exil au Pakistan constituent un « gouvernement provisoire » de moudjahidin présidé par le bras droit de Sayyaf, l'ingénieur Ahmed-Chah. Sa présidence est assurée pour quatre mois, au terme desquels il doit être remplacé par un homme appartenant à un des autres partis.

17 août. Le général Zia-ul-Haq, président pakistanais, périt dans son avion qui explose avec, à son bord, l'ambassadeur américain Arnold Raphael et neuf officiers pakistanais.

18 octobre. Borhanuddine Rabbani devient à son tour président du gouvernement provisoire. Il rejette une proposition émanant du gouvernement de Kaboul d'accepter des communistes pour une représentation élargie et un dialogue vers la paix. Les Soviétiques et les Pakistanais encourageaient la démarche de Kaboul.

27 octobre. Rien ne va plus au sein du PDPA. Des membres hostiles à la politique de « réconciliation nationale » fomentent un coup d'État contre Najiboullah. Nombreuses arrestations.

11 novembre. Sur la route de Jalalabad, les moudjahidin s'emparent de la ville de Samarkhel.

3 décembre. Les mouvements diplomatiques s'intensifient de toutes parts : en Arabie Saoudite, à Taëf, une délégation de la Résistance afghane, conduite par Borhanuddine Rabbani, rencontre une délégation soviétique menée par le vice-ministre des Affaires étrangères et ambassadeur extraordinaire de l'URSS en Afghanistan, Youli Vorontsov.

12 décembre. L'URSS s'engage à verser 400 millions de roubles (3 milliards de francs de l'époque) pour aider à la reconstruction de l'Afghanistan qu'elle a largement contribué à détruire. L'offre est rejetée par les partis de la Résistance qui la jugent insuffisante. Ils en profitent pour réclamer des dommages de guerre aux Soviétiques.

24 décembre. Dans les tentatives de trouver une issue pas trop humiliante au conflit dans lequel ils se sont fourvoyés, les Soviétiques envoient Vorontsov, leur vice-ministre des Affaires étrangères, chez l'ancien roi d'Afghanistan, Zaher-Chah, qui vit en exil à Rome. Mais l'ex-monarque ne tient pas à venir à Kaboul.

30 décembre. Borhanuddine Rabbani, en visite à Téhéran, rencontre le président et le Premier ministre iraniens qui s'engagent à soutenir les moudjahidin.

1989

1ᵉʳ janvier. L'Alliance des moudjahidin, basée à Peshawar, met en place une commission afin d'organiser un conseil consultatif dont la tâche, difficile, va être de mettre sur pied un gouvernement intérimaire pour la Résistance dans toute sa diversité.

6 janvier. À Islamabad, les moudjahidin rencontrent à nouveau des diplomates soviétiques. Le vice-ministre des Affaires étrangères soviétique, Vorontsov, en charge du dossier afghan, invite les chefs des partis de la Résistance afghane à se rendre à Moscou. Ceux-ci déclinent l'invitation, affirmant néanmoins qu'ils accepteront lorsque le retrait des troupes soviétiques sera totalement effectué et si on leur donne l'occasion de s'exprimer à la télévision soviétique. Dernière condition ajoutée : qu'ils puissent se rendre en visite officielle dans les Républiques musulmanes d'Asie centrale.

15 février. Une grande première internationale : les troupes soviétiques se retirent officiellement d'Afghanistan devant une multitude de journalistes dont la plupart mettent pour la première fois le pied dans ce pays. Dans la presse, on lira beaucoup de choses. Mais on oubliera souvent d'enquêter sur ce que l'URSS continue de fournir au régime communiste de Najiboullah pour qu'il puisse tenir face aux moudjahidin. L'important, pour les Soviétiques, afin de ne pas perdre la face, était de montrer que, malgré leur départ, les communistes afghans faisaient face. Et non seulement qu'ils faisaient face, mais que les moudjahidin, divisés, étaient incapables de prendre la relève. En fait, près de 3 000 conseillers soviétiques demeurèrent discrètement à des postes clefs de l'armée et du gouvernement. Quotidiennement, une cinquantaine d'avions gros porteurs venaient livrer armes et munitions.

23 février. Date de naissance du « gouvernement intérimaire afghan » dont les membres ont été désignés lors d'une assemblée *(Choura)* qui compta 460 votants représentant les sept partis de l'Alliance. Furent néanmoins exclus les partis chiites.

Mars. Offensive lancée par les moudjahidin sur la ville de Jalalabad. Malgré la concentration des troupes, c'est un échec. Ce qui n'empêche pas les moudjahidin de réunir leur gouvernement intérimaire dans la province de Paktya, à Chiwa. À noter que Hekmatyar est le ministre des Affaires étrangères de ce gouvernement. À ce titre, il sera présent à la réunion de l'Organisation de la conférence islamique.

4 juillet. Deux hélicoptères de l'armée gouvernementale afghane s'étant posés sur le territoire pakistanais pour rallier la Résistance, c'est un avion de chasse qui se pose sur le tarmac de Peshawar.

9 juillet. Trente moudjahidin, parmi lesquels des compagnons de Massoud, tombent dans une embuscade tendue par un commandant du Hezb-é-islami de Gulbudin Hekmatyar, un certain Sayed Jamal. À la suite de ces assassinats, les hommes de

Massoud feront une opération de police. Ils captureront les coupables qui seront jugés quelques mois plus tard par une délégation d'ulémas venue du Pakistan.

6 août. Le ministre des Affaires étrangères Édouard Chevardnadzé se rend à Kaboul afin de soutenir Najiboullah à qui il confirme que l'URSS ne le laissera jamais tomber.

21 novembre. Les Soviétiques qui tentent de se servir de l'ex-roi Zaher-Chah lui envoie ce même ministre des Affaires étrangères, qui lui rend visite dans sa résidence de Rome. Sans obtenir autre chose qu'un soutien moral.

27 novembre. Mojadedi, alors président du gouvernement intérimaire afghan, est reçu par George Bush, président des États-Unis. Celui-ci demande expressément aux Afghans de la Résistance « d'élargir leur gouvernement ».

Décembre. Dans le processus de transformation du monde politique de l'URSS, orchestré par Gorbatchev, qui a peu de marge de manœuvre et recherche l'aide occidentale, le Congrès des députés condamne l'intervention en Afghanistan de 1979 et la déclare « non démocratique ». Cette nouvelle n'impressionne personne car la méthode qui consiste à mettre toutes les erreurs sur le dos de ceux qui appartiennent au passé n'est pas une nouveauté. Mais tout de même, les associations d'anciens combattants, appelés *Afghantsy,* ont droit de cité.

1990

14 février. Les Soviétiques proposent un nouveau plan en cinq points pour amener la paix en Afghanistan : 1) Cessez-le feu immédiat sur le terrain. 2) Arrêt simultané des livraison d'armes. 3) Réunion d'une conférence internationale sous l'égide des Nations unies. 4) Organisation d'élections générales avec présence d'observateurs étrangers. 5) Démilitarisation totale de l'Afghanistan. Sans suite !

7 mars. Le ministre de la Défense du gouvernement de Najiboullah, le général Tanaï, soutenu par Gulbudine Hekmatyar, pressé d'arriver à Kaboul pour y devancer Massoud, tente de renverser le pouvoir en place. L'opération échoue, les officiers impliqués trouvent refuge à Peshawar.

Juin. Najiboullah annonce une réforme du parti communiste afghan qui prend le nom de Hezb-é-watan (parti de la Patrie). Il tente désespérément de donner de l'impulsion à sa politique de « réconciliation nationale ».

16 juin. Réouverture de l'ambassade de France à Kaboul. Ce geste est condamné par les partis de la Résistance qui n'en comprennent pas le sens.

2 août. L'Irak fait son coup de force au Koweit. Les moudjahidin afghans sont divisés : les partis ikhwahabis soutiennent Saddam Hussein alors que Mojadedi prend la décision, avec le gouvernement intérimaire, d'envoyer symboliquement trois cents hommes pour participer à la force multinationale qui va déclencher la guerre contre l'Irak.

15 octobre. Massoud se rend au Pakistan pour rencontrer les leaders des partis jihadis ainsi que le président pakistanais Gholam Ishaq-Khan et Benazir Bhutto alors Premier ministre. À l'issue de ce voyage, un accord sera même passé entre le Hezb-é-islami et le Jamiat-e-islami pour un partage administratif des zones sous le contrôle de leurs commandants respectifs.

19 novembre. Le président afghan Najiboullah se rend en Suisse. Il y rencontre des représentants de l'ONU et en profite pour prendre des contacts non officiels avec des personnalités afghanes proches des moudjahidin.

1991

Janvier. Sur le terrain, à « l'intérieur » de l'Afghanistan, la situation n'évolue pas de façon significative sinon que chaque commandant essaie de concentrer ses forces en rêvant d'une reprise de Kaboul et de toutes les villes encore sous contrôle des forces gouvernementales. Celles-ci sont toutefois de moins en moins motivées. Dans le Nord-Est, Massoud développe son « Conseil du Nord » (Choura de Nazar). Il déclare à des journalistes que le départ des Soviétiques est arrivé trop tôt, qu'ils sont encore très présents sur le terrain, en fait, qu'ils ont sapé la société afghane au sein même de sa structure, que leur départ est une arme redoutable contre les Afghans eux-mêmes.

11 avril. Les moudjahidin des zones du Sud, rassemblés sous le commandement de Mawlaoui Jalaloudine Haqqani, réussissent à prendre la ville de Khost (dans la province du Paktia). Depuis deux années, la garnison qui défendait le lieu résistait. À signaler que des milices arabes, jointes aux troupes moudjahidin, avaient commis dans cette zone des actes d'atrocités tels que les soldats gouvernementaux s'étaient battus avec la force du désespoir et de la peur de tomber entre leurs mains.

21 mai. Le secrétaire général de l'ONU, Perez de Cuellar, propose un nouveau plan de paix pour l'Afghanistan qui n'apporte pas une grande nouveauté : constitution d'un gouvernement d'union nationale à titre provisoire, tenue d'élections générales dans un délai court, cessez-le-feu immédiat pour toutes les factions.

28 juillet. Les représentants de la Résistance sont rassemblés à Islamabad avec des responsables politiques du Pakistan et de l'Iran pour tenter de trouver une meilleure issue au conflit qui n'en finit pas de s'enliser. Ces discussions tripartites durent deux jours et reprennent pour un second tour à la fin du mois d'août.

13 septembre. Les États-Unis et l'URSS s'engagent mutuellement à ne plus livrer d'armes aux belligérants à partir du 1er janvier 1992. Symétries négatives !

21 décembre. L'URSS disparaît pour donner naissance à la Communauté des États indépendants (CEI).

1992

18 mars. Le président Najiboullah, pour montrer sa volonté d'appliquer le plan du premier secrétaire de l'ONU, propose une transmission de ses pouvoirs et de ceux de son gouvernement à un nouveau gouvernement constitué de personnalités choisies pour leur neutralité. Les moudjahidin refusent, pensant à une manœuvre politique. De Mazar-é-Sharif, le général Dostom, Momen et Naderi se désolidarisent du régime de Najiboullah.

9 avril. Le chef des services spéciaux saoudiens, Turki El Faiçal, se rend à Islamabad afin de dénoncer la présence d'activistes islamistes arabes au Pakistan et en Afghanistan. Il demande au Premier ministre pakistanais mais aussi aux moudjahidin de limiter leur participation aux actions militaires.

11 avril. Le secrétaire général des Nations unies, qui n'a pas l'intention de laisser s'évanouir son plan, annonce qu'une commission de quinze membres sera formée pour assurer la transition du pouvoir, faire appliquer le cessez-le-feu dans tout le pays, décider une amnistie générale, et travailler à la mise en place d'un gouvernement intérimaire, à Kaboul. Sayyaf et Khales, au nom de leurs partis respectifs, s'opposent résolument à l'exécution de ce projet.

15 avril. Profitant de la nuit et de la confusion qui s'installe dans la capitale, le président Najiboullah tente de fuir mais il est arrêté à l'aéroport. Il sera remis aux représentants des Nations unies et jamais inquiété durant toute la période où les moudjahidin seront à Kaboul, même durant les pires moments des nombreux combats qui vont mettre à feu et à sang la capitale afghane. La maison où il restera presque quatre années se trouve à côté de l'ambassade de France.

16 avril. C'est la fin du régime communiste. Les moudjahidin passent à l'attaque des points stratégiques qui se trouvent à portée de leurs troupes. Ainsi, la ville historique de Ghazni, dans le Sud, est libérée par la Résistance.

17 avril. Tout s'accélère. Un « conseil des quatre » se met en place pour remplacer le gouvernement qui vient de perdre son président. Massoud reçoit le ministre des Affaires étrangères de Najiboullah, Abdoul-Wakil, qui l'informe de la situation des positions internationales à l'égard de l'Afghanistan. La rencontre a lieu dans la ville de Charikar qui se trouve dans la plaine de Chamali, à environ 70 kilomètres à l'est de Kaboul. Dans le même temps, Ismaël Khan et ses moudjahidin libèrent la ville de Hérat.

18 avril. Chaque jour, la pression augmente à tel point qu'il est difficile à la plupart des Afghans de suivre l'évolution de la situation. Ce jour-là, le chef par intérim du Hezb-é-watan fait une déclaration publique annonçant le commencement d'une nouvelle ère, exhortant le peuple afghan à la vraie réconciliation. Le même jour, la ville de Kunduz, au nord-est, l'aéroport de Chindand et la province de Helmand passent sous contrôle moudjahid.

19 avril. Jalalabad enfin libérée. Les soldats et officiers de l'armée gouvernementale désertent en grand nombre. Ainsi la 11e division rallie-t-elle la Résistance.

20 avril. La prison de Pul-é-Tcharki passe sous contrôle des moudjahidin. Tous les prisonniers sont libérés... même les droits communs, même les criminels notoires. On ignore exactement qui sont les responsables, mais dans le désordre qui règne alors, des individus sans foi ni loi se trouvent dans la rue et vont pouvoir prendre des armes et donner libre cours à leurs folies : pillages, meurtres, viols... Dans le Logar, Pol-é-Alam est libérée.

21 avril. Kandahar tombe. Qala-é-Naw (province de Helmand) également.

22 avril. La ville de Gardez, dans le Paktia, passe sous contrôle des moudjahidin. À Kaboul, Hâtif, le président par intérim, ex-vice-président du régime de Najiboullah, déclare que tout est prêt pour que le pouvoir soit cédé au gouvernement intérimaire des moudjahidin.

23 avril. Étrange dialogue radio entre Hekmatyar et Massoud sur les conditions de l'entrée dans Kaboul.

24 avril. À Peshawar, le gouvernement intérimaire de la Résistance rend publiques ses décisions en prévision de son installation à Kaboul. À signaler que le parti des Hazaras, le Wahdat, n'est pas présent. Mojaddedi se retrouve président pour une durée de deux mois et président du Conseil jihadi pour six mois ; un grand Conseil jihadi est constitué de cinquante et un membres ; création d'un autre conseil, le conseil de direction, qui comprend tous les chefs des partis de l'Alliance. Rabbani en devient le chef pour six mois, puis il est prévu qu'il remplacera Mojaddedi à la présidence et ce, pour une période de quatre mois. Quant au poste de Premier ministre, il est attribué au Hezb-e-islami de Gulbudine Hekmatyar. On le voit, la complexité de l'organisation est sa faiblesse. Le cocktail a le goût d'un dangereux explosif.

25 avril. Pour tenter de contrer Hekmatyar qui cherche à s'emparer de Kaboul, ce qu'il s'efforce de faire avec les moyens dont il dispose (et le soutien des Pakistanais), Mojaddedi crée un Conseil pour la sécurité de Kaboul. Six personnalités vont en faire partie : Ahmed Shah Massoud, Abdoul Haq, Didar, Haji Cher-Alam, Mawlaoui Seddiqullah et Dr Chah-Rokh. Ce qui n'empêche pas Hekmatyar, le jour suivant, de lancer une offensive sur les défenses de la capitale et d'annoncer qu'il a « libéré » la ville.

26 avril. Mojaddedi charge tous les membres du Conseil de tout faire pour protéger Kaboul des assauts de Hekmatyar (qui est, ne l'oublions pas, le leader du parti Hezb-é-islami, lequel parti doit fournir au gouvernement son Premier ministre !). À la télévision de Kaboul, des représentants des moudjahidin annoncent la formation du gouvernement intérimaire. Ils demandent expressément à l'armée gouvernementale de reconnaître Ahmed Shah Massoud comme son chef puisqu'il devient alors ministre de la Défense.

28 avril. Mojaddedi arrive en voiture dans Kaboul. Il est suivi d'une interminable caravane de véhicules dont font partie les membres du gouvernement intérimaire.

30 avril. Massoud et ses troupes entrent dans la capitale afghane. La tâche qui lui échoit, puisqu'on lui demande de faire régner l'ordre dans la ville, semble difficile, voire impossible à réaliser tant le désordre est grand. Plus difficile encore : la confusion. Pour avoir l'air d'un moudjahid, il faut porter le pacole, le béret nouristani, en laine, roulé ; beaucoup d'ennemis des moudjahidin en profitent pour, très tôt, nuire à l'image des libérateurs. C'est le début de l'anarchie et le travail de police est quasiment impossible à mener, aucune structure n'est vraiment en place. Il aurait fallu une aide réelle et concrète des Nations unies pour réussir ce tour de passe-passe entre une ville toujours à l'abri de la guerre, mais sous régime communiste, et l'affluence de tous ces Afghans des campagnes, dont certains n'avaient jamais vu Kaboul. Mais voilà, Massoud devait se débrouiller seul. Et si les Pakistanais tenaient Hekmatyar comme nuisance majeure à toute tentative d'indépendance d'une nouvelle nation afghane ?

6 mai. Rabbani, Mohamedi et Sayyaf arrivent à leur tour dans Kaboul.

13 mai. Le ministre des Affaires étrangères de la jeune Fédération de Russie se rend à Kaboul. Il confirme qu'une aide sera apportée par son pays. Les négociations pour les dommages de guerre sont remises à plus tard.

29 mai. L'avion qui ramenait à Kaboul le président Mojaddedi, et la délégation officielle du gouvernement des moudjahidin en visite au Pakistan, est touché par une roquette tirée des environs de la ville. Le nez de l'avion est arraché. Le pilote, blessé, parvient à poser l'appareil sur la piste. Beaucoup penseront que Hekmatyar a donné l'ordre d'abattre cet avion, mais aucune preuve ne peut être fournie.

3 juin. Premiers combats dans Kaboul entre les Hazaras du parti Wahdat et les hommes de Sayyaf qui nourrissent à leur égard une haine profonde. Sayyaf d'ailleurs fait partie de ceux qui ont dit qu'un jour il faudrait raser Kaboul.

28 juin. Borhanuddine Rabbani, comme prévu, prend la succession de Sibghatullah Mojaddedi au pouvoir. En principe, comme le précisait la règle acceptée par tous (et par lui-même), il devait occuper ce poste pour une période non renouvelable de quatre mois.

29 juillet. Rabbani renforce la présence du Jamiat au sein du gouvernement en nommant Mir-Hamza au poste de vice-président.

10 août. La tension créée par Hekmatyar opposé à Massoud atteint son point culminant. Des roquettes tombent de plus en plus nombreuses sur Kaboul, des combats de chars et d'infanterie embrasent les quartiers sud.

24 août. La plupart des diplomates étrangers, à l'exception des Iraniens et des Pakistanais, quittent la capitale qui devient un champ de bataille. Les derniers à s'en aller seront les diplomates russes, soit tout le personnel de l'ambassade qui représente alors plus de cent trente personnes. Des ONG comme Médecins sans frontières demeurent pourtant sur place, même dans les moments les plus dangereux, où l'on compte jusqu'à deux mille roquettes ou obus qui explosent chaque jour sur la ville. On comprend pourquoi les Afghans qui vivaient à l'étranger, en exil, repoussent à plus tard leur projet de retour au pays. L'Afghanistan avait pourtant besoin d'eux, car beaucoup avaient de réelles compétences professionnelles (dans le domaine de la médecine, des finances, de l'administration, de l'enseignement…). Mais la guerre est toujours là !

29 août. Un cessez-le-feu entre le Hezb-é-islami et le gouvernement amène une accalmie et fait reprendre espoir à ceux qui croient encore en une paix possible.

Septembre. Des pourparlers qui se tenaient de manière non officielle entre le Hezb-é-Wahdat-é-islami-é-Afghanistan dirigé par le Hazara Abdul Ali Mazari et des représentants de Rabbani finissent par déboucher sur un accord : trois Hazaras entrent dans le gouvernement avec des postes de ministres : Abdul-

Wahid Sorabi (ex-vice Premier ministre de Najiboullah), Yaqoub Laaly et Nazar-Ahmed Balkhy.

7 septembre. Dans un parc, au centre de Kaboul, trois criminels, responsables de pillage et d'atrocités commises sur des civils, sont pendus. Dans la presse occidentale, on parlera des « pendus de Massoud ».

17 septembre. Hekmatyar et Rabbani se rencontrent à Paghman, le quartier général de Sayyaf. Les deux hommes se mettent d'accord pour travailler à l'élimination des milices armées indépendantes qui sèment le désordre sur le théâtre de la capitale afghane. À signaler que durant les dix années d'occupation soviétique, Kaboul, à l'exception de quelques attentats très localisés, n'avait jamais connu la guerre. C'est aussi pour cette raison que sa population était importante, car même les familles de moudjahidin y avaient trouvé refuge, du moins celles qui préféraient demeurer en Afghanistan plutôt que de s'en aller en exil au Pakistan.

26 septembre. Rabbani se rend à Islamabad où il obtient l'assurance que les autorités pakistanaises empêcheront toute activité subversive visant à nuire au gouvernement afghan de se servir du territoire pakistanais comme base. Parole diplomatique sans grand fondement puisqu'il semble qu'au Pakistan, les services de renseignements (ISI) mènent une politique plus qu'indépendante en ce qui concerne la politique afghane, comme en témoigne leur soutien à Hekmatyar. Poursuivant sa visite des voisins, Rabbani se rend également à Téhéran. Là, les autorités iraniennes accordent à l'Afghanistan un crédit (estimé à 250 000 millions de francs) à valoir sur les produits de première nécessité.

29 septembre. Le chef d'État-major, Assef Delawar, échappe à un attentat qui provoque la mort de son chauffeur. Hekmatyar est suspecté d'en être le commanditaire. À signaler que Assef Delawar était général dans l'armée gouvernementale au service du régime communiste.

13 octobre. Poursuivant ses visites aux voisins, Rabbani se rend en Ouzbékistan.

Novembre. Dostom, l'homme fort de Mazar, l'ex-chef de la milice à la solde des gouvernements communistes du temps des Soviétiques, exige que son mouvement, le Junbesh, soit représenté au sein du Conseil de direction, ainsi que dans la commission qui doit préparer la convention de la Choura AHA, puisque pour préparer l'avenir, on ne peut en rester aux intérimaires.

5 novembre. Encore un attentat à la voiture piégée. Cette fois, il tue le vice-ministre de la Sécurité nationale, le général Khan-Mohamed, directeur de la première section du Khad, les services secrets afghans du temps des communistes. C'est le temps de la vengeance. Les criminels paient.

27 novembre. Le voisin Turkménistan signe des accords économiques et commerciaux avec l'Afghanistan.

30 décembre. Rabbani toujours président réunit une sorte de *Loya Jirga,* la Choura Ahl Hal o Aqd qui rassemble plus de neuf cents représentants de tout l'Afghanistan. Certains sont même venus de l'étranger. Rabbani se fait élire président pour une durée de deux années.

1993

20 janvier. Après une guerre violente qui a opposé les hommes de Sayyaf et les Hazaras chiites qui vivent dans les quartiers ouest de Kaboul, Massoud lance une offensive pour tenter de repousser les forces du Hezb-é-islami qui ne cessent de bombarder Kaboul à la roquette et aux obus (parfois les obus sont simplement posés sur le toit plat d'une maison ou sur un rocher, chauffés et mis à feu avec de l'essence placée contre l'amorce). Dans cette nouvelle bataille de rues avec utilisation de l'artillerie et des blindés, le Wahdat prend part aux combats. De son côté, Dostom attend de voir où le vent va tourner.

30 janvier. On se bat beaucoup. On se réunit tout autant. Ainsi, à Jalalabad, le Conseil de direction rassemble la plupart de ses membres afin de rétablir de nouvelles règles, mais le Jamiat-é-islami, parti dont Rabbani est le chef, refuse d'assister à cette réunion, arguant qu'elle n'a en aucune manière besoin de se tenir puisque Rabbani est maintenant président pour deux nouvelles années et que c'est à lui, désormais, qu'appartient le pouvoir de constituer un gouvernement. On constate, dans ce jeu malsain, que les règles changent souvent. En fait, c'est le désordre, l'illusion d'un État et le malheur d'une population qui commence à douter que la paix soit une chose possible.

9 février. Encore un attentat de personnalité politique. Cette fois c'est le vice-président du Haraka-é-inqiab-é-islami-é-Afghanistan, Maollawi Mansour, qui meurt dans sa voiture sur la route entre Zormat et Gardez. On pense à un nouveau coup de Hekmatyar.

11 février. Dostom, qui ne cesse de revendiquer sa part du nouvel État à la naissance duquel il revendique d'avoir participé (puisqu'il a trahi Najiboullah), refuse le poste de vice-ministre de la Défense que lui proposent Rabbani et Massoud. Les moudjahidin de Sayyaf lancent une attaque meurtrière dans le quartier d'Afchar-Mina contrôlé par le Wahdat, essentiellement habité par des chiites hazaras. Des centaines de civils sont assassinés et de nombreuses atrocités commises. Des témoignages rapportent quantité de détails abominables : enfants écrasés, femmes aux seins coupés, hommes égorgés... Ces crimes vont considérablement nuire à l'image de Massoud, qu'on dit impliqué dans le drame de par son alliance avec Sayyaf. En fait, des hommes de Massoud ont tenté de s'interposer et ont subit des pertes des deux côtés.

7 mars. Massoud ne veut pas faire obstacle à une tentative de réconciliation avec le Hezb-é-islami : il annonce sa démission de son poste de ministre de la Défense afin de laisser Hekmatyar occuper celui de Premier ministre dans le gouvernement dont le président est toujours Rabbani. Toutefois, si Hekmatyar accepte d'être le Premier ministre il refuse de venir s'installer au palais de Sedarat, comme le voudrait le protocole, tant que les hommes de Massoud restent dans la ville. On est en pleine absurdité. Un Premier ministre dans la périphérie de la capitale (qui continue à laisser ses hommes la bombarder), un homme fort qui n'est plus rien d'officiel (Massoud), un président qui ne pense qu'à s'accrocher au pouvoir et croit qu'ainsi il aura le temps de construire la nation afghane, et quantité de ministres incompétents, dont beaucoup ne pensent déjà qu'à profiter de leur situation pour s'enrichir à titre personnel.

12 août. Le ministre des Affaires étrangères afghan, Amine Arsalah, prend le relais de Rabbani dans sa visite chez les voisins, et se rend à Douchambé afin de proposer (échange de bons procédés !) une médiation dans le conflit tadjik.

28 août. Rahmanov, le président de la République du Tadjikistan se rend en personne à Kaboul pour assurer les hommes au pouvoir de son soutien.

24 octobre. Des accords sont conclus entre l'Afghanistan et le Tadjikistan concernant la fourniture de gaz provenant des immenses réserves naturelles afghanes.

9 novembre. La sous-secrétaire d'État américain pour l'Asie et le Sud-Est, Robin Raphael (épouse de M. Raphael, ambassadeur américain au Pakistan, tué dans l'attentat avec le président Zia), vient à Kaboul pour tenter de régler quelques affaires pressantes et sensibles : la drogue (dont le trafic ne fait que s'intensifier, dans le Sud et dans le Nord-Est, au Badharshan), la présence gênante d'activistes arabes sur le territoire afghan, le rachat des Stingers (les Américains les rachètent le prix qu'il faut, parfois quatre à cinq fois le prix) car ils pourraient passer entre des mains terroristes (ce qu'ils ont fait, bien sûr !). Quand Robin Raphael rencontre Rabbani, ils peuvent discourir des heures durant, et la fois d'après, n'échanger aucun mot. Elle rencontre Hekmatyar qui aurait tant de choses à révéler sur la drogue et les Stingers et que les Américains ont si bien aidé ! Elle rencontre aussi Massoud.

20 novembre. Accord turco-afghan sur une coopération militaire. Quelques jours plus tard, la Turquie ouvre un consulat à Hérat. À signaler la présence de Turkmen dans la région.

17 décembre. Un traité de coopération, d'amitié et de bon voisinage est signé à Douchambé.

1994

1er janvier. Le Hezb-é-islami-é-Afghanistan, le Hezb-é-wahdat-é-islami-Afghanistan, le Jabha-é-melli-é-néjat-é-Afghanistan et le Junbesh-é-melli-é-Afghanistan s'associent au sein d'un « Conseil supérieur de coordination » pour lutter contre le gouvernement et ses défenseurs. Ce qui donne en fait un Hekmatyar allié avec Dostom (dont il avait pourtant dit qu'il devait être considéré comme un homme à abattre en raison de son lourd passé à la solde des communistes ! On voit là la fragilité des discours face aux intérêts, ce qui oblige toujours à ne pas prendre à la lettre les paroles des uns et des autres), mais aussi allié avec le Hazara Mazari et Mojaddedi. Tous contre Massoud et Sayyaf, tous lançant leurs troupes contre Kaboul.

Février. Les relations avec le Pakistan s'enveniment. L'ambassade pakistanaise à Kaboul est saccagée. Le gouvernement pakistanais en décide la fermeture.

Mars. La guerre civile n'en finit pas. De courageuses organisations humanitaires restent sur place et témoignent de la violence des affrontements. De nombreux ex-communistes se battent les uns contre les autres sans trop savoir pourquoi. Quantité de jeunes sont atteints de cette folie des armes et du laisser-aller. La justice, la police n'existent plus. La population ne supporte plus les chefs de guerre, quels qu'ils soient. Beaucoup de Kaboulis, lorsqu'ils le peuvent, vont se réfugier dans les provinces. Dans les ministères, personne ne travaille. Les caisses de l'État d'Afghanistan se vident comme par enchantement. Il serait intéressant de faire une enquête sur tous les membres du gouvernement de Rabbani, étudier leur patrimoine. On serait très étonné du nombre de maisons soudainement acquises en Inde, en Ouzbékistan, au Tadjikistan. Tout cela dégoûte bien des Afghans, mais réconforte les Russes qui se lavent les mains devant l'incendie qu'ils ont en partie allumé mais dont la plupart des observateurs ont effacé les traces dans leurs mémoires.

À la fin du mois, le Tunisien Mahmoud Mestiri, homme intelligent, représentant spécial du secrétaire général de l'ONU, se rend en Afghanistan et s'applique à rencontrer la plupart des protagonistes de ce drame pour se faire une idée précise de la situation.

28 juin. Contrairement à ce que racontent quelques observateurs, Massoud ne soutient pas Rabbani jusqu'au point de lui demander de prolonger son mandat de six mois. Au contraire, Massoud demande que Rabbani cède sa place de président pour aller vers l'apaisement des tensions. Mais Rabbani trompe Massoud et proclame qu'il restera au pouvoir jusqu'en décembre.

20 juillet. Une grande assemblée organisée par Ismaël-Khan attire à Hérat de nombreux Afghans de l'étranger dont le pays aurait bien besoin. Cette assemblée baptisée « Conseil supérieur islamique » se tient durant cinq jours, mais la représentativité est limitée. Des chefs politiques de partis on n'y voit que Rabbani. Sur le terrain, Hekmatyar subit des revers. Ses forces sont moins efficaces que celles de Massoud. Leurs pertes sont importantes.

12 octobre. Arrivée sur la scène du conflit afghan de ceux qui ce font appeler « les taliban », « les étudiants du Livre ». Ils prennent le contrôle du tronçon de route qui mène de SpinBouldak (à la frontière afghano-pakistanaise) à Kandahar. Ils désarment les moudjahidin qu'ils rencontrent et parlent de rétablir la paix en Afghanistan. Leur chef, un certain Mollah Mohamed Omar, est invisible. De son côté, Dostom combat Massoud par le nord, au niveau de la route du Salang.

26 décembre. Rabbani, sous la pression de Massoud, déclare être disposé à céder le pouvoir à un autre leader, à condition que la plupart des membres du Jamiat présents dans le gouvernement conservent leurs postes.

1995

13 février. Un plan de paix, proposé par Mahmoud Mestiri, propose que le pouvoir soit confié à une commission de trente personnalités sous l'égide de l'ONU Rabbani se dit disposé à faire cette passation de ses pouvoirs. Au même moment les taliban, avec un soutien logistique important des Pakistanais, effectuent une avancée inattendue jusqu'aux portes de Kaboul.

6 mars. Profitant du désordre que l'avancée des taliban a mis dans les troupes du Hezb et du Wahdat, Massoud attaque les quartiers ouest de Kaboul. Les hommes de Hekmatyar subissent de graves pertes. Le Pakistan semble avoir abandonné Hekmatyar au profit des taliban. Mais à ce stade de confusion, il est bien difficile d'y voir clair dans les jeux des uns et des autres.

12 mars. Mazari, le chef du Hezb-é-wahdat, rallié aux taliban, est assassiné par ceux-ci. Karim Khalili va lui succéder au sein du parti hazara.

1er avril. Mojaddedi devient président du Conseil supérieur de coordination. Rabbani n'a toujours pas cédé sa place. La paix est toujours un rêve lointain.

Mai. Profitant d'une accalmie, deux ambassades ouvrent à nouveau leurs portes à Kaboul. Pas n'importe lesquelles : celle de la Fédération de Russie représentée par Alexandre Oblov et celle de l'Inde. Deux nations inquiètes du jeu pakistanais et de ces taliban qui prônent un islam plus que traditionaliste.

15-17 mai. Pour bien montrer qu'il ne faut pas confondre les taliban, islamistes intransigeants, et les moudjahidin, Rabbani propose son aide pour servir de médiateur dans le conflit interne violent qui oppose, au Tadjikistan, les islamistes et les politiques néo-communistes soutenus par Moscou. Iman-Ali Rahmanov, président du Tadjikistan, peut ainsi dialoguer avec Sayed Abdullah Nouri, chef des opposants tadjiks.

Juin. Certains Afghans pensent encore que l'ex-roi d'Afghanistan pourrait servir à rétablir la paix dans le pays. Son gendre, Abdoul-Wali, est reçu au Pakistan pour préparer l'éventuel retour du souverain.

7 août. Les taliban contraignent un avion russe à se poser sur l'aéroport de Kandahar. L'appareil transportait du matériel militaire et des billets de banque destinés à Kaboul.

5 septembre. Hérat, la grande ville du nord-ouest du pays, tombe entre les mains des taliban, à la surprise générale. Ismaël-Khan a été trahi. La tactique des taliban consiste à acheter tous ceux qui pourraient leur servir... au nom de la paix. Ismaël-Khan trouve refuge en Iran.

20 septembre. Un ultimatum d'une durée de cinq jours est lancé à Rabbani par les taliban qui menacent de lancer une offensive sur Kaboul s'il ne cède pas le pouvoir dans ce laps de temps.

21 septembre. Les Pakistanais font fermer l'ambassade d'Afghanistan à Islamabad et expulsent les diplomates afghans en réaction à de nouveaux actes de violences commis sur leur ambassade qu'ils avaient à nouveau ouverte à Kaboul.

10 octobre. Le gouvernement pakistanais demande au représentant politique de Rabbani à Peshawar, Massoud Khallili, de quitter le territoire.

4 novembre. Le feuilleton du plan proposé par Mestiri se poursuit avec l'annonce de Rabbani qui se dit à nouveau prêt à abandonner le pouvoir. Les taliban augmentent leur pression. Leur chef invisible, Mollah Mohamed Omar, annonce que Rabbani et Massoud devront être jugés une fois que Kaboul sera sous le contrôle de ses hommes.

16 novembre. Rabbani, qui a refusé à Massoud d'aller négocier avec les taliban, accepte soudain le plan de paix de Mestiri. Une liste de vingt-huit personnalités est établie afin de constituer le « conseil » qui doit avoir en charge le transfert du pouvoir. Hélas, cette liste est rejetée par les représentants des quatre partis opposés au gouvernement. Les chiites considèrent que ce plan ne tient en aucune manière compte de ce qu'il représente. Mort de ce plan.

27 novembre. Rien ne va plus au sein du Conseil supérieur de coordination des quatre partis d'opposition : Mojaddedi démissionne de ses fonctions de président car il n'apprécie guère que Dostom et même Hekmatyar tentent de négocier, de leur côté, avec Massoud, poussés par leur crainte de la déferlante taleb.

13 décembre. Une délégation de représentants du gouvernement Rabbani et de Massoud rencontre des responsables russes pour leur demander un soutien urgent afin de résister à la pression des taliban. Cette délégation est conduite par le docteur Abdurrahmane (le numéro deux de Massoud, ministre de l'Aviation civile, qui a parfois détourné la compagnie Ariana à son profit : cadeaux de billets, avion affrété pour se rendre à Dubaï acheter un bijou pour sa femme lors de son deuxième mariage). En Iran, en Ouzbékistan et au Tadjikistan, une seconde délégation (dirigée par le docteur Abdullah, autre proche de Massoud) se démène afin que Dostom revienne dans le camp de Massoud et de Rabbani. En fait, face à l'urgence, chacun se démène pour trouver une autre solution que celle des taliban dont les Afghans connaissent les soutiens : les Pakistanais.

20 décembre. L'Assemblée générale des Nations unies prolonge la mission de Mestiri qui doit faire des miracles afin de favoriser le retour à la paix et la mise en application de la fameuse réconciliation nationale, tout en aménageant un conseil plus représentatif que par les vingt-huit personnalités déjà proposées. Ainsi, le pouvoir sera-t-il transféré à une autre personnalité que Rabbani. Mais tout cela semble bien difficile à faire comprendre aux intéressés qui se perdent eux-mêmes, parfois, dans leurs propres jeux.

21 décembre. À Peshawar, dans le Sadr-Bazar, quartier commerçant très fréquenté, une bombe explose. On compte une trentaine de morts et une centaine de blessés. Islamabad fait porter la responsabilité de ce crime sur Kaboul et Delhi.

22 décembre. L'aviation gouvernementale, quelques Mig basés à Bagram et sur l'aéroport de Kaboul bombardent les positions taliban proches de la capitale. Un avion est abattu. Le vice-ministre iranien présent à Kaboul tente en vain de faire s'unir le Wahdat, le Junbesh et la coalition au pouvoir.

28 décembre. Les autres voies ayant été explorées sans résultat, le président Rabbani se dit prêt à rencontrer tous les dirigeants de l'opposition, y compris les taliban et Dostom. Il est trop tard !

1996

2 janvier. Négociation entre le Hezb et le Jamiat pour une alliance de circonstance.

7 janvier. L'Iran invite tous les protagonistes de la « crise afghane » à venir dialoguer sur son territoire afin de trouver une solution en vue d'amener la paix en Afghanistan. L'Iran est particulièrement inquiet de la présence armée des taliban qui sont sunnites, très opposés aux chiites. Le ministre des Affaires étrangères iranien signe un accord avec son homologue pakistanais afin de collaborer à une solution pacifique. Les Pakistanais ont toujours eu deux attitudes : la position officielle demandeuse de paix et de bonne coopération avec l'Afghanistan, et l'action, souvent contraire, de ses services secrets qui ont en charge le soutien aux taliban. Ce double jeu, extrêmement préoccupant, est difficile à cerner.

14 février. À Islamabad, tous les partis afghans opposés à Rabbani demandent sa démission et le départ de Massoud de Kaboul.

16 février. Le Conseil de sécurité de l'ONU condamne la guerre en Afghanistan et demande à tous les États de s'abstenir de vendre des armes aux belligérants.

26 février. Les Mig des forces gouvernementales, sous la direction officieuse mais réelle de Massoud, bombardent les positions taliban à la périphérie de Kaboul.

6 mars. Les négociations entre le Hezb-é-islami-é-Afghanistan et le Jamiat-é-islami-é-Afghanistan semblent aboutir à un échec. Hekmatyar ne viendra pas à Kaboul car les troupes de Massoud sont dans la ville. Mais dix jours plus tard, malgré l'opposition formelle de Massoud, Rabbani laisse entendre qu'il va nommer Hekmatyar au poste de Premier ministre. Mais celui-ci ne vient pas dans la capitale.

4 avril. Une réunion qui rassemble un grand nombre d'ulémas afghans est organisée à Kandahar à l'initiative des taliban qui déclarent que la *Jihad* (guerre sainte) doit être lancée contre le régime de Rabbani et de ses alliés.

23 mai. La guerre continue en Afghanistan et de nombreuses tractations sont esquissées puis abandonnées. Pour les Occidentaux, la difficulté est de suivre l'évolution de la situation ; entre ce qui est annoncé et ce qui est accompli on trouve de grands écarts. La situation semble à ce point désespérante que le représentant spécial du secrétaire général des Nations unies pour l'Afghanistan, M. Mestiri, démissionne de son poste… pour « raisons de santé ». Robin Raphael, la sous-secrétaire d'État américain aux Affaires étrangères chargée de l'Asie du Sud et de l'Est, après un périple qui lui a permis de rencontrer un grand nombre de protagonistes du conflit, se montre à court d'arguments pour faire avancer les choses. À remarquer toutefois qu'il existe toujours plus ou moins deux vitesses dans l'univers politique : ce qu'on annonce, et ce qu'on tente sur le terrain hors témoins !

24 mai. Rabbani et Hekmatyar signent un accord prévoyant l'entrée de membres du Hezb-é-islami-é-Afghanistan au sein du gouvernement avec deux postes importants : Premier ministre et ministre de la Défense.

5 juin. Les taliban proposent à ceux qui s'opposent au gouvernement de Rabbani et de ses alliés la création d'un front uni. Mojaddedi ne participe pas.

11 juin. Premier voyage d'une délégation de taliban à l'étranger : en Allemagne et aux États-Unis. À signaler qu'une compagnie américano-saoudienne, Unocal et Delta, a un projet qui la mobilise : la construction d'un gazoduc reliant les réserves du Turkménistan à la côte pakistanaise, soit 743 kilomètres de tronçon à travers l'Afghanistan, tout au long de la frontière iranienne, d'où l'importance pour les taliban de conserver Hérat sous leur contrôle.

25 juin. Hekmatyar fait son entrée dans Kaboul afin de prendre enfin ses fonctions de Premier ministre. Ainsi celui qui porte la responsabilité d'une grande partie des destructions de la capitale, qui a fait assassiner quantité de compagnons de Massoud, se trouve maintenant au sein du gouvernement de Rabbani. À signaler aussi que si les rapports entre Massoud et Rabbani peuvent paraître souvent bons, il n'en est rien dans la réalité. Les deux hommes ont des avis souvent opposés… mais une fille de Rabbani est devenue l'épouse d'un des frères de Massoud, autre niveau de relation !

24 août. Les taliban prennent le contrôle d'un des plus importants dépôts d'armes et de munitions du Hezb-é-islami, à Spina-Chaka, dans la province de Paktia, près de la frontière pakistanaise (hasard ?). C'est aussi près de la frontière que se trouve des laboratoires de transformation du pavot en héroïne.

Septembre. Massoud ne veut plus cautionner Rabbani et faire sa police. De leur côté, les taliban ne font que progresser. Le 10, ils s'emparent de Jalalabad, dans la province de Nangarhar. L'ex-souverain d'Afghanistan rend publique une déclaration qui révèle qu'il est prêt à rentrer dans son pays. Mais les événements se bousculent.

26 septembre. Les taliban prennent Kaboul. En fait, ils entrent dans la capitale que les forces de Massoud ont abandonnée dans la nuit. La plupart des Panjshiris ont fui vers leur vallée. La route du Nord-Est, qui part de Kaboul en direction du Salang, n'est qu'un immense embouteillage de camions, de carrioles, d'automobiles privées, de taxis, de tanks. Des pillards en profitent pour rançonner au passage quelques familles. C'est la débandade jusqu'au bourg de Jabul-Seraj, à quatre-vingts kilomètres de la capitale, à dix de l'entrée des gorges du Panjshir.

Les taliban entrent dans Kaboul et violent aussitôt la maison des Nations unies où, depuis sa capture, l'ex-président communiste Najiboullah était gardé vivant. Ils l'abattent, ainsi que son frère, puis pendent leurs corps dans la rue. Une nouvelle ère commence pour l'Afghanistan.

27 septembre. Les taliban forment un gouvernement restreint de six membres. Ils réclament la reconnaissance international et lancent leurs forces à la poursuite de Massoud qu'ils aimeraient bien éliminer.

30 septembre. Les taliban parviennent à enfoncer les défenses de Massoud dans la plaine de Chamali. Avec leurs 4x4 équipés de mitrailleuses, leur tactique rappelle celle des forces tchadiennes : ils foncent sur l'objectif en tirant. Cette offensive leur permet de prendre le contrôle de Jabul-Seraj. Massoud et ses moudjahidin se replient jusque dans le Panjshir. Ils font sauter la paroi bordant la route au niveau des gorges étroites qui marquent l'entrée de la vallée.

15 octobre. La ligne de front reste très mouvante, tantôt à dix kilomètres de l'entrée du Panjshir, tantôt à cinquante.

1997

15 janvier. Les taliban lancent une grande offensive et repoussent les hommes de Massoud, de Dostom et les Hazaras.

Février-mars. Les taliban s'installent pour le siège du Panjshir. Ils vont tout faire pour tenter de contourner les montagnes au milieu desquelles se trouve encastrée la vallée. En mars, ils sont repoussés dans la plaine de Chamali.

Mai. Offensive des taliban sur Mazar grâce à la trahison du général Malek, le bras droit du général Dostom (qui s'enfuit). Une partie des forces taliban franchit le col de Salang, mais quelques jours plus tard les Hazaras reprennent Mazar et déciment les taliban. Malek, lui, retourne dans le camp de Massoud.

Juin. La route de Salang est coupée. La ligne de front est très active au niveau de Jabul Seraj, petite localité située dans la plaine de Chamali, à quelques kilomètres de l'entrée du Panjshir.

17 juillet. Massoud lance une offensive sur la plaine de Chamali occupée par les taliban. En quelques jours, ses troupes parviennent à prendre la ville de Charikar que les taliban avaient vidée de sa population. Les habitants reviennent. Les troupes de Massoud s'avancent jusqu'à trente kilomètres de Kaboul mais le gouvernement que M. Ghaffourzaï doit constituer (avec des Afghans venus de l'étranger et en principe aucun des ex-leaders trop compromis) n'est pas prêt. De plus, les Hazaras n'acceptent pas de voir Massoud entrer seul dans la capitale. « Regardez la ville, dira Massoud à ses hommes, rien ne sert d'y entrer si c'est pour aller au même désordre que celui que nous avons connu. »

Août. Un front s'est stabilisé à vingt kilomètres de Kaboul. Les combats y sont violents mais l'artillerie des taliban, bien ravitaillée en munitions, fait des tirs de barrage efficaces. La ville de Kunduz reste entre les mains des taliban.
Ghaffourzaï sur lequel reposait beaucoup d'espoir de voir se constituer un gouvernement plus crédible que les autres (deux femmes devaient en faire partie), se tue dans un accident d'avion, à Bamyan. Tout est remis en question.

Septembre. Offensive des taliban à partir de Kunduz en direction de Mazar. Beaucoup de pertes de part et d'autre, notamment au sein de la population civile.

Octobre-novembre. De nombreux combats autour de Kunduz, à Faryabn au nord de Kaboul, à l'est de l'Afghanistan.

Décembre. La situation semble bloquée. À Mazar, ambiance tendue : les Hazaras affrontent parfois les hommes de Dostom.

1998

Janvier-février-mars-avril. Nombreux combats sur les lignes de front de Kunduz, Faryab, Laghman, Chamali, Tagab. Quelques bombardements aériens sur la plaine de Chamali. Les hommes de Massoud tirent des roquettes sur l'aéroport de Kaboul.

13 mai. « Protocole de bonne entente » *(Memorandum of Understanding)* signé entre les Nations unies et l'émirat islamique d'Afghanistan. Les organisations humanitaires non gouvernementales s'indignent : ce protocole accrédite les taliban dans leur politique contre les femmes et l'application extrémiste de la Charia, qui semble en décalage avec les temps modernes. On se demande parfois si les diplomates ne sont pas complètement à côté de la réalité !

29 juin. Les taliban intiment l'ordre aux organisations non gouvernementales humanitaires qui étaient installées à Kaboul de transporter leurs bureaux à l'École polytechnique.

14 juillet. Ultimatum pour les ONG. La plupart décident de quitter Kaboul. Une organisation comme Solidarité s'occupait du bon fonctionnement des égouts, des ordures ménagères, d'une briqueterie dont les Kaboulis avaient bien besoin pour reconstruire leurs maisons. Tout cela est anéanti ! Médecins sans Frontières refuse de se plier au diktat des taliban. Elle s'attend à être expulsée.

1er août. Chute de Shebergan, la ville du quartier général de Dostom. Celui-ci s'enfuit avec ses hommes vers Hairatan.

6 août. Chute de Mazar à nouveau occupée par les taliban.

10 août. Retrait des forces de Massoud de Taloqan et Nahrin qui passent entre les mains des taliban.

12 août. Pul-é-Khumri tombe entre les mains des taliban. Ainsi, toute la plaine du Nord est contrôlée par les taliban puissamment soutenus par les Pakistanais et les Saoudiens, bien que ceux-ci nient l'évidence. Les moudjahidin contrôlent les montagnes. Massoud est replié dans la vallée du Panjshir et reste le seul opposant à la dictature des taliban…

1999

Les taliban accentuent leur pression sur tous les fronts. Dès le printemps, ils lancent une offensive sur la plaine de Chamali. De nombreux villageois sont massacrés, des femmes kidnappées, des maisons brûlées. Plusieurs milliers de réfugiés affluent dans la vallée du Panjshir. Sécheresse et menace de famine. Plus au nord, la ville de Taloqan tombe entre les mains des taliban encadrés par les militaires pakistanais et quelques milices arabes.

2000

Des sanctions aggravées contre le régime des taliban sont votées par le Conseil de sécurité. En juin, une mission parlementaire française se rend auprès du commandant Massoud. Le général Morillon est porteur d'une invitation de Nicole Fontaine, alors présidente du Parlement européen.

2001

La pression des taliban, soutenus par les Pakistanais, ne cesse d'augmenter. Le 14 mars, les Bouddhas de Bamyan sont détruits par les taliban. En Occident, on redécouvre l'Afghanistan et on s'intéresse de plus en plus au sort réservé aux femmes. Massoud se résout à venir en Occident. Voyage à Paris et à Strasbourg en avril. Peine perdue ! Il ne sera pas reçu comme il le méritait. Le 9 septembre, un attentat suicide met fin à son combat… il est assassiné devant une caméra pié-gée tenue par deux kamikazes. Deux jours plus tard, l'Amérique découvre la folie du terrorisme dont on désigne le responsable : Oussama Ben Laden. Le World Trade Center est détruit par deux avions suicides. Le Pentagone aussi est touché. L'Amérique pointe du doigt l'Afghanistan. Le 7 octobre, les images des premiers bombardements américains sur les positions des taliban, sont diffusées dans le monde entier. Pour les médias c'est un nouveau grand spectacle !

Remerciements

Un film, un livre, on le sait, ne viennent pas seuls au monde par l'opération du Saint-Esprit. Ce sont les autres qui sèment au vent ce pollen étrange fait d'expériences multiples qu'un homme récolte, parfois même sans s'en rendre compte, et avec lequel, un jour, il fait son miel. Je n'ai pas la prétention de dire que ce livre est un vrai travail d'écrivain. Disons qu'il s'efforce, à chaud, de répondre à ceux qui veulent en savoir plus sur la manière dont un film se met à exister. Je profite alors de l'occasion d'être celui qui tient la plume pour remercier tous ceux qui m'ont appris chaque fois un peu plus l'Afghanistan. D'abord les amis afghans, nombreux et généreux. Puis les amis français, américains, suisses, anglais, qui y ont aussi placé (hélas, pour beaucoup, parfois perdu) quelques-uns de leurs rêves : Patrice Franceschi, pour avoir écrit, en 1979, *Ils ont choisi la liberté*, fait partie de ceux qui m'ont donné envie d'oser voyager dans ce pays, fût-il en guerre. Oliver Roy, à la science prolixe, qui sait manier l'humour autant que l'intelligence. Gérard Chaliand, incontournable. Mike Barry, poète érudit pour son lyrisme et sa passion d'Hérat. Jean-José Puig, grand pêcheur devant l'éternel (de truites afghanes géantes !). Louis Duprée pour le monumental ouvrage qu'il a rassemblé avant sa mort. Le couple Centlivres, ethnologues que je n'ai jamais rencontrés, mais dont j'ai lu et apprécié les livres. Philippe Gautier, qui n'a jamais relâché son attentive obstination à me soutenir dans cette démarche. Alain Boinet, pour des aventures dont il sait jusqu'où elles peuvent mener. Laurence Laumonier, à l'origine du premier voyage vers Massoud, car sans son enthousiasme à me raconter la vallée du Panjshir et ses habitants qu'elle avait soignés dans les premiers mois de la guerre, je ne les aurais sans doute jamais connus. Merci à l'A.M.I. bien sûr. À Frédérique Hincelin, Bertrand Navet, Évelyne Guillaume. À Juliette Fournot autant afghane que française. Difficile de ne pas mentionner, pour que son souvenir persiste, Andy Skyprokoviac, polonais devenu britannique, ex-commando SAS qui a préféré être caméraman pour dénoncer les guerres ; homme courageux qui a toujours témoigné pour aider ceux qui avaient le courage de se battre pour une liberté qu'on leur retirait. Andy a été lâchement assassiné, pendant qu'il dormait, par des hommes de Hekmatyar. Souvenir et pensée pour mon ami Dominique Vergos, tué à Peshawar. Pensée à Terence White, ce grand géant néo-zélandais ; à Suzy Price, jeune femme courageuse de la BBC, qui sut rester à

Kaboul, refusant de quitter son poste malgré les bombardements. Pensée à son traducteur afghan qui lisait ses textes sur l'antenne (à cause de qui les Afghans de Kaboul prenaient Suzy Price pour un homme !). Ce journaliste afghan a été sauvagement assassiné à coups de baïonnette par les hommes de Hekmatyar. Pensée pour Rory Peck qui aurait pu mourir en Afghanistan tant sa bravoure et son audace le menaient proche de la ligne qu'on ne franchit pas deux fois, et qui fut tué, ironie du sort, en filmant des Russes en révolte, devant le Parlement, à Moscou, quelques années de répit et d'aventures plus tard. Merci, bien sûr, à tous ceux qui ont partagé des voyages avec moi : Jérôme Bony, Bertrand Gallet, Edward Girardet, Christophe Picard et, pour le dernier voyage, Michel Bernard. Merci aux monteurs qui ont su porter mes films au mieux de leur talent : Martine Rousseau (et Mathilde Roblot, qui fut aussi Péan avant de devenir Castanet), Catherine Brasier, l'inséparable Jean-François Giré et celle qui a réussi à me donner à nouveau confiance dans mes images pour ce dernier film : Tatiana Andrew. Merci aussi, pour leurs attentions à me faire réussir le film, Pierrette Ominetti et Thierry Garrel, de ARTE. Merci à Bernard Lefort et Anne Schuchman pour leur obstination à me faire écrire ce livre, sans lesquels j'aurais renoncé. À Camille Meyer pour ses attentions. Merci enfin à Frédéric Laffont, ami fidèle, compagnon de l'aventure Interscoop, toujours attentif ; à Laurence de Rosière, qui a donné la maquette de ce livre ; à toute l'équipe de notre petite agence si indépendante et sans laquelle on ne ferait rien.

J'oublie, bien sûr, de nombreuses personnes de qui j'ai reçu des informations, des impressions, parfois des confidences. Je ne peux m'abstenir de mentionner l'association Afrane pour le point commun que nous avons d'aimer ce pays, et André Velter qui a su figer par sa poésie la vie des bazars de Kaboul à jamais perdue. Et je ne peux penser à remercier ceux qui transmettent leur part d'Afghanistan, sans saluer, hélas, à titre posthume, le poète afghan Baoudine Majrouh, auteur de *L'Ego monstre*, assassiné lui aussi par les hommes de Hekmatyar. A-t-il écrit une œuvre prémonitoire ? Son long poème me hante. Je sais qu'on ne pourra jamais raconter l'Afghanistan comme il est, tant il faudrait de mots. Quant à en faire une peinture, la palette des couleurs serait trop chargée.

Deux souhaits pourtant : qu'un jour la paix inonde ce pays comme le fait le soleil depuis des siècles, et que la folie des hommes rejoigne l'enfer d'où elle n'aurait jamais dû s'évader.

Merci à ma femme admirable pour le cadeau de sa présence si intelligente, si généreuse, me laissant toujours partir sans jamais me faire sentir ses craintes. Elle aussi mène un combat. Elle respecte le mien et tout nous rassemble. Merci à Julien, Adrien et Max d'exister.

Filmographie

Une vallée contre un empire (Afghanistan) - *Les Rebelles de la brousse* (Angola) - *Une révolution camouflée* (Tigré) - *Antoine Blondin* (France) - *Les Combattants de l'insolence* (Afghanistan) - *Edmund ou la vie de château* (France) - *Les Damnés de l'URSS* et *Soldats perdus* (Afghanistan, Canada) - *Une autre façon d'être blanc* (Zimbabwe) - *Haute tension* (Afrique du Sud) - *Massoud, portrait d'un chef afghan* (Afghanistan) - *Joseph Brodsky* (USA et URSS) - *Autofolies* (France) - *Poussières de guerre* - 2 x 52 minutes- (Afghanistan, URSS) - *À cœur, à corps, à cris* - 3 x 52 minutes (12 pays) - *Nos enfants de la patrie* (France) - *W Street* (USA) - *Par un bel été russe* (URSS) - *Télé-Radio-Magie* (Burkina Faso) - *Chronique des hauts plateaux* (Suisse) - *Kaboul au bout du monde* (Afghanistan) - *Do, ré, mi, fa, sol, la, si, do, les Kummer* (Suisse) - *Les Plumes font leur Cirque* (France) - *Les Derniers Pirates* (Caraïbes) - *L'Ombre blanche au pays des Papous* (Indonésie) - *À nos profs bien-aimés* (France) - *La Jeanne s'en va-t-en mer* (France) - Dans le cadre de la collection « Aux p'tits bonheurs la France » : *Les Grandes Batailles de Monsieur le Maire* (France) - *Et vive l'école !* (France) - *Massoud, l'Afghan* (Afghanistan).

• Prix du C.F.A. « Meilleur documentaire de l'année » pour *Les Plumes font leur Cirque* - Prix spécial du jury à La Nuit des yeux d'or (1994) pour *Kaboul au bout du monde* - Prix Planète Câble décerné par le public et prix spécial du jury au F.I.G.R.A. (1994) pour *Naître, des histoires banales mais belles* - Prix UNESCO pour *Do, ré, mi, fa, sol, la, si, do, les Kummer* - Prix UNESCO, Festival des programmes africains de Nairobi (1994) pour *Télé-Radio-Magie* - Prix du meilleur documentaire (1992) aux Rencontres européennes de Reims pour *W Street* - Mention au Festival Europa (1991) pour *Autofolies* - Grand Prix du Festival international de journalisme d'Angers (1990) pour *Poussières de guerre* - Aigle d'or du Festival international d'histoire de Rueil-Malmaison pour *Poussières de guerre* - Prix du meilleur film humanitaire 1987, Festival du grand reportage de La Ciotat pour *Soldats perdus* - Prix Albert-Londres 1985 Audiovisuel, pour *Les Combattants de l'insolence* - Prix international ONDAS (1983) pour *Une vallée contre un empire.*

Massoud n'est plus,
le World Trade Center non plus

Notre calendrier indique la date du 9 septembre 2001. À Paris, en France, c'est un dimanche comme les autres. À New York c'est bientôt l'heure des foules pressées qui marchent entre les blocs d'immeubles comme à travers des couloirs. De loin, les deux tours du World Trade Center se découpent dans une aube de plus en plus claire. Plus loin, beaucoup plus loin dans un pays qui n'a pas intéressé grand monde, ce jour sera celui d'un drame qui va devenir le premier acte d'une terrible tragédie.

Nous sommes en Afghanistan. Un pays qui a tant souffert et qu'aucun homme politique occidental n'est venu aider, exsangue après plus de vingt années de guerre et donc de misère, écrasé par les ingérences pakistanaises, occupé par une bande d'extrémistes islamistes qui règnent depuis plusieurs années et que personne en Occident n'est venu menacer.

On s'en moque des Afghans. L'Occident a pourtant été prévenu du danger. Les erreurs des services de la CIA ont mis le feu aux poudres. Et le monde a laissé faire. Le régime des taliban s'est installé à Kaboul. Personne n'a aidé ceux qui le combattaient. Personne. Silence. Désert. Je deviens fou. La colère me fait autant mal que la tristesse. Mes films, mes livres n'ont intéressé que ceux qui savaient écouter. Pas assez racoleurs sans doute ! À l'heure où le public français s'amuse à se rassembler devant le vide de *Loft Story*, une histoire vraie comme celle du combat de Massoud ressemblait sans doute à une fiction. Aucun livre sur l'Afghanistan n'a connu de véritable succès. Aucun livre sur ce pays, depuis *Les Cavaliers* de Joseph Kessel, n'a attiré un grand nombre de lecteurs. Alors que s'est-il passé ce dimanche 9 septembtre 2001 ?

Deux hommes, d'origine arabe, apparemment calmes, se présentant comme journalistes – ils attendaient depuis trois semaines une interview avec le commandant Massoud –, viennent d'entrer dans la pièce où il se trouve. Massoud Ralili, un des proches du commandant, est aussi présent. Un garde tient nonchalement sa kalachnikov. Massoud n'a jamais été très attentif à sa protection. Sa protection, en fait, c'était sa chance, sa bonne étoile, Dieu bien sûr et la justesse de sa cause. Sa protection c'était l'amour que lui vouaient ceux qui combattaient à ses côtés.

Les deux hommes ont commencé à poser leurs questions, puis, aux dires de Massoud Ralili, sont devenus très nerveux. Massoud, débordé par la pression des taliban sur les lignes de front, est fatigué mais ne le montre pas : comme à son habitude, il répond avec amabilité à ceux qui font la démarche de venir jusqu'à lui. On lui a tellement répété qu'il était important de communiquer.

Depuis sa visite à Paris et à Strasbourg, quelques mois plus tôt, il a pu mesurer que notre monde moderne n'avait plus rien à voir avec le monde rural d'un pays comme le sien. Il a vu des centaines de journalistes jouer des coudes pour capter son image. Il a vu des foules dans les rues de Paris. Bien qu'il n'ait pas été reçu comme il aurait fallu qu'il le soit, il était heureux de ce premier contact. D'aide, il n'en aura pas eue. Juste des paroles, quelques engagements, la promesse de faire pression sur les Pakistanais pour qu'ils cessent de soutenir les taliban. La France vend des armes au Pakistan, alors...! Des mots, il aura entendu des paroles… mais aussi des hommages, surtout de ceux qui ont vu en lui un homme de paix. Ceux qui avaient pensé que je l'avais idéalisé et ont pu le rencontrer ont soudain compris qu'ils avaient en face d'eux un homme dense, tranquille, habité par sa juste cause pour la liberté. Un homme qui avait su analyser les erreurs qu'il avait commises, déterminé et pacifique. Le temps, pensait-il, jouait pour l'Afghanistan libre, un jour en paix. Ce n'est pas « Massoud l'Afghan » mais « Massoud le Tadjik » avaient fait remarquer certains lorsque j'avais choisi le titre de ce livre et de mon film. C'est pourtant Massoud qui m'avait parlé de son pays où chacun pourrait se réconcilier : Pashtounes, Tadjiks, Hazaras, Turkmènes, Ouzbèques, Nouristanis... C'est lui qui parlait d'élections à organiser, à condition qu'on l'aide.

À Paris et au Parlement européen, il avait prévenu, comme il nous l'avait confié trois ans plus tôt, des risques d'un terrorisme pouvant directement toucher l'Occident et les États-Unis. Il fallait que l'Occident le comprenne. Alors il l'avait dit, haut et clair.

Paroles d'un homme qui savait, lui, la vérité. Hélas ! on l'entendit mais on ne l'écouta pas. Quant aux Américains, ils ne s'étaient jamais intéressés à Massoud. On disait même, dans la presse outre-Atlantique : « Massoud, l'homme des Français »... donc pas sérieux. Quelle ignorance !

Ce dimanche 9 septembre l'interview de Massoud n'était en fait que le début d'une vaste machination. La caméra n'enregistrait rien. Et pour cause : elle était bourrée d'explosifs. L'homme qui la tenait est soudain devenu très nerveux, puis le cauchemar... Une déflagration et des corps déchiquetés. Les deux assassins déchirés par leur bombe, le garde tué lui aussi sur le coup, Massoud Ralili blessé et Massoud plus grièvement encore. Il meurt quelques jours plus tard. Et tous ceux qui le connaissaient deviennent empreints d'une tristesse inguérissable. Son absence, dès lors, pèse d'une étrange manière : le destin ajoute de la cruauté à cette phase de l'histoire.

Le deuxième acte se joue le 11 septembre. Même technique de commandos suicides, mais cette fois la cible n'est pas un Afghan qu'on n'aura pas écouté mais l'inviolable territoire américain. Des milliers de victimes innocentes. Saloperie ! Horreur ! Tristesse encore. Tristesse pour ces personnes et tous les malheurs qui s'abattent sur leurs familles. Impossible toutefois, en filigrane, d'oublier ces agents spéciaux américains qui avaient refusé d'aider Massoud et soutenu un monstre islamiste : Gulbudine Helkmathiar, celui qui avait bombardé Kaboul en 1992.

Troisième acte : la folie des relais médiatiques. Tout à coup, comme à la vitesse de la lumière, l'Afghanistan surgit à la une de toute la presse mondiale. Tout à coup, quantité de professionnels, pas mauvais pris individuellement, vont se trouver pris au piège d'avoir à parler, à montrer, à expliquer, à occuper tous les espaces pour faire savoir. Face à la complexité de la situation afghane, les erreurs vont être innombrables. Qui a organisé ces attentats ? Quel est le lien entre la mort de Massoud et celle des victimes sur le sol américain ? On se trompe sur l'Afghanistan, on caricature ce peuple réduit aux fous qui ont pris le pouvoir à Kandahar et à Kaboul. On donne à croire que l'Afghanistan est prêt à faire la djihad contre les Américains. Tout devient fébrile, hystérique, approximatif. On pousse à la guerre alors que la population afghane n'aspire, dans son ensemble, qu'à la paix. Le paysan afghan, qui pense que la terre est plate, n'a pas compris qui étaient les Soviétiques venus semer la mort et la désolation sur sa terre et parmi les siens, tout comme il ne comprend pas le jeu pakistanais et ces mollahs taliban entourés d'Arabes frénétiques. Tout comme il ignore comment sont les Américains. Lorsqu'il arrive à la frontière du Pakistan pour demander asile, des caméras se braquent sur lui. Il ne sait pas à quoi ressemble le World Trade Center. Il ne connaît rien de notre monde, rien ou plutôt déjà le pire : les bombes qu'il a reçues sur son village. Les Afghans sont-ils condamnés à être pour toujours les maudits du monde ? Ce monde m'écœure et me rend triste, comme cette tristesse d'avoir perdu un ami, un frère de courage et d'absolu dont je respectais le combat et que je n'oublierai jamais.

Christophe de PONFILLY
Septembre 2001

Table

CET OUVRAGE, PUBLIÉ SOUS L'ÉGIDE DE KIRON,
CENTRE D'ART, DE CULTURE ET DE COMMUNICATION,
A ÉTÉ IMPRIMÉ PAR L'IMPRIMERIE DARANTIERE À QUETIGNY
POUR LE COMPTE DES ÉDITIONS DU FÉLIN
EN COÉDITION AVEC ARTE ÉDITIONS
EN JANVIER 2002

KIRON

ESPACE

Imprimé en France

Dépôt légal : 4ᵉ trimestre 1998

Nº d'impression : 22-0018